DESCUBRIDORES DEL PASADO EN MESOAMÉRICA

DESCUBRIDORES DEL PASADO EN MESOAMÉRICA

OCEANO

DGE EDICIONES
ANTIGUO COLEGIO DE SAN ILDEFONSO
CIUDAD DE MÉXICO, 2001

NOS DISCULPAMOS ANTE TODOS AQUELLOS INVESTIGADORES AUSENTES EN ESTA PUBLICACIÓN, QUIENES, DE UNA U OTRA FORMA, HAN CONTRIBUIDO AL CONOCIMIENTO DEL EXTRAORDINARIO MUNDO MESOAMERICANO, YA QUE NO HA SIDO POSIBLE INCLUIRLOS A TODOS CON LA DIGNIDAD E IMPORTANCIA QUE SE MERECEN. ESTE CATÁLOGO ES, POR LO TANTO, UNA PEQUEÑA MUESTRA DEL QUEHACER ARQUEOLÓGICO DE CIENTOS DE PERSONAS A LO LARGO DEL TIEMPO Y DEL ESPACIO.

COORDINACIÓN EDITORIAL
**LUCINDA GUTIÉRREZ
Y GABRIELA PARDO**

DISEÑO
DANIELA ROCHA

ASISTENTE
ANA L. DE LA SERNA

FORMACIÓN
**CONCEPTO GRÁFICO DISEÑO Y EDICIÓN, S.C.
SUSANA GUZMÁN DE BLAS**

COORDINACIÓN DE FOTOGRAFÍA
JIMENA MATEOS Y ANEL PUNZO

REPROGRAFÍA
JESÚS SÁNCHEZ URIBE

CORRECCIÓN DE TEXTOS
AMIRA CANDELARIA

PRE-PRENSA DIGITAL
WWW. FIRMADIGITAL.COM.MX

EDICIÓN Y PRODUCCIÓN
D.G.E. EDICIONES, S.A. DE C.V. / TURNER PUBLICACIONES

PORTADA: MANUEL GAMIO (A LA IZQUIERDA) CON DOS PERSONAS NO IDENTIFICADAS, EN LOS VESTIGIOS DEL TEMPLO MAYOR, DESCUBIERTOS POR ÉL.
PÁGS. 4-5: GRAN PIRÁMIDE DE LA VENTA. FOTO DE MICHAEL CALDERWOOD
PÁG. 6: JOSÉ GARCÍA PAYÓN Y PEDRO ARMILLAS EXAMINANDO LA COLUMNA 13 CONEJO DE EL TAJÍN, HACIA 1949 © CONACULTA-INAH-SINAFO-FOTOTECA NACIONAL
PÁG. 10: EL SEÑOR DE LAS LIMAS. FOTO DE ZABÉ/TACHI
PÁGS. 12-13: VISTA AÉREA DE XOCHICALCO. FOTO DE MICHAEL CALDERWOOD
PÁG. 14: EL LUCHADOR. FOTO DE ZABÉ/TACHI
PÁGS. 16-17: VISTA AÉREA DE EL TAJÍN. FOTO DE MICHAEL CALDERWOOD

EUGENIO SUE 59, COLONIA CHAPULTEPEC POLANCO. MIGUEL HIDALGO, CÓDIGO POSTAL 11560, MÉXICO, D.F.
TEL.: 5279.9000 FAX: 5279.9006 E-MAIL: INFO OCEANO.COM.MX

ISBN: 970-651-573-9. **DEPÓSITO LEGAL:** M. 50.505-2001

CONTENIDO

PRESENTACIÓN

La arqueología en México ha transitado de la aventura a la ciencia. Desde los antiguos expedicionarios hasta los arqueólogos armados con modernas tecnologías y grandes conocimientos, todos han contribuido, en mayor o menor medida, a descubrir el enorme mapa cultural de Mesoamérica, respondiendo a los diferentes momentos históricos de esta disciplina y sus diversas perspectivas.

Descubridores del pasado en Mesoamérica tiene la noble intención de resaltar el carácter humano de esta ciencia. Por vez primera se realiza una magna exposición sobre arqueología cuyo eje central no son las obras mismas, sino quienes han emprendido su excavación, interpretación, conservación y difusión.

Detrás de cada testimonio arqueológico hay un ser humano que trabaja incesantemente para lograr su rescate e interpretación; hay un científico que descubre el lenguaje oculto de los significados; hay un especialista que procura su conservación, y hay instituciones que publican los resultados de las investigaciones arqueológicas. En esta muestra estaremos cerca de las personas y sus obras.

Los arqueólogos presentes en esta exposición —algunos ya desparecidos, otros en activo—, son tan sólo una muestra de la enorme riqueza de este quehacer en el transcurso de nuestra historia. Ciertamente, junto a cada uno de quienes han encabezado los proyectos arqueológicos, hay un verdadero ejército de arqueólogos y especialistas en ciencias afines, merecedoras de igual reconocimiento.

Las bases sobre las que se apoyan muchas generaciones de jóvenes arqueólogos para su formación profesional han sido fincadas por un grupo de hombres y mujeres cuya huella marca el quehacer de esta disciplina en México, gracias al conocimiento, al ímpetu y a la perseverancia que imprimieron a su apasionante quehacer. Su legado son páginas memorables de indiscutible riqueza histórica que han contribuido a ir desvelando la cultura de nuestra cultura.

La Universidad Nacional Autónoma de México, el Consejo Nacional para la Cultura y las Artes y el Gobierno del Distrito Federal conjuntan una vez más sus esfuerzos para presentar en el Antiguo Colegio de San Ildefonso esta magna exposición que ha de permitir a los mexicanos acercarse al trabajo de grandes científicos y apreciar sus invaluables aportaciones a nuestra memoria cultural e histórica.

Juan Ramón de la Fuente
Rector de la Universidad Nacional Autónoma de México

Sari Bermúdez
Presidenta del Consejo Nacional para la Cultura y las Artes

Andrés Manuel López Obrador
Jefe de Gobierno del Distrito Federal

DESCUBRIDORES DEL PASADO EN MESOAMÉRICA

EL PASADO DE TODOS LOS PUEBLOS CONSTITUYE SU HISTORIA. DE AHÍ LA necesidad de todos ellos de conocer sus orígenes y saber los caminos por donde transitaron antes de ser lo que son. Estos procesos llevaron, en no pocas ocasiones, miles o cientos de años en los que el Hombre logró desarrollar su inventiva y su poder creativo para enfrentar la naturaleza que lo rodeaba y transformarla en su propio beneficio. A lo largo de este proceso de desarrollo hubo cambios cuantitativos y cualitativos; momentos evolutivos y revolucionarios, continuidad y discontinuidad. La Arqueología nos muestra las experiencias vividas por el Hombre a lo largo de miles de años que el arqueólogo trata de encontrar e interpretar.

Esta exposición tiene como objeto acercarnos a una disciplina que estudia el pasado: la Arqueología. Pero va más allá. En esta exposición nos acercaremos al lado humano de la Arqueología: a los hombres que la hacen posible. Veremos cómo esta disciplina se desarrolló en un tiempo y espacio específico: Mesoamérica prehispánica. También podremos observar que las piezas que vemos en los museos o que están guardadas en los gabinetes de los estudiosos fueron encontradas en determinados contextos que son analizados por investigadores que, con su conocimiento, logran penetrar en el tiempo para develar, poco a poco, el devenir de los hombres que nos antecedieron en la historia. Así, desde el sencillo instrumento de piedra hecho por el hombre prehistórico hasta el palacio que habitaron los poderosos, se constituyen como tesoros invaluables para el conocimiento de nosotros mismos…

La exposición *Descubridores del Pasado en Mesoamérica* es un reconocimiento a quienes, por muchos años, se han dedicado al estudio del hombre.

EDUARDO MATOS MOCTEZUMA
Curador General

UN POCO DE HISTORIA

EDUARDO MATOS MOCTEZUMA

En México hay tres maneras diferentes de explicar el pasado prehispánico: la visión que estos pueblos tuvieron de sí mismos y de sus orígenes, la visión que los europeos tuvieron de estas poblaciones a partir del siglo XVI y la interpretación de la arqueología. Así, los pueblos antiguos pensaban que eran obra de los dioses y que por la acción de ellos se había creado el universo y el alimento que habría de sustentarlos. Con la conquista española se planteó un problema: ¿de dónde venían estos pueblos?, ¿quiénes eran? La respuesta estaba en la Biblia: procedían de las tribus de Israel. La arqueología, por su parte, trata de responder a la presencia del hombre a partir del estudio de las obras materiales que nos dejaron y de las manifestaciones, tangibles e intangibles, que son obtenidas a partir de técnicas específicas y de planteamientos hipotéticos que ayudan a la interpretación de estas sociedades.

Veamos cada una de estas posiciones.

La visión del hombre prehispánico

Los pueblos prehispánicos que habitaron Mesoamérica tuvieron una idea común, con variantes regionales, en lo que se refiere a su pasado: habían sido creados por los dioses. Fueron ellos quienes hicieron los astros, la tierra y al hombre mismo. El concepto de dualidad juega aquí un papel importante surgido de la observación cotidiana de los cambios que ocurrían en la naturaleza. Es así como la dualidad vida-muerte será el concepto rector del mundo prehispánico. Su presencia se basa en los cambios que ocurren a lo largo del año trópico, en donde se ve cómo durante la temporada de lluvias todo crece y cobra vida, en tanto que durante la temporada de secas los árboles pierden sus hojas y la muerte se hace presente. De esta manera, con el movimiento solar y los cambios observados periódicamente, el hombre mesoamericano estableció un calendario en donde los dioses están presentes en todos los órdenes del quehacer humano.

Diversos mitos nos hablan acerca de los orígenes del hombre y del universo. Los mitos son la respuesta que estas sociedades daban de su presencia en la tierra. Hemos escogido algunos mitos mayas y otros del centro de México como ejemplos del poder creativo que los hombres depositaron en los dioses para que, a su vez, los dioses los formaran a ellos. En el *Popol-Vuh*, libro sagrado de los Quiché, se dice:

> Entonces vinieron juntos Tepeu y Gucumatz; entonces conferenciaron sobre la vida y la claridad, cómo se hará para que aclare y amanezca, quién será el que produzca el alimento y el sustento.
>
> —¡Hágase así! ¡Que se llene el vacío! ¡Que esta agua se retire y desocupe, que surja la Tierra y que se afirme! Así dijeron. ¡Que aclare, que amanezca en el cielo y en la tierra! No habrá gloria ni grandeza en nuestra creación y formación hasta que exista la criatura humana, el hombre formado. Así dijeron.[1]

Y los dioses crearon al hombre maya del maíz. Nos sigue relatando el *Popol-Vuh:*

[1] Recinos, 1971.

> A continuación entraron en pláticas acerca de la creación y la formación de nuestra primera madre y padre. De maíz amarillo y de maíz blanco se hizo su carne; de masa de maíz se hicieron los brazos y las piernas del hombre. Únicamente masa de maíz entró en la carne de nuestros padres, los cuatro hombres que fueron creados.[2]

En el centro de México se cuenta con varios mitos que también nos hablan de la creación del universo y del hombre. Así, en la *Historia de los mexicanos por sus pinturas*, se dice cómo la dualidad suprema engendró cuatro hijos, dos de los cuales tuvieron como tarea crear el fuego, el sol, a la pareja primordial, el calendario y la estructura universal con sus tres niveles: cielos, tierra e inframundo. Estos dos dioses fueron Quetzalcóatl y Huitzilopochtli, quienes se reunieron para hacer sus actos creativos. Dice el mito:

> Hicieron luego el fuego, y hecho, hicieron medio sol... Luego hicieron a un hombre y a una mujer: el hombre dijeron Oxomoco y a ella Cipactónal y mandáronles que labrasen la tierra. Y que ella hilase y tejiese, y que dellos nacerían los macehuales...[3]
>
> Más adelante se dice:
>
> Luego hicieron los días y los partieron en meses, dando a cada mes veinte días, y así tenía diez y ocho, y trescientos sesenta días en el año, como se dirá adelante. Hicieron luego a Mictlantecuhtli y Mictlancíhuatl, marido y mujer, y estos eran dioses del infierno, y los pusieron en él; y luego crearon los cielos allende del treceno, y hicieron el agua, y en ella criaron a un peje grande que se dice Cipactli, que es como caimán, e deste peje hicieron la tierra, como se dirá...[4]

La concepción del universo de los pueblos mesoamericanos quedó plasmada en códices, en los que podemos observar los cuatro rumbos universales con los colores propios de cada uno, si bien hay que aclarar que éstos pueden variar. Tanto en un códice maya como en el *Fejérvary-Mayer*, por ejemplo, tenemos representaciones de la estructura del universo en su sentido horizontal, que se complementa con los niveles celestes formados por trece cielos y los nueve escaños o inframundos que culminan con el más profundo de ellos, el Mictlán. Cada rumbo del universo se identificaba, además, con un glifo, una planta, un ave y un dios.

Ahora bien, los pueblos mesoamericanos tenían dos maneras de unirse al pasado: por un lado, buscaban la relación con los dioses y decían ser obra de ellos, como ya hemos visto. Por el otro, buscaban relacionarse con pueblos anteriores que se consideraban como parámetro de grandeza humana. Así, lo humano grandioso y lo divino inmarcesible eran la forma de justificar y legitimar su presencia en la tierra. Varios casos tenemos de esto. Los aztecas, por ejemplo, trataron de relacionarse con los dioses a través del mito del Quinto Sol que relata cómo en Teotihuacan, ciudad que atribuían a los dioses, nació el Sol que daría pie al nacimiento del hombre nahua. Esto los llevó a excavar en Teotihuacan para conocer la obra de los dioses. Fue así como trasladaron piezas allí encontradas para ofrendarlas a sus dioses en el Templo Mayor de Tenochtitlan. También imitaron esculturas, pinturas y arquitectura teotihuacanas, en los que vemos dentro del típico estilo azteca las formas ancestrales del artista teotihuacano. La relación con los dioses quedaba así legitimada.

Los toltecas fueron el parámetro de grandeza humana. Para relacionarse con ellos, los aztecas acudieron a diversas maneras, desde decirse descendientes de ellos hasta hacer suyos algunos mitos adaptándolos a sus necesidades. Pero hicieron más: trasladaron piezas de Tula a Tenochtitlan o hicieron imitaciones de ellas. Entre los mitos adoptados está aquel que relata el momento previo en que están en búsqueda del águila parada sobre el nopal y cómo encuentran corrientes de agua, una azul y la otra roja, y un manantial en donde hay serpientes, ranas, peces y plantas, todos de color blanco, tal como lo vieron los toltecas cuando llegan a la ciudad sagrada de Cholula. En cuanto a las piezas traídas desde Tula, contamos con un Chac-mool hallado entre los cimientos de la casa de los marqueses del Apartado, frente al Templo Mayor, de indudable factura tolteca. Este mismo personaje fue imitado en no pocas ocasiones, al igual que atlantes y elementos arquitectónicos que son característicos de la cultura tolteca.

---

[2] *Ibid.*

[3] *Historia de los mexicanos por sus pinturas*, 1941.

[4] *Ibid.*

Esta manera de hacer suyo el pasado nos dice mucho de la visión que de ese pasado tenían. Y esto no es privativo de los pueblos mesoamericanos. Recordemos que este fenómeno se da en muchas sociedades antiguas y allí están los romanos en relación con etruscos y griegos o, por qué no, en sociedades más recientes la imitación que de los estilos griegos y romanos hicieron en el siglo XIX muchos países con la llegada del Neoclásico que dejó, en la piedra y en la forma, las reminiscencias de pasados gloriosos difícilmente alcanzables por quienes las imitaron.

La Colonia

El 13 de agosto de 1521 se consumó el triunfo militar de los españoles y sus aliados indígenas, enemigos de los aztecas. Con ello dio comienzo la conquista de otras regiones mesoamericanas tanto en lo militar como en lo espiritual. Una valiosa recopilación nos ha quedado de los escritos de frailes, soldados y civiles que son hoy fuente de información para los investigadores.

Los pueblos indígenas despertaron en el fraile evangelizador la pregunta de quiénes eran y de dónde habían venido. La Biblia era la respuesta obligada. En ella se hablaba de las tribus perdidas de Israel, de Adán y Eva como pareja primigenia, de la torre de Babel, etc., y a poco los frailes como Sahagún, Durán, Landa y otros encontraron en ella la respuesta a la presencia y origen de estos pueblos. El primero de ellos relata en su *Historia general de las cosas de Nueva España*: "… pues es certísimo que estas gentes todas son nuestros hermanos, procedentes del tronco de Adán como nosotros…"[5]

Por su parte, el dominico fray Diego Durán no se queda atrás, y así dice en su *Historia de las Indias de Nueva España e islas de la tierra firme:*

> …que ellos mesmos ignoran su origen y principio, dado caso que siempre confiesen haber venido de tierras extrañas, y así lo he hallado pintado en sus antiguas pinturas, donde señalan grandes trabajos de hambre, sed y desnudez, con otras innumerables aflicciones que en él pasaron, hasta llegar a ésta tierra y poblalla, con lo qual confirmo mi opinión y sospecha de que estos naturales sean de aquellas diez tribus de Israel…[6]

El franciscano fray Diego de Landa, quien fuera obispo de Yucatán, relata en su *Relación de las cosas de Yucatán:*

> Que algunos viejos de Yucatán dicen haber oído a sus pasados que pobló aquella tierra cierta gente que entró por levante, a la cual habría Dios librado abriéndoles doce caminos por el mar, lo cual, si fuese verdad, era necesario que viniesen (de) judíos todos los de las Indias…[7]

Estos tres ejemplos los considero suficientes para ver cómo el pasado de los pueblos recién conquistados era visto por quienes encontraban respuestas sin mayor averiguación. Como siempre ocurre, no faltó quien dudó de la posición bíblica y buscó respuestas más lógicas a la presencia de estos grupos. El jesuita Joseph de Acosta escribió así en su *Historia natural y moral de las Indias:*

> Así que ni hay razón en contrario, ni experiencia que deshaga mi imaginación, u opinión, de que toda la tierra se junta, y continúa en alguna parte, a lo menos se allega mucho. Si esto es verdad, como en efecto me lo parece, fácil respuesta tiene la duda tan difícil, que habíamos propuesto: cómo pasaron a las Indias los primeros pobladores de ellas, porque se ha de decir, que pasaron, no tanto navegando por mar, como caminando por tierra: y ese camino lo hicieron muy sin pensar, mudando sitios y tierras poco a poco…[8]

Para mayor asombro de lo que dice el padre Acosta, tenemos que no está de acuerdo con quienes piensan que provienen de las tribus de Israel y aún más, señala claramente que para él los primeros pobladores de las Indias debieron de ser cazadores. Dice:

> …y tengo para mí, que el nuevo orbe e Indias occidentales, no ha muchos millares de años que las habitan hombres, y

[5] Sahagún, 1956.

[6] Durán, 1951.

[7] Landa, 1978.

[8] Acosta, 1590.

que los primeros que entraron en ellas, más eran hombres salvajes y cazadores, que no gente de república, y pulida...[9]

Pese a pensamientos tan brillantes como el de Acosta, las ideas de la Biblia tuvieron validez por cientos de años, como lo demuestra el planteamiento que hace el arzobispo Ussher, teólogo europeo del siglo XVII, quien basado en el Génesis elaboró una cronología que daba 4004 años para la creación del mundo y del hombre, lo cual fue ampliamente aceptado. Sin embargo, con el desarrollo de la ciencia se pudo avanzar y el año de 1859 es crucial para la arqueología, pues en él coincidieron tres acontecimientos que echaban por tierra las posiciones idealistas hasta entonces imperantes. Estos tres acontecimientos fueron: la publicación por parte de Charles Darwin de *El origen de las especies*, con el consecuente planteamiento de la evolución; la publicación de Carlos Marx de su prefacio en la *Contribución de la crítica de la economía política*, en donde hacía ver que las sociedades habían pasado por diferentes momentos en su desarrollo, y la aceptación por geólogos ingleses de los hallazgos que Boucher de Perthes había realizado en las riberas del río en la población de Abbeville, Francia, consistentes en instrumentos asociados a fauna extinta y en niveles estratigráficos considerados muy antiguos. De esta manera, la ciencia ponía sobre bases sólidas la presencia del hombre en la tierra.

La posición de la arqueología

La arqueología nace, pues, con bases sólidas para el estudio del hombre. Sin embargo, el desarrollo de esta disciplina nos muestra diferentes momentos en los que se pensaba de tal o cual manera y con los avances técnicos y el apoyo de otras ciencias se fueron modificando y desechando ideas que ya no eran sostenibles. En el caso de México, un gran paso se dio a principios del siglo XX, cuando don Manuel Gamio aplicó en una excavación en Azcapotzalco, en 1912, la técnica estratigráfica para la obtención de materiales arqueológicos. Consiste ésta en excavar de dos maneras: por capas depositadas natural o culturalmente, bajo el entendido de que las capas más profundas son más antiguas que las que ocupan un lugar más cercano a la superficie. Otra forma de excavar es por unidades específicas, es decir, por capas de 30 cm, por ejemplo. Los materiales ubicados a mayor profundidad serán más antiguos que los que ocupan las capas superiores, aunque pueden darse casos de "estratigrafía invertida" cuando las capas altas de una ladera son erosionadas y los materiales arqueológicos en ellas depositados son trasladados a la parte inferior de la ladera y son cubiertos, poco a poco, por otros materiales que provienen de capas más antiguas de la parte superior de la ladera.

Con la aplicación de esta técnica excavatoria que se utilizaba por primera vez en América, Manuel Gamio pudo determinar con certeza la secuencia cronológica de las culturas que habían ocupado esa región. Estableció que las cerámicas más profundas y por lo tanto más antiguas correspondían al llamado Tipo de los Cerros, lo que hoy conocemos como Preclásico; las teotihuacanas ocupaban el nivel intermedio, y las cerámicas aztecas los niveles superiores.

Otro aporte de Gamio fue su concepto de investigación integral. Consiste en analizar determinadas regiones, para lo cual estableció 11 de ellas en el territorio nacional, a partir del territorio y la población. Los estudios serán integrales al tomar en consideración diversos aspectos de las culturas y analizar estas regiones tanto en su pasado prehispánico como colonial y actual. De esta manera se obtiene una visión integral que permite planear las mejoras que debe darse a la población moderna. Sólo conociendo la historia de estas poblaciones se podrá estar en posibilidades de mejorarlas en lo material. Fue así como puso en práctica su idea en una investigación concreta dentro del recién creado Departamento de Arqueología y Etnología, que en 1919 cambiaría su nombre al de Dirección de Antropología de la Secretaría de Agricultura y Fomento. La investigación y publicación respectiva se conoce como *La población del Valle de Teotihuacan*. Allí reunió un grupo interdisciplinario para analizar tanto a la población prehispánica como a la colonial y moderna. Geólogos, minerólogos, arqueólogos, folcloristas, lingüistas, etc., analizaron esa región con resultados que permitieron establecer escuelas, caminos, apiarios, etc., para beneficio de los habitantes del Valle. Por primera vez se daba un sentido práctico a la antropología, que de esta manera nacía bajo la concepción integral de Gamio.

[9] *Ibid.*

Esta idea integral y las excavaciones estratigráficas se dieron cuando Gamio estudiaba en la Escuela Internacional de Arqueología y Etnología Americanas, que abría sus puertas en México en 1911 bajo el patrocinio del gobierno mexicano, los gobiernos de Francia y Prusia y tres universidades norteamericanas: la de Columbia, Harvard y Pennsylvania. Fue el antecedente de lo que es hoy la Escuela Nacional de Antropología e Historia, que aún alberga a aquellos que desean estudiar algunas de las ramas antropológicas: arqueología, etnología y antropología social, lingüística o antropología física, si bien en los últimos años se ha añadido la etnohistoria y la historia. Lo anterior, como queda claro, partía de la idea de Manuel Gamio, quien consideraba a la arqueología y las otras disciplinas como parte de la antropología. Decía así en su libro *Forjando patria*, publicado en 1916:

> La arqueología es parte integrante del conjunto de conocimientos que más interesa a la humanidad y que se denomina antropología, o sea "el tratado o ciencia del hombre". La antropología suministra el conocimiento de los hombres y de los pueblos, de tres maneras: 1° Por el tipo físico. 2° Por el idioma y 3° Por su cultura o civilización. Pues bien, el estudio de la cultura o civilización de las agrupaciones humanas que habitaron nuestro país antes de la conquista es lo que, entre nosotros, se ha convenido en llamar arqueología.[10]

El concepto de lo que es la arqueología se ha prestado, a lo largo del siglo XX, a no pocas posiciones y discusiones. Quizá una apreciación muy general y amplia pudiera considerar que la arqueología es aquella disciplina que estudia las evidencias materiales producidas por el hombre con el fin de reconstruir la historia de los pueblos del pasado. Para ello recurre al apoyo de técnicas específicas de prospección y excavación para la obtención de materiales y el fechamiento correspondiente y a las fuentes escritas cuando éstas existen en las culturas estudiadas. Distintas ciencias la ayudan en la interpretación de ese pasado. De esta manera, el arqueólogo cuenta con el apoyo de especialistas en geología, química, física, biología, zoología, botánica y muchos más que colaboran en el conocimiento de los pueblos que nos antecedieron en la historia.

Las dos categorías fundamentales de la arqueología son *espacio* y *tiempo*, en las que los pueblos han dejado su huella. La primera comprende el área o región que ocupó una cultura o civilización, en tanto que el tiempo atiende lo relativo a la cronología. Así, el concepto de Mesoamérica, planteado por el doctor Paul Kirchhoff en 1943, delimita una superárea específica, es decir, un espacio en el que se desarrollaron diversas culturas a través del tiempo, desde las primeras presencias de grupos cazadores-recolectores y pescadores hasta sociedades profundamente estratificadas socialmente, como los mayas, zapotecos, mixtecos, totonacas, huastecos, teotihuacanos, toltecas y aztecas, por mencionar algunas de ellas, unidos por una historia común y rasgos que los identifican y que son característicos de la superárea.[11] Hacia el siglo XVI, Mesoamérica comprende cinco grandes regiones, en las que hemos dividido esta exposición: Costa del Golfo, Oaxaca, Maya, Occidente y Centro de México.

En cuanto al tiempo, se cuenta con una cronología general para Mesoamérica, si bien cada región y en ocasiones cada cultura cuenta con su propia cronología producto del estudio que el arqueólogo emprende para entender mejor cómo se dio el proceso de desarrollo de las mismas.

[10] Gamio, 1916.

[11] Kirchhoff, 1967.

IMAGEN DE LOS CUATRO RUMBOS DEL UNIVERSO, DE CUYO CENTRO PARTÍAN TRECE ESCALONES HACIA EL OMEYOCAN O CIELO Y NUEVE HACIA EL INFRAMUNDO O MICTLAN. CÓDICE FÉJERVÁRY MAYER

EL LUCHADOR
CULTURA OLMECA

SE REPRESENTA COMO UN ANCIANO QUE
INDICA LA SABIDURÍA Y LA EXPERIENCIA

REINTERPRETACIÓN DEL MISMO DIOS,
A LA MANERA MEXICA

MÁSCARA TEOTIHUACANA
LOCALIZADA EN LA OFRENDA 82
DEL TEMPLO MAYOR DE
TENOCHTITLAN

VASO TEOTIHUACANO 9 XI
EXCAVADO EN LA OFRENDA V DE LA CASA DE
LAS ÁGUILAS, AL NORTE DEL TEMPLO MAYOR.
LOS MEXICAS LO REUTILIZARON COMO URNA
FUNERARIA.

ANTROPÓLOGO PAUL KIRCHOFF (1900-1972)

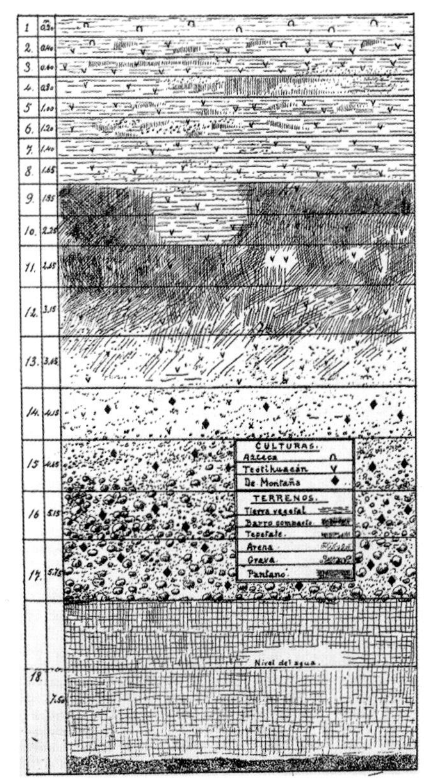

CORTE ESTRATIGRÁFICO TOMADO DEL LIBRO ARQUEOLOGÍA DE AZCAPOTZALCO DE MANUEL GAMIO

ARQUEOLOGÍA MESOAMERICANA

Prehistoria

JOAQUÍN GARCÍA-BÁRCENA

El término *Prehistoria* fue utilizado por primera vez en Europa, en Inglaterra particularmente, en 1851 y, durante el resto de ese siglo, su adopción se fue incrementando, aunque con significados diversos.

Originalmente, la Prehistoria se refería a los pueblos carentes de escritura, en contraste con aquellos que habían generado documentación escrita referida a ellos mismos y que eran, entonces, el objeto del estudio de la historia. Había, además, pueblos que carecían de escritura, pero que por haber estado en relación con pueblos históricos, se tenía referencia a ellos en los documentos de estos últimos. Es éste el campo de estudio de la Protohistoria.

Por muchos siglos el marco de referencia en el cual se inscribía la historia del universo y, en una pequeña parte, la Prehistoria y la historia de los seres humanos era la Biblia, de acuerdo con la cual, y como resultado de elaborados estudios, el arzobispo Ussher proponía que la creación había ocurrido en el año de 4004 a.C, por lo que el tiempo disponible para el desarrollo de la historia humana era muy breve.

La Biblia también se refiere a una creación única de los seres humanos que, después de varias vicisitudes, incluyendo el Diluvio universal, habrían ocupado Europa, Asia y África. Al arribar Cristóbal Colón a la isla de San Salvador el 12 de octubre de 1492 y entrar en contacto con sus habitantes, no hubo mayor conflicto inicialmente acerca del origen de éstos, ya que Colón creía que había arribado a las costas orientales de Asia: eran, pues, asiáticos. Sin embargo, unos años después, sobre todo con el cruce de Balboa del istmo de Darién, en Panamá, y su arribo a la costa del Pacífico de América, se llegó a la conclusión de que ésta no era parte de ninguno de los tres continentes previamente conocidos: Europa, Asia y África. Era, pues, un nuevo mundo, con lo que surgió la pregunta: ¿De dónde venía la gente de América, puesto que no era aceptable que fuesen el resultado de una creación especial?

A lo largo del tiempo se han propuesto muy distintos orígenes de la población americana, ya sea de los demás continentes conocidos o de otros imaginarios que nunca existieron, como Atlantis, supuestamente situado en medio del Océano Atlántico, o Lemuria y Mu, en el Pacífico. Aún hoy hay quienes sostienen alguno de estos orígenes.

En este marco, es notable la figura del jesuita José de Acosta, que había estado tanto en la ya entonces Nueva España como en el Virreinato del Perú. Como resultado de lo que había conocido y estudiado en América, publicó en Sevilla, en 1590, su *Historia natural y moral de las Indias*, que, dejando un poco de lado las interpretaciones bíblicas, se apoyó más bien en la conclusión de que las poblaciones americanas provenían de Asia y de que éstas, a su arribo, no eran portadoras de culturas avanzadas, por lo que Asia nororiental y América noroccidental estaban unidas por tierra o a lo más separadas por un estrecho brazo de mar: cabe mencionar que entonces el Pacífico norte no había sido explorado aún por los europeos. El tiempo daría la razón al padre Acosta.

El marco conceptual y cronológico que se había creado a partir de las Sagradas Escrituras, ante la acumulación de nueva información, empezó a ser rebasado desde las últimas décadas del siglo XVIII, aunque las transformaciones mayores corresponden al siglo XIX.

Las primeras modificaciones ocurrieron en el campo de la geología, en el que dominaban los conceptos catastrofistas, de acuerdo con los cuales los procesos geológicos que ocurrieron en el pasado eran distintos de los que pueden observarse hoy, y las distintas etapas del registro geológico estaban separadas entre sí por catástrofes de diversos tipos de alcance mundial, remembranza del Diluvio universal bíblico. Sin embargo, el incremento de las observaciones geológicas asociado a la Revolución Industrial, tanto como resultado del incremento en la minería y otras industrias extractivas como de las excavaciones asociadas a la construcción de grandes obras de infraestructura, llevaron al desarrollo de un nuevo concepto: el uniformitarianismo, de acuerdo con el cual los fenómenos geológicos que hoy pueden observarse son los mismos que prevalecieron en el pasado. De acuerdo con esta concepción, los seis mil años de historia del universo que había propuesto el arzobispo Ussher eran insuficientes para contener el periodo de formación de los depósitos geológicos conocidos. Probablemente la figura más influyente en este campo fue Charles Lyell, con su obra *Principles of geology*, publicada inicialmente entre 1830 y 1833.

HISTORIA
NATURAL Y MORAL
DE LAS INDIAS

EN QUE SE TRATAN DE LAS COSAS NOTABLES
DEL CIELO/ELEMENTOS/METALES/PLANTAS
Y ANIMALES DELLAS/
Y LOS RITOS/Y CEREMONIAS/LEYES Y GOBIERNO
DE LOS INDIOS

COMPUESTO POR
EL P. JOSEPH DE ACOSTA,
RELIGIOSO DE LA COMPAÑÍA DE JESÚS

EDICIÓN PREPARADA POR
EDMUNDO O'GORMAN
con un prólogo, tres apéndices
y un índice de materias

FONDO DE CULTURA ECONÓMICA
MÉXICO – BUENOS AIRES

Portada interior del libro Historia natural y moral de las Indias, *por el P. Joseph de Acosta.*

Como parte de la geología uniformitaria, se desarrollaron también los conceptos estratigráficos, evolución en la que fue importante la contribución de William *Strata* Smith, con su obra *Strata identified by organised fossils* (1816). Se generaron entonces las llamadas leyes de la estratigrafía, de acuerdo con las cuales, en una secuencia de depósitos geológicos, aquellos que están a mayor profundidad son más antiguos que los que se encuentran por encima de ellos; de igual manera, un depósito puede ser caracterizado por su contenido de restos de seres vivos, de fósiles, de manera que depósitos que se encuentran en distintos lugares pero que contienen los mismos fósiles serán contemporáneos. De esta manera se generó un marco cronológico de carácter relativo y un medio para correlacionar entre sí las secuencias locales, de inmensa importancia para la sistematización de los conocimientos geológicos y que pronto fue aplicado también a la arqueología, en particular a la Prehistoria, que hasta entonces carecía de un marco cronológico confiable.

Sin embargo, no era posible el ordenamiento temporal de las colecciones arqueológicas de carácter prehistórico y protohistórico que ya se habían formado, ya que eran producto de hallazgos casuales y se carecía normalmente de información de los contextos en que los objetos habían sido hallados.

Quien se ocupó primero de buscar una solución a este problema fue Rasmus Nyerup, quien sugirió la creación de un museo nacional de antigüedades en su país, Dinamarca, propuesta que fue publicada bajo el título de *Obersyn ober foedrelandets mindesmaerker fra oltiden* en 1806. El museo fue establecido y el sucesor de Nyerup, Christian Jurgensen Thomsen, retomó sus ideas y las elaboró, publicando en 1836 una guía para el museo, *Ledetraad til hordisk oldtyndighed*, que pronto fue traducida al alemán, al inglés y a otros idiomas de Europa occidental. En ella aparece por primera vez expuesto claramente el concepto de las Tres Edades, de acuerdo con el cual las armas y herramientas más antiguas fueron hechas de piedra, las de edad intermedia, de bronce, y las más recientes, de hierro.

Este marco cronológico, también de carácter relativo como el derivado de la estratigrafía, estaba sustentado en una secuencia de utilización de materias primas para la manufactura de herramientas, criterio al que estudiosos de otros países europeos agregaron factores de carácter tecnológico y, a través de la tipología, estilísticos. El esquema que prevaleció acerca de la Prehistoria europea de la Edad de la Piedra se debe a De Mortillet, quien, en 1883, en su libro *La prehistoire* propuso un Paleolítico Inferior (Tkenaisiense, Chelense), uno Medio (Mousteriense), uno Superior (Solutrense, Magdaleniense) y un Neolítico (Robenhausiense); este esquema sigue siendo la base de la prehistoria europea.

Un tercer factor que influyó en el desarrollo del estudio de la Prehistoria en el siglo XIX, además de la estratigrafía geológica y la tipología, principalmente de base tecnológica, fue el concepto de la evolución biológica basada en la selección natural, propuesto principalmente por Charles Darwin en sus libros *Origin of species* (1859) y *Descent of man* (1871); independientemente de la influencia que las concepciones de Darwin tuvieron en muy diversos campos del conocimiento, como la biología, la paleontología y la geología, pronto fueron aplicadas al hombre, no sólo como ser biológico sino también como portador de la cultura. Entre quienes destacan por su contribución a esta aplicación a los seres humanos pueden mencionarse al inglés T. H. Huxley, con su libro *Man's place in nature*, de 1863, y al abogado norteamericano Lewis H. Morgan, con *Ancient society* (1877), donde propone siete periodos étnicos:

1. Salvajismo inferior: de la aparición del hombre al descubrimiento del fuego.
2. Salvajismo medio: del descubrimiento del fuego al del arco y flecha.
3. Salvajismo superior: del descubrimiento del arco y la flecha al de la cerámica.
4. Barbarismo inferior: del descubrimiento de la cerámica al de la domesticación de los animales.
5. Barbarismo medio: de la domesticación de los animales a la fundición del hierro.
6. Barbarismo superior: del descubrimiento de la fundición del hierro a la invención de un alfabeto fonético.
7. Civilización: desde el descubrimiento del alfabeto hasta hoy.

El esquema de Morgan, de carácter evolutivo unilinear, es decir, que una población humana, en su evolución social, necesariamente pasa sucesivamente a través de las etapas mencionadas, habla de una evolución de lo simple a lo complejo: la idea del progreso, ampliamente aceptada por la cultura occidental, sobre todo en aquellos países que tempranamente habían tomado parte en la Revolución Industrial.

Las ideas de Morgan, que pronto fueron combinadas con el concepto de las Tres Edades y con las técnicas derivadas de la estratigrafía geológica, tuvieron una gran influencia en el desarrollo posterior de las ciencias sociales, incluyendo la arqueología y la prehistoria, y fueron incorporadas además a los conceptos filosóficos e históricos del marxismo, a través de los trabajos de F. Engels, sobre todo *Origins of family, private property and the state* (1884).

LUIS AVELEYRA ARROYO DE ANDA

ARQUEOLOGO DEL INSTITUTO NACIONAL DE ANTROPOLOGIA E HISTORIA.
MAESTRO EN CIENCIAS ANTROPOLOGICAS, U. N. A. M.

PREHISTORIA
DE MEXICO

"REVISION DE PREHISTORIA MEXICANA:
EL HOMBRE DE TEPEXPAN Y SUS PROBLEMAS"

PROLOGOS DE
W. DU SOLIER Y PABLO MARTINEZ DEL RIO

EDICIONES MEXICANAS

S.A.

Portada interior del libro Prehistoria de México. Revisión de Prehistoria mexicana. El hombre de Tepexpan y sus problemas, *de Luis Aveleyra Arroyo de Anda.*

El estudio de la Prehistoria en México

Antecedentes (1864-1945)

Podemos considerar que el estudio de la Prehistoria en México se inició con la organización y envío a nuestro país de la Comission Cientifique du Mexique, a semejanza de la que acompañó a Napoleón I de Francia, en su conquista de Egipto. Napoleón III, gobernante de Francia y patrocinador de Maximiliano de Habsburgo como emperador de México, de acuerdo con los conservadores de nuestro país, decidió la creación de esta comisión, cuyas instrucciones en lo que se refiere al campo de los estudios prehistóricos coincidían con las concepciones que se habían establecido en Europa occidental para esa fecha: un cuidado especial en determinar la asociación de cualquier indicio de presencia humana, normalmente artefactos de piedra o los restos de los pobladores mismos, dentro de un concepto estratigráfico-geológico, con restos de fauna extinta, lo que sería indicio de una gran antigüedad. Otro factor importante de carácter cronológico era la comparación de artefactos de piedra que pudieran encontrarse con los de las industrias incluidas en el sistema de las Tres Edades, que había sido definido en el occidente de Europa y que se consideraba aplicable a todo el planeta.

Los resultados que obtuvo la comisión fueron muy limitados, ya que el imperio de Maximiliano duró muy poco. Sin embargo, se localizaron en varias partes del país artefactos líticos que, en términos tipológicos, podían corresponder a una u otra etapa del Paleolítico europeo: pueden mencionarse un hacha de mano del río Juchipila, Jalisco, comparable con las del Acheulense europeo; varios artefactos de la Cañada de Marfil, Guanajuato, atribuidos algunos al Mousteriense, y un raspador de Cerro de las Palmas, Tacubaya, México, que fue también atribuido al Mousteriense.

Después de terminado el imperio de Maximiliano, se mantuvieron los mismos criterios en los estudios de la Prehistoria de México; quienes realizaban estas investigaciones eran usualmente geólogos, como lo fue Engerrand, quien a principios del siglo xx describió un conjunto de artefactos de piedra, localizados en La Concepción, Campeche, los que asigno tipológicamente al Chelense y Acheulense de la secuencia europea.

Hay varios hallazgos más de esa época que no son artefactos de piedra, sino restos humanos. Entre ellos, cabe mencionar la mandíbula de Xico, una mandíbula infantil que se localizó casualmente en ese lugar del Estado de México en 1893 y que, según Herrera, quien la estudió, estaba fuertemente mineralizada y posiblemente asociada a restos de un caballo extinto, *Equus excelsus*.

Otro hallazgo que puede mencionarse es el del llamado Hombre del Peñón, encontrado, el primero, en 1844 de manera accidental, aunque con posterioridad se han hallado nuevos restos. El primero era un esqueleto adulto, incluido en una toba caliza, fuertemente mineralizado. Esta mineralización llevó a pensar que esos restos tenían una gran antigüedad, aunque las condiciones del hidrotermalismo de los terrenos cercanos al Peñón de los Baños, junto al actual aeropuerto de la Ciudad de México, producen una mineralización rápida.

Mención aparte merece el Sacro de Tequixquiac, que fue encontrado a 12 metros de profundidad en el curso de las obras del desague de la Ciudad de México, en 1870. Se trata del sacro fósil de un camélido extinto (*Camelops hesternus*) que presenta fracturas que pudieran ser accidentales y dos perforaciones en la superficie articular que claramente fueron hechas por la mano del hombre, modificaciones que hacen que el hueso se asemeje a una cabeza de coyote. Mariano Bárcena, quien estudió originalmente la pieza, menciona que en las fracturas y orificios el sedimento presente era semejante al del depósito en el que fue encontrado y concluyó que se trataba de un artefacto prehistórico: el primer objeto de arte mobiliar de México. El Sacro de Tequixquiac estuvo perdido por mucho tiempo, hasta que Luis Aveleyra Arroyo de Anda pudo localizarlo y recuperarlo en 1959, llevando a cabo un nuevo estudio, que incluía el de los sedimentos adheridos que aún se conservaban. Aveleyra publicó dicho estudio en 1964, bajo el título de *El sacro de Tequixquiac*.

Hace pocos años se llevó a cabo un nuevo análisis con el propósito de determinar si las modificaciones del hueso, sobre todo aquellas que son claramente provocadas, las perforaciones que figuran la nariz, se habrían practicado cuando el hueso estaba fresco o cuando ya estaba fosilizado y se concluyó que ésta era la explicación más probable. En consecuencia, aunque el sacro de Tequixquiac es un artefacto, no puede asignársele una gran antigüedad.

Esta etapa de los estudios de la Prehistoria de México ha sido cuidadosamente analizada por Luis Aveleyra Arroyo de Anda en sus obras *Prehistoria de México* (1950) y *Los cazadores prehistóricos en Mesoamérica* (1967), en los que presenta también lo que se conocía de esta etapa de la historia antigua de México en esas fechas.

El Hombre de Tepexpan (1946-1951)

Helmut de Terra, geólogo con amplia experiencia en las investigaciones de poblaciones tempranas en el este de Asia, había venido estudiando desde 1945 la geología del Cuaternario de la Cuenca de México y su cronología; un año después propuso realizar un estudio más detallado de los llanos de Tepexpan, Estado de México. El lugar fue elegido porque allí se había reportado previamente el hallazgo de numerosos restos de mamut (*Mammuthus imperator*); asociado a uno de ellos, Arellano había indicado la presencia de una lasca de obsidiana con huellas de haber sido usada.

Como primer paso, se decidió hacer una estudio de la resistividad eléctrica del terreno: fue la primera vez que esta técnica geofísica se aplicó en estudios arqueológicos en México; mediante estas mediciones se detectaron cuatro lugares en los que la resistencia eléctrica de los sedimentos era distinta a la del terreno circundante. La excavación de la primera de estas anomalías permitió localizar una lente de grava en sedimentos más finos, lo que permitía explicar la presencia de la anomalía. Al excavarse la segunda, se encontró un esqueleto humano, boca abajo, flexionado, al que le falta parte de los huesos de la espalda. Inicialmente se consideró que se trataba de un esqueleto masculino de 55 a 60 años de edad, pero ha habido discrepancias respecto tanto a su edad como a su sexo. En cuanto a su asociación con los

Excavación de huesos largos del hombre de Tepexpan.

depósitos geológicos, se consideró que correspondía a la formación Becerra, del Pleistoceno final y con una antigüedad de unos diez mil años; sin embargo, las técnicas de excavación empleadas no tuvieron la precisión necesaria para aclarar si los restos estaban realmente asociados a los depósitos en los que aparentemente se encontraron o si, por el contrario, habían sido enterrados en una fosa y eran, por tanto, más recientes. Esta discrepancia sólo pudo aclararse una vez que se desarrolló una nueva técnica de fechamiento por radiocarbono mediante el uso de aceleradores nuclea-

Pablo Martínez del Río (1892-1963).
Reprografía: Saturnino Vallejo

res (*accelerator mass spectrometry* o AMS), que permite fechar muestras muy pequeñas: se envió la diáfisis, la parte central de uno de los fémures del esqueleto, para ser fechado de esta manera; Thomas Stafford, quien realizó esta determinación, llegó a la conclusión en 1989 de que no podía asignarse al Hombre de Tepexpan una antigüedad de más de dos mil años.

A pesar de las dudas y discrepancias entre los estudiosos que hemos mencionado, el hallazgo de estos restos humanos tuvo en su momento una gran importancia y una amplia repercusión, ya que pareció ser la primera evidencia clara de poblaciones humanas en el territorio de México durante el Pleistoceno, posición contraria a la que prevalecía durante las primeras décadas del siglo XX, sobre todo a instancias de Hrdlicka en Estados Unidos, quien consideraba que las poblaciones humanas de América tenían, a lo más, unos cuantos milenios de antigüedad.

Los resultados de los estudios en torno a este hallazgo fueron publicados por De Terra y sus colaboradores bajo el título de *Tepexpan man* en 1949.

El Departamento de Prehistoria (1952-1988)

Pablo Martínez del Río, quien en el momento del hallazgo del Hombre de Tepexpan era director de la Escuela Nacional de Antropología e Historia, era ampliamente reconocido por sus estudios acerca del origen y cronología de las poblaciones tempranas de América, contenidos en *Los orígenes americanos*, publicado originalmente en 1939 y revisado y reeditado en 1942 y 1952.

Como resultado de la importancia del hallazgo de Tepexpan, hizo ver que era necesario que se estableciese dentro del Instituto Nacional de Antropología e Historia un organismo especializado en el estudio de las poblaciones tempranas de México, promoción en la que contó con la colaboración de Luis Aveleyra, a quien nos hemos referido antes.

Estas propuestas fueron aceptadas y en 1952 se creó la Dirección de Prehistoria, que posteriormente se convertiría en Departamento; su primer director fue Luis Aveleyra.

Durante una primera etapa, hasta 1960 aproximadamente, la nueva dependencia se concentró en la demostración de la coexistencia de poblaciones humanas con la fauna extinta del Pleistoceno final, a través de la excavación de restos de fauna, casi siempre de mamutes, que eran localizados accidentalmente como consecuencia de obras de diversos tipos. Estas excavaciones, casi todas realizadas en la Cuenca de México, permitieron en varios casos la localización de artefactos de piedra directamente asociados a restos de fauna extinta, que al parecer fueron empleados para el aprovechamiento de estos animales; los ejemplos más conocidos son los mamutes I y II de Santa Isabel Ixtapan, Estado de México. Estos estudios estaban inspirados en las excavaciones realizadas por J. D. Figgins cerca de Folsom, Nuevo México, que le permitieron demostrar la asociación de puntas acanaladas de piedra, hoy conocidas como puntas Folsom, con bisontes extintos, en 1927.

Fue a partir del principio de los sesenta cuando, bajo la guía de José Luis Lorenzo Bautista, se ampliaron los conceptos y las técnicas a aplicar en los estudios de la Prehistoria. Por un lado, introduce técnicas de excavación y control de materiales de mayor precisión que los que se habían venido empleando, inspiradas en las que se estaban desarrollando en la investigación de la Prehistoria francesa: la excavación guiada por la estratigrafía natural de los sedimentos del sitio, acompañada del registro de la posición, de carácter tridimensional, de cada uno de los artefactos presentes. Esta técnica, publicada en 1954 como *Técnica de exploración arqueológica*, reemplazó en parte a la utilizada por Manuel Gamio en sus excavaciones en San Miguel Amantla, Azcapotzalco, México, que consistía en una excavación por niveles métricos, sin control individual de la posición de los artefactos presentes; la estratigrafía natural se recuperaba de los perfiles tomados de las paredes de la excavación.

Lorenzo manifestó también su preocupación acerca de las técnicas que se venían empleando en la clasificación y análisis de los artefactos líticos y propició entre sus colaboradores el desarrollo de nuevas propuestas al respecto, derivadas principalmente de las concepciones empleadas en la tipología lítica de la prehistoria francesa. Una contribución importante es *Análisis tipológico de artefactos*, de Ángel García Cook, publicada en 1967, en la que, a diferencia de la tipología francesa, de carácter morfológico, presenta un primer intento de considerar las funciones reales de los artefactos, a través de lo que se denominó "funciones genéricas". Este mismo interés se refleja en un primer estudio de huellas de uso realizado por Lorena Mirambell y publicado como *Estudio microfotográfico de artefactos líticos* en 1964.

Lorenzo consideraba también que era necesario conocer en detalle los contextos en que los materiales arqueológicos se encontraban y, por lo tanto, las características geológicas y pedológicas de los sedimentos y suelos que contenían las evidencias arqueológicas, y los procesos de su formación. De igual manera, para poder comprender las formas de vida de las antiguas poblaciones era necesario conocer el ambiente en el que se habían desarrollado y sus cambios. Estas inquietudes, que se reflejan en *Las técnicas auxiliares de la arqueología moderna* de 1957, para cumplirse, requerían de la participación de especialistas en otros campos, junto con arqueólogos, para la realización de los estudios.

Como resultado, se crearon, de 1959 a 1962, los primeros cuatro laboratorios del Departamento de Prehistoria: Paleobotánica, Química y Suelos, Paleozoología, y Geología y Petrología.

El Laboratorio de Paleobotánica inicialmente se dedicó a los estudios polínicos, que permiten, por un lado, conocer las características de la vegetación en un momento del pasado y, a través de las secuencias polínicas, los cambios en la vegetación, ya sean de carácter natural o a resultas de la intervención humana. Hoy se ocupa también de la identificación de otros restos de plantas, silvestres o cultivadas, incluyendo aquellos materiales vegetales que fueron usados como materias primas.

El Laboratorio de Química y Suelos tiene el propósito de estudiar la sedimentología de los depósitos y los procesos de formación de suelos, así como la realización de análisis químicos mediante diferentes técnicas, que permiten identificar y caracterizar las materias primas de carácter inorgánico empleadas en la manufactura de artefactos y, eventualmente, asociarlas a su lugar de origen.

El Laboratorio de Paleozoología se dedica al estudio de los restos de animales, que tiene aplicaciones paralelas a las de los restos botánicos en los estudios arqueológicos.

El Laboratorio de Geología y Petrología se ocupa, por una parte, del estudio de los antiguos paisajes ocupados por los grupos humanos y los cambios en dichos paisajes y, por otra, de la identificación de materias primas minerales, su origen y sus modificaciones a consecuencia de los procesos de manufactura a que han sido sujetas. En la actualidad cuenta también con una unidad de reconocimiento geofísico que lleva a cabo estudios de resistividad del subsuelo, de sus propiedades electromagnéticas, mediciones del campo magnético asociado (magnetometría) y de radar de penetración, que en conjunto permiten una aproximación a las características de lo que se encuentra bajo la superficie sin necesidad de excavación. Este laboratorio cuenta también con equipo para realizar análisis por difracción y fluorescencia de rayos X, que complementa la determinación de minerales mediante petrografía con el estudio de su estructura molecular y su composición química.

Unos años después se estableció un laboratorio más, el de Fechamiento, con unidades de fechamiento por radiocarbono, mediante el cual se determina la fecha en que el animal o planta del que proviene la muestra murió; de fechamiento por hidratación de obsidiana, que permite determinar cuándo fue un artefacto hecho de este material, y de termoluminiscencia, mediante la cual puede saberse cuándo una cerámica fue hecha, cuándo un horno dejó de usarse o cuándo se incendió un edificio.

Lorenzo consideraba también que la aplicación de la periodificación de la Prehistoria de la Europa occidental a México no era adecuada, y tampoco estaba satisfecho con las que se aplicaban en Estados Unidos, por lo que en *La etapa lítica*, publicada en 1964, propuso la periodificación que aún se sigue usando, con algunos cambios. Plantea cuatro etapas: Arqueolítico (35 000/30 000-14 000 años antes del presente), Cenolítico Inferior (14 000-9 000 años a.p.), Cenolítico Superior (9 000-7 000 años a.p.) y Protoneolítico (7 000-4 500 años a.p.).

Los artefactos del Arqueolítico son toscos, poco estandarizados y no incluyen puntas de proyectil. Los sitios mejor documentados son Tlapacoya I, en el Estado de México, con dos hogares, restos de fauna, en parte extinta, y artefactos, fechado hace unos 20 000 años, y El Cedral, en San Luis Potosí, con una hogar rodeado de huesos de fauna extinta, sin artefactos, fechado hace 33 000 años; ambos sitios fueron explorados bajo la dirección de Lorenzo.

No todos reconocen la realidad del Arqueolítico, pues muchos consideran que América no estaba habitada entonces por el hombre. De acuerdo con ellos, la primera ocupación ocurrió al principio del Cenolítico Inferior, cuando al comenzar la retirada de los hielos de los glaciares se abrió un corredor al este de las Montañas Rocallosas que permitió el paso desde Alaska y Siberia hacia el sur. Los primeros en cruzar, cazadores especializados en fauna mayor, avanzaron rápidamente, llegando al Estrecho de Magallanes en poco más de un milenio y generando la extinción de la megafauna del Pleistoceno.

El Cenolítico Inferior se caracteriza por artefactos estandarizados, muy variados y con retoque bien desarrollado, que incluyen puntas de proyectil acanaladas, de diversas variedades, que en la porción oriental de México fueron sustituidas por puntas en forma de hoja. Entre los sitios de esta etapa se encuentran los de cacería de mamut a los que se ha hecho referencia; Tlapacoya XVIII en el Estado de México, con restos humanos además de abundantes artefactos líticos, explorado bajo la dirección de Lorenzo, y las cuevas de Santa Marta y Los Grifos, cercanas a Ocozocoautla, Chiapas, estudiadas por García-Bárcena y sus colaboradores; en la última se localizaron puntas acanaladas con otras de origen sudamericano, conocidas como "cola de pescado" unas, y otras, con pedúnculo y aletas, llamadas Paiján. Tienen una antigüedad de 9 300 años.

Los sitios del Cenolítico Superior son más numerosos que los de las etapas anteriores y nos denotan que ya para entonces las poblaciones se habían especializado de acuerdo con las características del medio ambiente al que estaban asociadas y los recursos de los que dependían. Así, tenemos grupos especializados en las regiones costeras, en las áreas cubiertas de selva tropical, aquellos que habitaban en zonas de bosque de altura y los que ocupaban regiones semiáridas y áridas, especializaciones que se reflejan en el utillaje que empleaban.

En algunas de las regiones semiáridas ocupadas por pueblos del Cenolítico Superior, a lo largo de varios cientos de años, algunos grupos comenzaron por proteger, en un principio, y luego por domesticar a diversas plantas, lo cual les permitió, a la larga, desarrollar una economía agrícola y se-

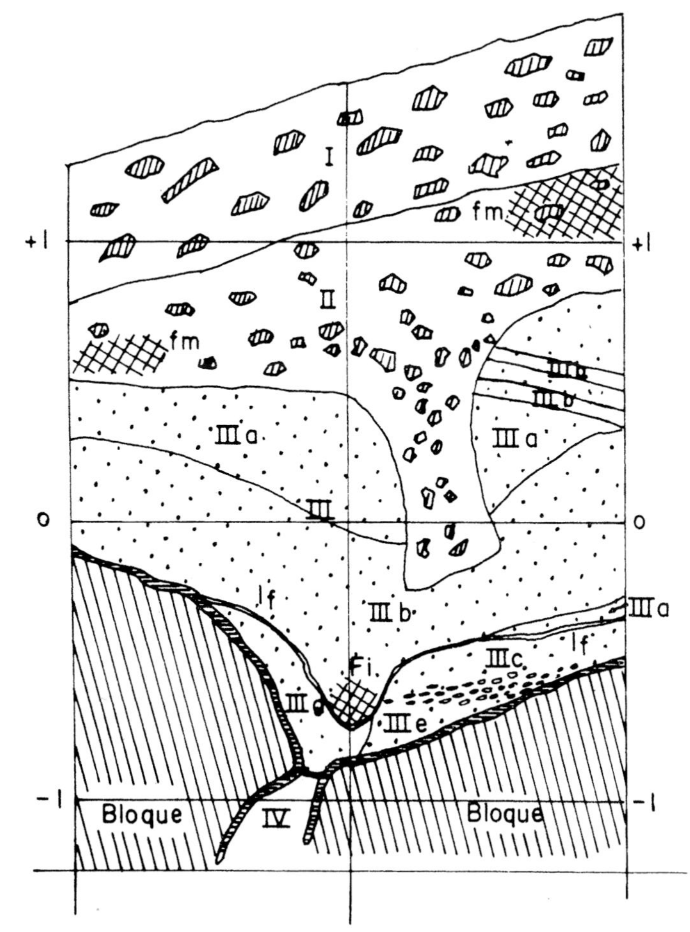

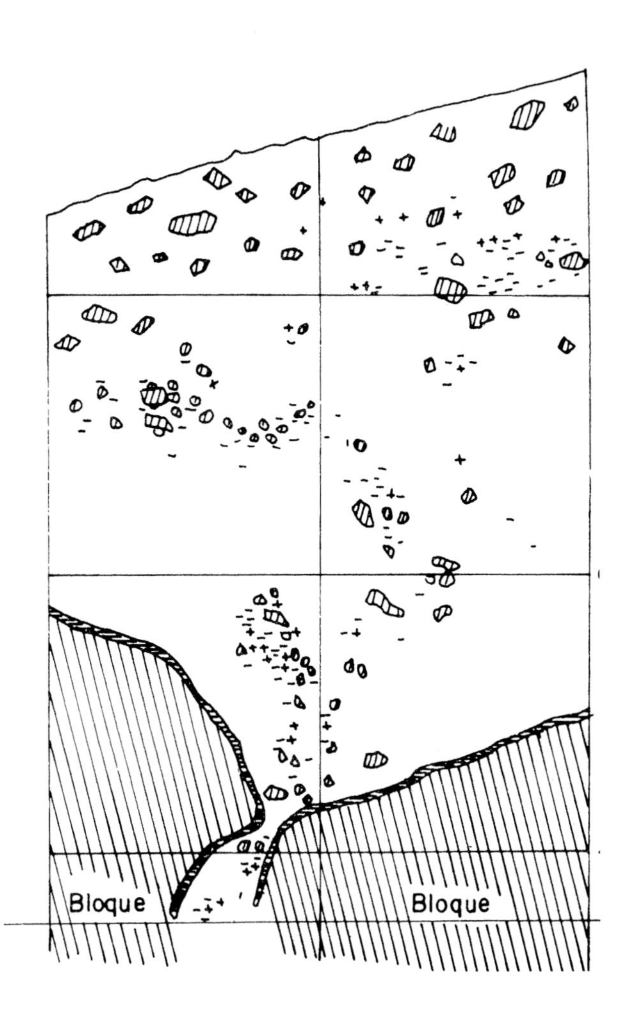

Estratigrafía de San Miguel Amantla.

dentaria. La etapa en que se dio este proceso, al que en 1961 se refirió Lorenzo en *La revolución neolítica en Mesoamérica*, es el Protoneolítico.

La definición del Protoneolítico debe mucho a las investigaciones desarrolladas por Richard S. MacNeish en diversas partes de México. Se concentró en localizar sitios que fuesen lo bastante secos para que hubiese una buena conservación de restos de plantas y, mediante su excavación controlada y el estudio de los restos vegetales recuperados, encontrar de qué modo y a partir de qué ancestros silvestres se habían producido las plantas características de la agricultura mesoamericana, no sólo el maíz, el frijol, la calabaza y el chile, sino muchas otras. Los estudios que llevó a cabo tanto en la Sierra de Tamaulipas, primero, como en el Valle de Tehuacán, Puebla, después, permitieron un avance importante en la concreción de lo que fue el Protoneolítico; un resumen de sus resultados hasta 1964 apareció en *El origen de la agricultura visto desde Tehuacán*. Un complemento importante de los estudios de Richard S. MacNeish fueron los realizados por Kent V. Flannery en el Valle de Oaxaca.

En 1988, como resultado de una reestructuración del Instituto Nacional de Antropología e Historia, el sector de laboratorios del Departamento de Prehistoria se separó para formar una nueva subdirección y el sector de arqueología se unió al que se ocupaba de la arqueología de las poblaciones sedentarias y agrícolas, para formar la Dirección de Estudios Arqueológicos.

JOSE LUIS LORENZO BAUTISTA

INSTITUTO NACIONAL DE ANTROPOLOGIA E HISTORIA

Retrato de perfil

Nombre completo JOSE LUIS LORENZO BAUTISTA
Sexo ... Nacionalidad ...
Lugar de nacimiento ... Municipio ...
Estado ... País ...
Edad ... años. fecha de nacimiento ...
Domicilio particular: ...
Empleo actual Prac. de Arqueología
Trabajo que desempeña El mismo
Oficina o centro de trabajo al cual depende I.N.A.H.
Lugar en que trabaja 13 Ap. #23 Col. Condesa.

13 de Julio 1953

Fil: L-o-6614

Edad manifestada a Pensiones ...
en el año de ... Estado civil: ¿Casado? ...
¿Soltero? ... Nombre de la Esposa ...
Estatura ... Mts Color pelo ...
Color ojos ... frente ...
Boca ... Señas particulares ...
Nombre de los padres o parientes más cercanos ...
Domicilio ...
(Firma del interesado)

EMPLEOS QUE HA OCUPADO EN LA SECRETARIA DE EDUCACION	FECHA	DEPENDENCIA	RECOMENDACIONES
Practicante de Arqueología	Ene-1o-1948	Prehispánicos	

SANCIONES

Archivo Técnico de la Coordinación Nacional de Arqueología-INAH

José Luis Lorenzo Bautista en 1948.

La última década (1989-2000)

En los últimos años se ha diversificado el estudio de los artefactos líticos; anteriormente su clasificación era básicamente morfológica, lo cual se ha complementado mediante estudios que buscan conocer los usos a que estos artefactos estaban destinados; para ello, se ha utilizado el examen de los bordes para detectar las características de las huellas que su empleo produjo, utilizando frecuentemente la microscopía electrónica; estas huellas se comparan con las producidas sobre artefactos experimentales. También se ha incrementado el estudio de los artefactos, no por sí mismos, sino como evidencia de procesos de manufactura, que llevan desde la materia prima, a través de diversas etapas, hasta el artefacto terminado.

Un desarrollo tecnológico que ha comenzado a tener gran importancia en diversos aspectos de la Prehistoria es el que hace posible fechar muestras muy pequeñas de origen orgánico por radiocarbono, mediante el uso de aceleradores nucleares (AMS); por una parte, ha permitido aclarar la cronología de diversos restos humanos excavados anteriormente, que por varias razones se habían considerado antiguos pero cuyo fechamiento no estaba claro; para algunos de ellos se cuenta ya con resultados, mientras que muestras de otros todavía se están procesando, entre ellos la del llamado Hombre de Chimalhuacán, que está muy mineralizado, hallazgo casual del que hay indicios de que pudiera tener una antigüedad de algo más de 35 000 años.

Los fechamientos por AMS son también importantes en términos del estudio de los procesos de domesticación de plantas, mediante el fechamiento directo de evidencias botánicas de este proceso; en algunos casos, estas nuevas fechas han permitido ratificar la información cronológica con que se contaba, pero en otros, notablemente el maíz de Tehuacán, ésta ha debido ser modificada.

Al aplicar la técnica de fechamiento de AMS a muestras obtenidas de pinturas rupestres, se ha podido, por primera vez, obtener fechas para las mismas. Inicialmente se obtuvieron algunas fechas de pinturas rupestres de la Cueva del Ratón en Baja California Sur, que indicaron que, por lo menos parte de ellas, pertenecían al Cenolítico Superior. En el curso del proyecto de la Sierra de San Francisco, Baja California Sur, realizado bajo la dirección de María de la Luz Gutiérrez, se registraron más de doscientos sitios con pintura rupestre y se obtuvieron numerosos fechamientos adicionales.

Hay también gran actividad en los estudios del poblamiento de América y por tanto, de los de los sitios más tempranos. Por una parte, los estudios de DNA han venido a complementar los resultados obtenidos a partir de la geología histórica, de la antropología física y de la lingüística. Por otra, se ha propuesto una ruta alterna de poblamiento, a partir de Alaska y Siberia, a lo largo de la costa americana del Pacífico, que no tendría las limitantes temporales de la ruta a través del corredor al este de las montañas Rocallosas. Esto ha propiciado que se estén volviendo a estudiar sitios del Arqueolítico para los que había dudas, como los de Valsequillo, Puebla, explorados inicialmente por Cynthia Irwin-Williams, o los hallaz-

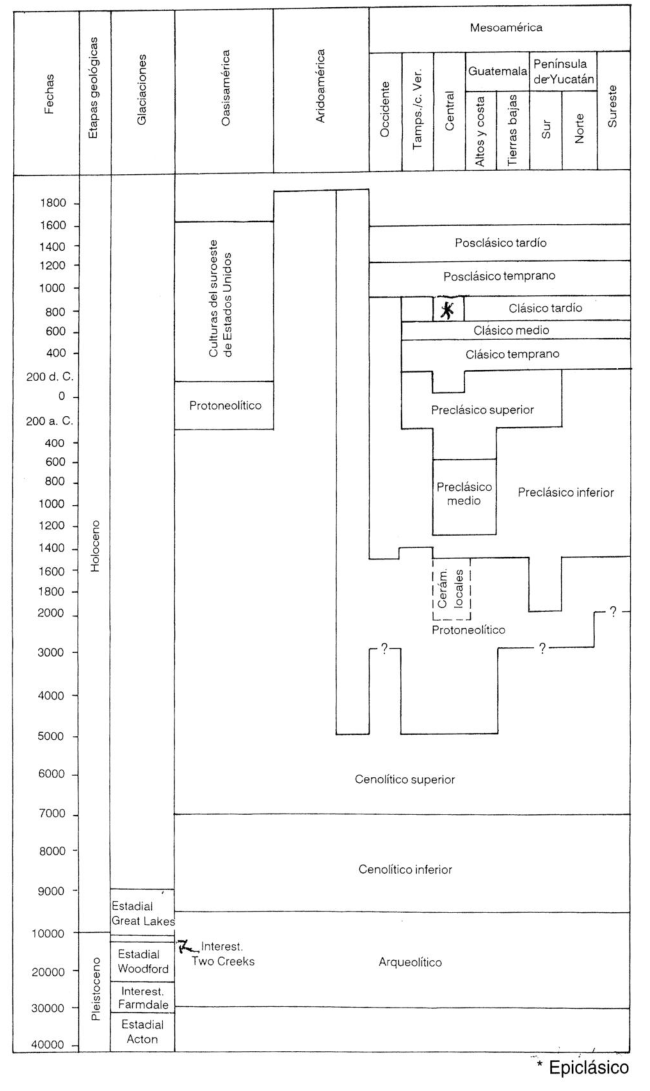

Periodificación actual de la Prehistoria.

gos fragmentarios de superficie de las cuencas de Zacoalco y Chapala, en Jalisco. También se han localizado nuevos sitios, potencialmente muy tempranos, sobre todo en Baja California Sur, que se han comenzado a explorar.

Se están realizando también nuevos estudios acerca del Protoneolítico; se conocían dos centros de domesticación de plantas en México: el situado entre la Sierra de Tamaulipas y el Centro de México, estudiado sobre todo por MacNeish y sus colaboradores, y el del Valle de Oaxaca, definido a través de los estudios de Flannery. Sin embargo, se han precisado dos posibles centros adicionales de domesticación. El primero, que está siendo estudiado mediante la localización de sitios con estratigrafía y conservación adecuada de restos vegetales, se encuentra en el oeste de Jalisco, y su potencial radica en que allí se ha localizado una nueva especie de teosintle (*Zea diploperennis*), planta silvestre a partir de la cual se cree se obtuvo el maíz. El segundo centro se encuentra en la cuenca del Balsas, en la que existe el mayor número de variedades de maíz cultivado; se está estudiando mediante la extracción de núcleos de sedimentos de fondos de lagos, para obtener de ellos secuencias de polen, fechadas por radiocarbono.

El desarrollo de la arqueología subacuática y, en particular, el estudio de cuevas inundadas, ha permitido localizar en algunas de ellas, bajo la Península de Yucatán, sitios en los que se encuentran restos de hogueras y restos humanos, algunos de los cuales pudieran tener una antigüedad de unos 10 000 años. Estas evidencias al parecer se depositaron antes de que las cuevas se inundasen, como consecuencia del ascenso en el nivel del mar desde el final del Pleistoceno, cuando estaba unos 120 metros más bajo que hoy.

Se han seguido estudiando sitios del Cenolítico Superior, sobre todo en el norte de México, pero es mucho aún lo que nos falta por conocer de esta etapa, sobre todo para el área mesoamericana.

Como consecuencia de la nueva información que se ha venido obteniendo, y sus interpretaciones, se han propuesto algunas modificaciones a la periodificación de la Prehistoria establecida por Lorenzo: se ha podido subdividir el Cenolítico Inferior en dos etapas, temprana y tardía, y establecer especializaciones regionales durante el mismo. Se han propuesto también especializaciones regionales para el Cenolítico Superior y se ha considerado que, en la mayor parte del país, éste continuó hasta hace 4 500 años, ya que sólo en algunas regiones se encuentran sitios que puedan afiliarse al Protoneolítico. También ha habido ajustes menores en la cronología.

ANTECEDENTES (1864-1945)

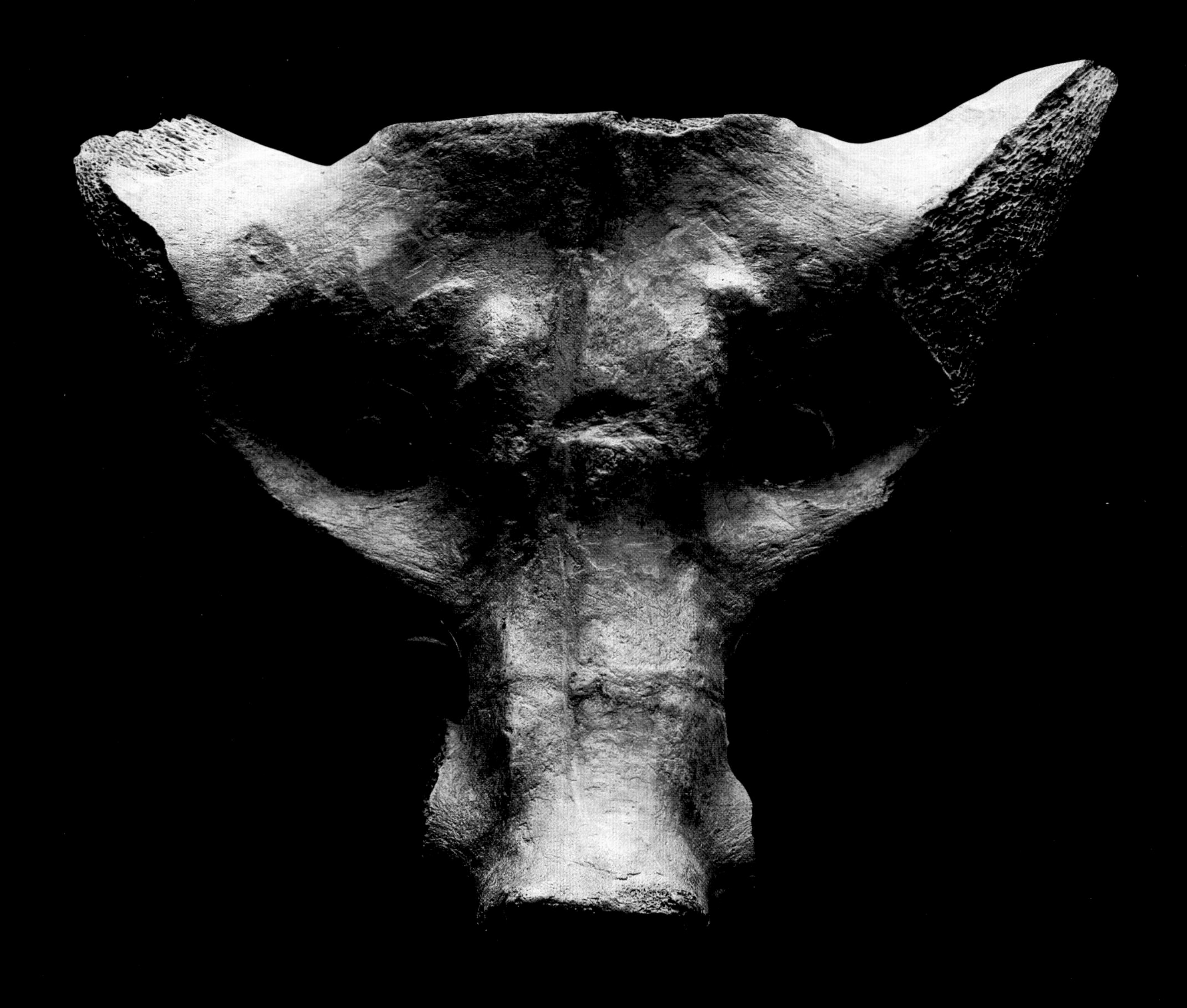

SACRO DE TEQUIXQUIAC
HUESO DE CAMELIDO
FUE ENCONTRADO EN EL SIGLO XIX.
EL ARQUEOLOGO LUIS AVELEYRA LO
RECUPERO EN 1959 PARA ANALIZARLO
NUEVAMENTE, INCLUYENDO LOS
SEDIMENTOS ADHERIDOS QUE AUN
SE CONSERVABAN

HELMUTH DE TERRA (1900-1981)
EL HOMBRE DE TEPEXPAN

EXCAVACIÓN DEL
CRÁNEO DEL HOMBRE
DE TEPEXPAN

CRÁNEO DE TEPEXPAN

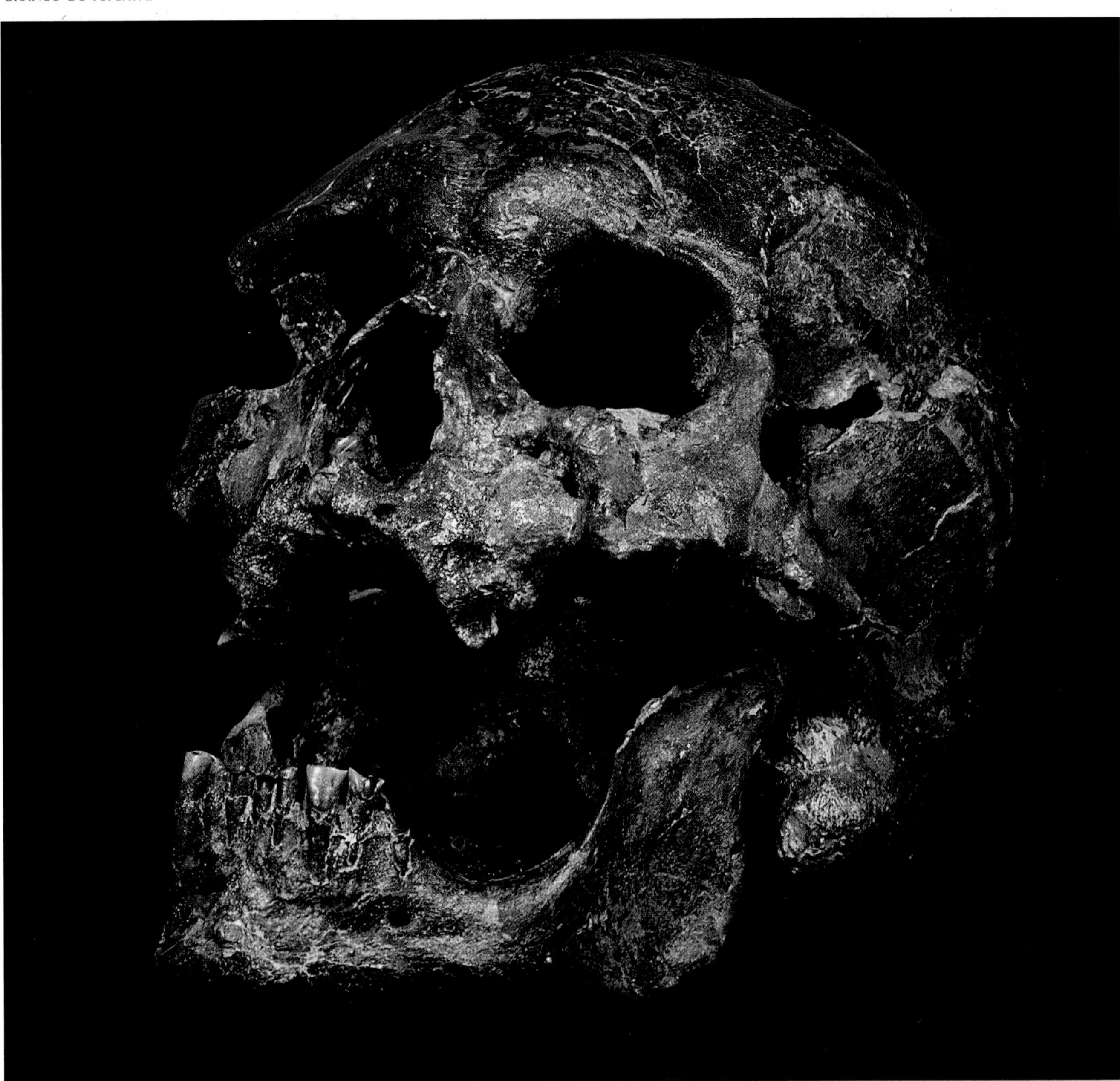

FASES PRELIMINARES
DE LA EXPLORACIÓN
DEL MAMUT DE SANTA
ISABEL IZTAPAN, 1952

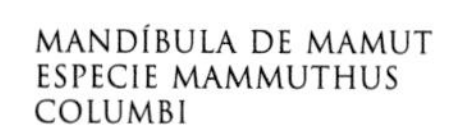

HÚMERO DE MAMUT
ESPECIE MAMMUTHUS
COLUMBI

MANDÍBULA DE MAMUT
ESPECIE MAMMUTHUS
COLUMBI

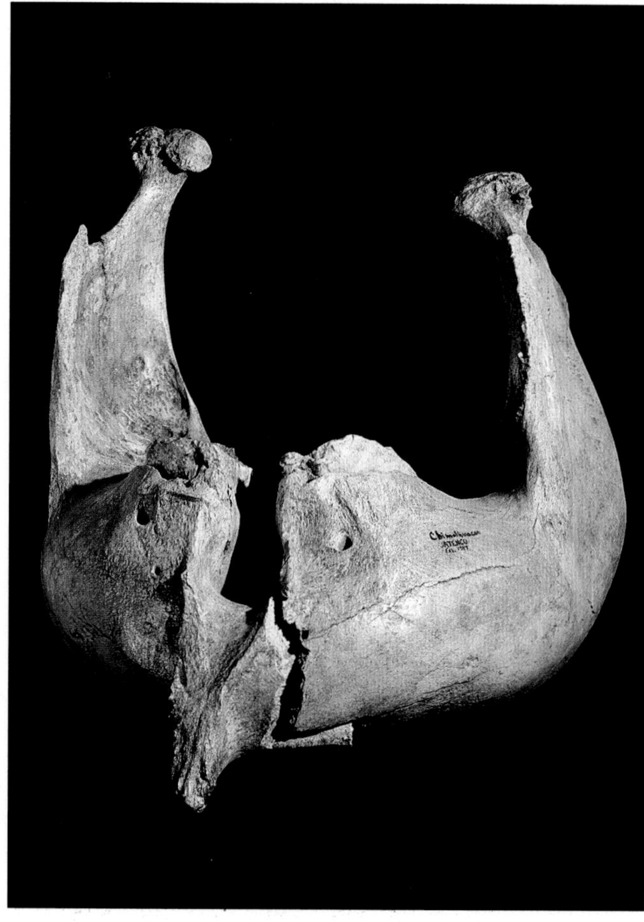

MAÍCES DEL PERIODO PROTONEOLÍTICO 7000 A 4500 AÑOS A.P. PROCEDE DEL VALLE DE TEHUACÁN, PUEBLA. LA ETAPA QUE ENGLOBA LOS INICIOS DE LA AGRICULTURA SE LLAMA PROTONEOLÍTICO, ESTUDIADO, ENTRE OTROS, POR EL DOCTOR RICHARD MACNEISH. AQUÍ VEMOS LAS FASES DEL LENTO Y PROLONGADO DESARROLLO DEL MAÍZ

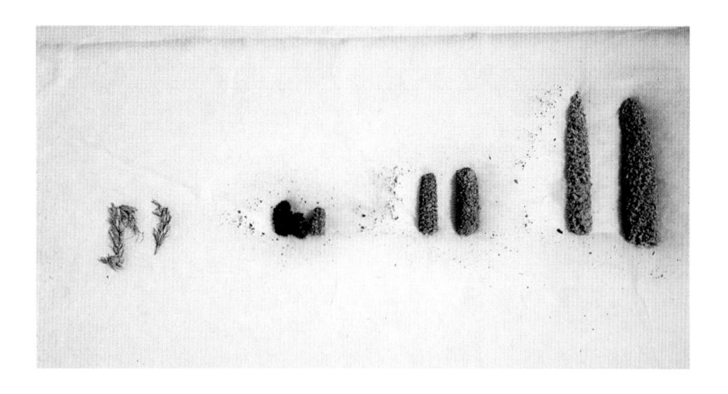

JOSÉ LUIS LORENZO EN EL ESTUDIO DE SU CASA

ARTEFACTOS DEL PERIODO CENOLÍTICO SUPERIOR 9000-7000 AÑOS A.P. PROCEDEN DE LA CUEVA DEL TEXCAL, PUEBLA. PARA ENTONCES, LOS ARTEFACTOS QUE UTILIZABAN LOS POBLADORES YA ESTABAN ESPECIALIZADOS DE ACUERDO CON LAS CARACTERÍSTICAS DEL MEDIO AMBIENTE Y LOS RECURSOS DE LOS QUE DEPENDÍAN: REGIONES COSTERAS, SELVA TROPICAL, BOSQUE DE ALTURA Y LOS QUE OCUPABAN REGIONES SEMIÁRIDAS Y ÁRIDAS

ARTEFACTOS DEL PERIODO CENOLÍTICO INFERIOR 14000-9000 AÑOS A.P. PROCEDEN DE LA CUEVA DE LOS GRIFOS, CHIAPAS, 9300 AÑOS A.P. CERCA DE OCOZOCOAUTLA, CHIAPAS, SE ENCUENTRA LA CUEVA DE LOS GRIFOS, DONDE JOAQUÍN GARCÍA-BÁRCENA Y COLABORADORES DESCUBRIERON PUNTAS ACANALADAS PROPIAS DE LA REGIÓN JUNTO CON LAS OTRAS DE ORIGEN SUDAMERICANO, CONOCIDAS COMO "COLA DE PESCADO"

PROCESO DE
EXCAVACIÓN EN LA
CUEVA DEL TEXCAL

RICHARD S. MACNEISH (1918-2001)

ARQUEÓLOGO
RICHARD S.
MACNEISH

LABORATORIO DE
PALEOZOLOGÍA

LABORATORIO DE
PALEOBOTÁNICA

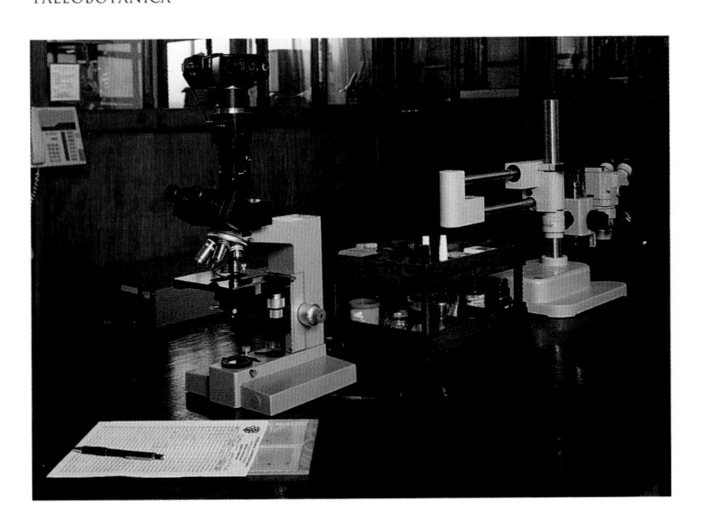

LABORATORIO DE
TECHAMIENTO
CARBONO 14

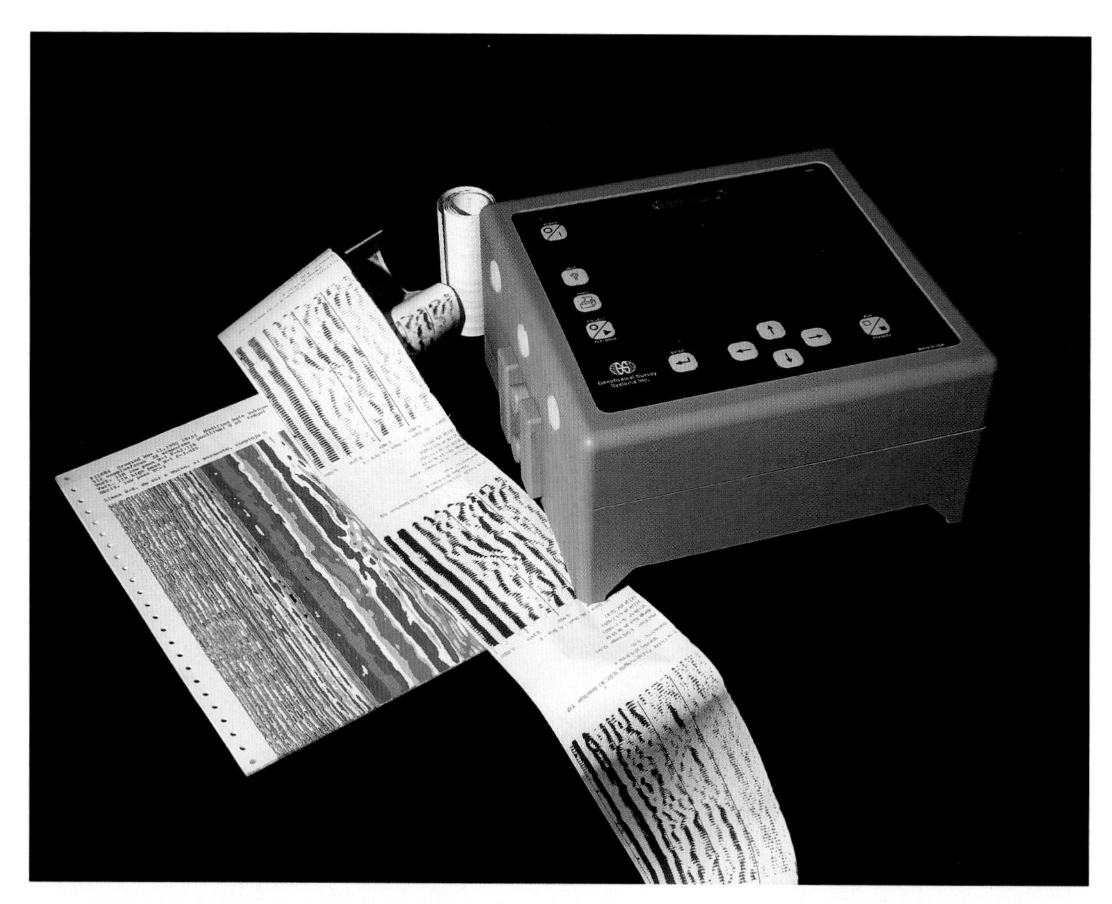

LABORATORIO DE
GEOLOGÍA

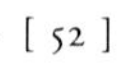

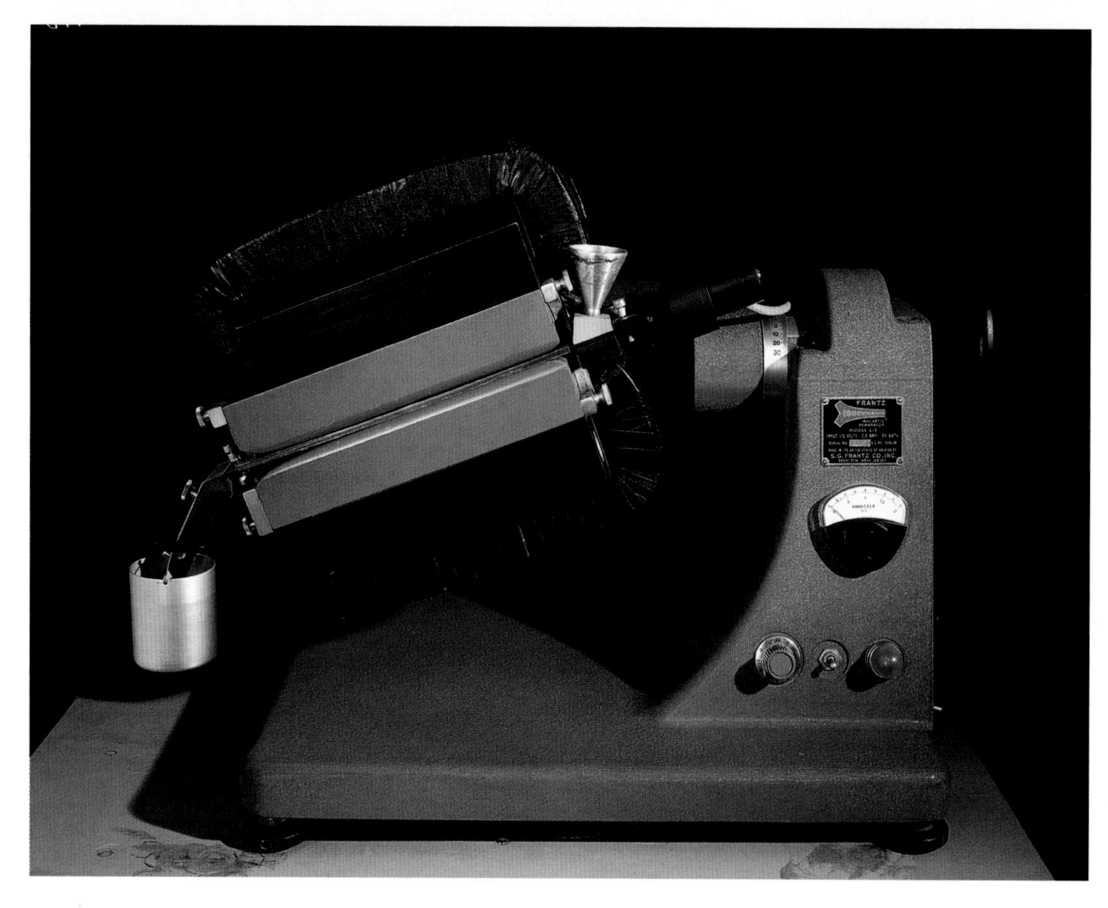

LABORATORIO DE
QUÍMICA Y
SUELOS
MICROSCOPIO
PARA ANÁLISIS
METALÚRGICO

VISTA DE LA
EXCAVACIÓN EN
CHIMALHUACÁN

HISTORIA DE LA ARQUEOLOGÍA OLMECA

BEATRIZ DE LA FUENTE

Soy más agua que tierra
y más fuego que cielo.
Navega en mi sangre
Lo más antiguo de México.

Carlos Pellicer

El surgimiento del concepto *olmeca* vino a modificar y a ensanchar el último capítulo de la historiografía arqueológica de Mesoamérica. Saber que existía una cultura diferente, distante y distinta de las otras conocidas, y que se definió por relaciones de semejanza entre algunos objetos (artísticos) que eventualmente tomaron el nombre de *olmecas*, contribuyó a extender y a definir semejanzas y diferencias en el universo mesoamericano. La apreciación de las similitudes entre pequeños objetos de jade y grandes monumentos de piedra permitió que la idea de lo "olmeca" ocupara como *estilo artístico* una posición de igualdad entre las otras culturas de la América Media e Indígena que estaban ya individualizadas. Lo *olmeca* fue un concepto artístico primordial y después una realidad arqueológica.

La historia en torno a lo que se ha dicho sobre los olmecas puede dividirse en dos épocas; la primera, que se apoya en fuentes coloniales, alude a grupos que vivieron en tiempos cercanos a la Conquista española. Algunos historiadores y arqueólogos llaman a éstos los "olmecas históricos". Fray Bernardino de Sahagún, fray Juan de Torquemada, Diego Muñoz Camargo, Fernando de Alva Ixtlixóchitl y la *Historia Tolteca-Chichimeca* hablan todos de los olmecas. Se refieren a ellos como grupos tardíos en la historia mesoamericana que se asentaron en la Costa del Golfo de México y que la habitaron durante tiempos posclásicos. Llegaron a Pánuco (llamado *Panutla* o *Panoyan*) a bordo de navíos procedentes del mar y se dispersaron hasta alcanzar Guatemala. Román Piña Chan interpretó los datos de las fuentes virreinales suponiendo una migración que ocurrió de Pánuco a Guatemala en tiempos clásicos.[1] Estos "olmecas" nada tienen en común con los olmecas de los cuales trata esta breve historiografía y cuya designación como grupo humano desconocemos.

Hacha Kunz, actualmente en el American Museum of Natural History de Nueva York.

La segunda época es de conocimiento reciente (en el primer cuarto del siglo XX) y alude a un sorprendente pueblo preclásico cuyas formas artísticas dominaron el sureste de Mesoamérica, en particular la región sur del estado de Ve-

[1] Piña Chan, 1972: 22.

© Marco Antonio Pacheco/Raíces

Estela 2 de La Venta, Tabasco.

racruz y el oriente del estado de Tabasco, y se expandieron a lo largo y ancho de su territorio. Algunos los llaman "olmecas arqueológicos", también se ha dicho que se trata de la "cultura de La Venta"; hoy en día se les nombra, y es de todos conocido, como simplemente olmecas.

Los conceptos y los hallazgos

La historia de los descubrimientos sobre la cultura olmeca se puede ordenar a la luz de cuatro momentos cruciales: el primero ocurrió cuando Marshall H. Saville, en 1929, habló de un estilo que podía "asignarse seguramente a la antigua cultura olmeca"; el segundo quedó establecido durante la Reunión de Mesa Redonda sobre Mayas y Olmecas, en 1942, en la cual se acepta el concepto olmeca y se consolida el primer grupo "olmequista" encabezado por Miguel Covarrubias y Alfonso Caso, quienes aseveraron que se trataba de una "cultura madre". El tercer momento fue la Conferencia sobre los Olmecas efectuada en Dumbarton Oaks, Washington, en 1967, en donde se abordaron problemas arqueológicos, de estilo, de cronología, de significado y de distancias y semejanzas culturales. El cuarto y último momento, que aún experimentamos, es el de la reconsideración —principalmente arqueológica— con base en los hallazgos de la última década del siglo XX en El Manatí, Veracruz, y las exploraciones de las dos grandes urbes olmecas: San Lorenzo Tenochtitlan, Veracruz, y La Venta, Tabasco.

A continuación haré breve mención de lo que se ha hecho y se ha dicho en estos momentos cimeros de la historiografía arqueológica olmeca.

Referencias iniciales

Toda narración sobre los descubrimientos olmecas se inicia cuando en 1862 José Melgar descubre la Cabeza Colosal de Hueyapan (también conocida como Monumento A de Tres Zapotes, Veracruz). Se trata de un suceso definitivo ya que la historia del mundo occidental inicia su apertura hacia el reconocimiento de la cultura olmeca. Sin embargo, el hallazgo originó la idea de que había población negra entre los antiguos americanos, debido a los supuestos rasgos de tal raza plasmados en la efigie monumental. De hecho, Melgar dijo que lo que más le había impresionado "fue el tipo etiópico que representa".[2] Esta aseveración fincó el apoyo para que el historiador mexicano Alfredo Chavero reprodujera, como prueba de la existencia de la raza negra, a la Cabeza Colosal en Hueyapan en su obra enciclopédica *México a través de los siglos*.[3]

Para 1890 George Kunz describió un hacha de jadeíta verde, hoy mundialmente famosa y conocida como el Hacha Kunz, que se guarda en el American Museum of Natural History de Nueva York; además la comparó con otras dos semejantes. Marshall H. Saville en 1900 reprodujo el Hacha Kunz y fue el primero que hizo notar que representaba una máscara de jaguar y que los tres objetos mostraban un estilo artístico desconocido y diferente.[4] Otros exploradores

[2] Melgar, 1869: 292.
[3] Chavero, 1887: 63.
[4] Saville, 1900: 139.

como Eduard Seler y su esposa Caecilie, así como Albert Weyerstall, estuvieron en la misma zona de Veracruz[5] y encontraron otros monumentos en Hueyapan, hoy conocido como poblado de Tres Zapotes.

Casi al mismo tiempo que los anteriores llegaron a la región Frans Blom y Oliver La Farge; a ellos se debe el hallazgo de la ciudad olmeca de La Venta y un buen número de esculturas procedentes de este sitio y de otros cercanos del sur del estado de Veracruz y del este de Tabasco. El reportaje de su viaje, publicado en 1926, es un registro de sus descubrimientos: da cuenta en dibujos y en fotografías del Ídolo de San Martín Pajapan, de la Cabeza Colosal 1 de La Venta y de las Estelas 1, 2 y 4 del mismo lugar, y de muchos otros más. Es notable su descripción acerca de la excursión que realizaron a la cumbre del volcán de San Martín para ver la escultura olmeca. En la publicación de Blom y La Farge se ilustra un dibujo de esta obra, realizado en 1897 por el ingeniero mexicano Ismael Loya. Los autores no se percataron de que los objetos por ellos encontrados fueron producto de una cultura diferente y se inclinaron "a adscribir estas ruinas a la cultura maya".[6]

Tal publicación trajo consecuencias inmediatas para nuestra historia, ya que en 1927 Hermann Beyer publica en *El México antiguo* una nota bibliográfica sobre ese libro y usa por primera vez el término "olmeca" para aplicarlo a piezas similares. No fue, sin embargo, el tímido comentario de Beyer el que bautizó el estilo; dos años más tarde, en 1929, Saville definió como olmecas una serie de rasgos comunes a figurillas de piedra y de jadeíta. El investigador encuentra elementos constantes y rasgos diversos: "cuerpo humano con cabeza de aspecto felino", "máscara de tigre", "cabeza hendida", "ojos inclinados", "caninos prominentes" y "labios superiores proyectados".[7] Conviene destacar que Saville se dio cuenta de que estas obras compartían elementos similares y revelaban un estilo artístico diferente a los conocidos, por lo cual afirma que pertenecían "a la antigua cultura olmeca, que tuvo, aparentemente, su centro en el área de San Andrés Tuxtla... y se extendió hacia la Costa del Golfo de México en la parte sur del Estado de Veracruz".[8]

[5] Seler, 1906, Weyerstall, 1932.

[6] Blom y La Farge, 1926: 90.

[7] Saville, 1929: 280.

[8] *Ibid.*, p. 285

Cabeza Colosal de Hueyapan o *Monumento A de Tres Zapotes, Veracruz.*

Los primeros trabajos de búsqueda arqueológica

Durante el año de 1932 el Bureau of American Ethnology de la Smithsonian Institution de Washington formuló un programa de exploraciones arqueológicas para determinar la extensión de la cultura maya. Parte de este trabajo, en cuanto a la National Geographic Expedition, quedó encomendado a Matthew W. Stirling. De 1938 a 1946 realizó temporadas de exploración en tierras olmecas. A pesar que sus descubrimientos eran en ocasiones un tanto precipitados, fue tan numerosa y de tal magnitud la riqueza monumental por él desenterrada, que abrió un mundo nuevo a la arqueología mexicana. Sus publicaciones en el *National Geographic Magazine* son atractivas descripciones de los lugares, acompañadas de espléndidas fotografías y documentos indispensables para aproximarse a los olmecas.[9]

Para su primera temporada de trabajo de campo tuvo la fortuna de encontrar el fragmento inferior de la Estela C

[9] Stirling, 1939, 1940 a y b, 1941, 1943 a y b, 1946, 1947, 1955.

Altar 4 de La Venta, Tabasco.

(epiolmeca), hoy en el Museo Nacional de Antropología, y que lleva en uno de sus lados un rostro fantástico —se ha dicho que de jaguar— y en el otro una fecha de numerales en puntos y barras a la manera maya (7.16.6.16.18 6 Eznab 1 Uo) que corresponde —según la correlación más aceptada— al año 31 a.C. Con ello se tenía conocimiento de una de las fechas más antiguas del mundo mesoamericano y, desde entonces, ha constituido un desconcierto, ya que resulta muy tardía para ser olmeca y muy temprana para ser maya. El fragmento superior fue descubierto en 1969 por el campesino Esteban Santos; el arqueólogo Francisco Beverido, de la Universidad Veracruzana, tuvo oportunidad de verlo al año siguiente, de reportarlo en 1971, y le dio el nombre de Estela Covarrubias.[10]

En la misma temporada el arqueólogo Stirling desentierra la ya famosa Cabeza Colosal reportada por Melgar y otros monumentos de Tres Zapotes. Fue durante el año siguiente, en 1940, cuando se aventuró a calificar "los productos misteriosos de este arte" con el nombre de olmecas. En el mismo año encuentra, desentierra y fotografía una veintena de esculturas de La Venta, incluyendo las descubiertas por Blom y los renombrados "altares" —hoy considerados "tronos" de ese lugar—. Para 1943 se halló la tumba de columnas monolíticas. Su compañero de trabajo, Philip H. Drucker, con quien colaboró en varias temporadas, dedicó su atención de modo principal al estudio de la cerámica, si bien tuvo la suerte de encontrar monumentos importantes en Cerro de las Mesas, en Tres Zapotes y en La Venta. Para 1943, auxiliado por el arqueólogo Waldo Wedel, descubrió los pisos de mosaico de serpentina y más tarde, en 1945, Stirling encontró en la zona de Río Chiquito —Tenochtitlan— varias esculturas colosales de piedra, entre las cuales se contaba una que llamó su atención porque consideró que representaba la cópula entre un jaguar y una mujer. Con esta imagen y otras dos más, halladas después, se inició

[10] Beverido, 1971.

Tumbas de columnas de basalto de La Venta, Tabasco.

el mito del hombre-jaguar. Por una parte, el mito explicaría el origen de los olmecas, mitad hombres, mitad jaguares; por otra, la transformación del hombre-chamán en jaguar.

Cerca de Tenochtitlan está San Lorenzo, a donde, un año después, en 1946, Stirling regresó con Drucker a su última temporada de trabajo en la región olmeca. Los resultados fueron extraordinarios ¡otras cuatro cabezas colosales! Stirling descubrió cerca de medio centenar de esculturas monumentales y con ello inició la revolución de la joven arqueología mexicana de la parte sur de la Costa del Golfo y del oriente de Tabasco.

1942: Arqueólogos y estudiosos mexicanos proponen a la olmeca como la cultura madre de Mesoamérica

En el año de 1942, en Tuxtla Gutiérrez, Chiapas, se llevó a cabo la Segunda Reunión de Mesa Redonda organizada por la Sociedad Mexicana de Antropología, con el fin de discutir la problemática olmeca, de ahí el título de Mayas y Olmecas con el cual se convocó. Entre lo propuesto a manera de conclusión —de esta reunión que congregó a estudiosos de diferentes naciones— se sugirió que el nombre de Cultura de La Venta sustituyera al de olmeca, por ser aquél el sitio donde se habían encontrado mayor cantidad de testimonios de ese pueblo. El nombre Cultura de La Venta fue utilizado temporalmente por algunos estudiosos, pero a la postre dominó el término olmeca, que estaba ya bien afincado. En el mismo año de 1942 el historiador W. Jiménez Moreno publicó *El enigma de los olmecas*. Puntos sobresalientes de la reunión fueron los comentarios de Alfonso Caso[11] y de Miguel Covarrubias.[12] El primero se refirió a la cultura olmeca como "clásica" y que era "sin duda, madre

[11] Caso, 1942: 43-46.
[12] Covarrubias, 1942: 46.

Figura humana de pie procedente de Laguna de los Cerros, Veracruz, Monumento 19.

de otras culturas como la maya, la teotihuacana, la zapoteca, la de El Tajín y otras". La aportación más importante fue la definición del estilo artístico olmeca dada por Miguel Covarrubias; así, postuló una serie de puntos básicos que con el transcurso del tiempo y enriquecidos por nuevas informaciones, pudo explicar y extender considerablemente. Las cualidades básicas que Covarrubias enumera y describe son resultado del análisis y la observación de pequeñas esculturas en piedras semipreciosas y de tallas monumentales. Hace referencia a materiales preferidos por los olmecas, como la serpentina, la esteatita, la venturina y sobre todo los jades y jadeítas de distintos colores; para las esculturas colosales el basalto fue el material favorito y no olvida una pormenorizada descripción de las técnicas. Enuncia que son tres los temas primordialmente representados: el tigre —nombre que con el tiempo modificó por jaguar—, que es el diseño básico del arte olmeca; anota también sus variedades. Un segundo grupo es el de seres humanos, representando casi exclusivamente al hombre con rasgos manifiestamente faciales con aspecto de jaguar: comisuras caídas, labio superior de borde grueso vuelto hacia arriba, expresión infantil y cabezas alargadas en forma de pera. El tercer conjunto está integrado por "una especie de niño o enano con la cabeza bulbosa, ventrudo, con piernas cortas... y con los brazos sobre el pecho". Covarrubias mira los objetos procedentes de un extenso territorio y que muestran rasgos similares, de ahí que los supuso producto de una misma cultura.

Siempre la consideró, al igual que Caso, la cultura madre y fue la que introdujo el culto a las deidades de la lluvia, del cielo y de la tierra. Conviene recordar que un aporte fundamental de la obra de Covarrubias, que sirvió de base para estudios iconográficos posteriores de Michael D. Coe[13] y de David Joralemon,[14] es su cuadro gráfico "que muestra la influencia olmeca en la evolución de la máscara de jaguar que son los dioses de la lluvia (Chaac, Tajín, Tlaloc, Cocijo)".[15]

Década de los cincuenta

Diez años después de que tuvo lugar la Mesa Redonda, Philip Drucker publicó *La Venta, Tabasco. A Study of Olmec Ceramics and Art.*[16] Aunque el libro abarca distintos aspectos, se centra principalmente en el estudio de la cerámica con el propósito de situarla cronológicamente. Empieza a llamar a las imágenes combinadas de rasgos humanos y zoomorfos como monstruos-jaguares, cuya presencia es reiterada en todo el arte de La Venta, de Tres Zapotes e inclusive de Izapa. La Venta atrajo la atención de los olmequistas por los hallazgos del equipo de Stirling —el propio Drucker, Robert Heizer, Squier, Agrinier y Eduardo Contreras como representante del INAH (a este último se debe el hallazgo de la excepcional ofrenda número 4 que se guarda en el Museo Nacional de Antropología)—. En el mismo año y en los siguientes Drucker, Heizer y Squier descubrieron un número importante de ofrendas.[17]

[13] Coe, 1965b.
[14] Joralemon, 1971.
[15] Covarrubias, 1961: 68, fig. 22.
[16] Drucker, 1952.
[17] Drucker y Heizer, 1956; Drucker, Heizer y Squier, 1959.

Acerca de estética, rasgos comunes y fechamiento (entre los años cincuenta y los sesenta)

Las primeras observaciones estéticas son, por un lado, de Paul Westheim,[18] quien subraya enfáticamente acerca de la certidumbre de un estilo olmeca, con aspiración a la forma monumental y de su cualidad sobresaliente, la lealtad al material: la "petricidad" de la que habló Henry Moore; en cuanto al tema, se adhiere a lo tradicionalmente aceptado: es el dios jaguar la imagen que se mira tanto en la plástica monumental como en la de tamaño pequeño. Por otra parte, en 1962, George Kubler considera que aunque temprana en el tiempo, sus obras son clásicas y similares a la floración cultural mesoamericana; asienta que "el arte olmeca es una entidad reconocible y definible", así como que "el estilo se centra en torno a representaciones antropomorfas de jaguares". Kubler señala un paralelismo entre el arte olmeca y el arte de Chavin, tanto temporal como estilístico.[19]

En cuanto a fechas hay que recordar la postura del arqueólogo veracruzano Alfonso Medellín Zenil; entre sus descubrimientos más destacados están los que realizó en 1960 en un grupo importante de monumentos en Laguna de los Cerros. Es autor de varias obras y sostiene que "el gran arte olmeca es un producto clásico, de tan largos antecedentes como el maya, zapoteco y totonaca clásicos".[20]

Investigaciones realizadas en los sesenta

Para esas fechas, a principios de la década de los sesenta, se consideraban olmecas todas aquellas figuras que mostraban bocas enormes, de gruesos labios, con el superior vuelto hacia arriba y las comisuras hacia abajo, que tenían cejas de flama, ojos oblicuos, cabeza deformada como pera y cuerpo regordete. El tema por excelencia, el que daba unidad al estilo, era la representación de un jaguar antropomorfo. Dentro de esta serie de generalidades se incluían centenares de piezas. La moda arqueológica era señalar todas las figuras boconas y con las comisuras contraídas hacia abajo como olmecas. Y por si esto fuera poco, la presencia olmeca se detectaba desde el actual estado de Guerrero en el Pacífico hasta el de Veracruz en el Golfo, y alcanzaba a El Salvador en la América Central; esta gran área de expansión incluía los estados de México, Puebla, Tlaxcala, Morelos, Oaxaca, Tabasco y Chiapas en la República Mexicana, así como la República de Guatemala.[21]

En 1958 el renombrado maestro y arqueólogo mexicano Román Piña Chan —recientemente fallecido, en abril de 2001— hizo un recorrido y una corta temporada de trabajo de campo en colaboración con el también arqueólogo Roberto Gallegos. Sus hallazgos —cerámica, figurillas y relleno de montículos— le permitieron hablar de un estilo olmeca aldeano y fecharlo entre 1300-950 a.C. Para 1964 Piña Chan, en coautoría con Luis Covarrubias, publicó *El pueblo del jaguar. Los olmecas arqueológicos* (Consejo para la Planeación e Instalación del Museo Nacional de Antropología, México) y en 1982, como autor único, *Los olmecas antiguos;* después hizo una suerte de magno compendio titulado *Los olmecas. La cultura madre*, de 1990. En tales obras propone, en esencia, que hay dos tiempos olmecas; al primero, por ser el más antiguo, lo denomina Cultura Olmeca Aldeana. Ésta provendría de una tradición ecuatoriano-colombiana y se sustentaba en que "uno o más grupos totémicos del jaguar consiguieron hacer valer su tótem por encima de otros grupos".[22] El autor considera que entre los años 1000 y 900 a.C. ocurrió un cambio sustantivo que promueve el surgimiento de sociedades complejas y la construcción de los primeros centros ceremoniales y protourbanos; es la época de la Cultura Olmeca Teocrática. Durante breve recorrido de superficie en 1965, Piña Chan, acompañado por Luis Aveleyra, registró en San Lorenzo la presencia de la Cabeza Colosal 6, posteriormente desenterrada por Michael D. Coe.

Las características del estilo olmeca: avances en los sesenta

A pesar de que el concepto de cultura olmeca se había constituido en torno al estilo, no es hasta 1965 cuando se publica por vez primera un artículo con ese enunciado,

[18] Westheim, 1957: 191-229.

[19] Kubler, 1962.

[20] Medellín, 1960, 1971:16

[21] De la Fuente, 1977: 47.

[22] Piña Chan, 1990: 43.

me refiero a "The Olmec Style and its Distribution", del arqueólogo norteamericano Michel D. Coe, quien supuso que la olmeca era la primera y más antigua civilización americana y que su "patria" se encontraba en las llanuras de la Costa del Golfo.[23] Cuando Coe definió el estilo olmeca estableció que para ello se iba a basar en las características de las obras producidas en lo que llamó Área Clímax de Veracruz-Tabasco, por ser la región que concentra mayor número de grandes monumentos de piedra, entre los cuales se representa el mito central de la iconografía olmeca: la cópula entre un jaguar y una mujer en el Monumento 1 de Tenochtitlán y en el Monumento 3 de Potrero Nuevo.[24] El autor establece en su análisis estilístico el término "were-jaguar" para la imagen principal del estilo, y que se ha traducido y utilizado como "hombre jaguar". Sus trabajos arqueológicos en San Lorenzo, de 1966 a 1968, le permitieron publicar varias obras de las cuales sobresalen los dos tomos que realizó en coautoría con Richard A. Diehl en 1980. Se establecieron fechas confiables de radiocarbono y durante sus temporadas de trabajo se descubrieron veinte esculturas monumentales (Monumentos 29 a 48) y salieron a luz datos tales como la mutilación intencional de las esculturas, el entierro ritual de las mismas y con ello, su posible implicación de carácter religioso y social.

Un hito en la historia sobre el pueblo enigmático y diferente, que a través de sus obras y de escasos informes arqueológicos hizo irrupción en el universo mesoamericano, se condensa para el momento en la conferencia sobre los olmecas en Dumbarton Oaks, Washington, otoño de 1967, que reunió a los más distinguidos estudiosos: Stirling, Heizer, Flannery, Proskuoriakoff, Furst, Grove y el arqueólogo mexicano Ignacio Bernal. Para 1968 Bernal publica *El mundo olmeca*, en el cual se ocupa por una parte de los "olmecas metropolitanos", refiriéndose a los de la Costa del Golfo; y por otra, a la Mesoamérica olmeca, que aborda a culturas que se desarrollaron en épocas simultáneas o subsecuentes; concluye con una sección que trata sobre "olmecas y olmecoides", dos conceptos esenciales para el autor.

[23] Coe, 1962b: 79-93.

[24] Coe, 1965b: 746.

Durante la década de 1970

La Universidad de California propició estudios e investigaciones en la zona de nuestro interés con un equipo de profesionales de gran calidad. Entre ellos se cuentan Robert F. Heizer, John A. Graham, Philip Drucker y C. William Clewlow, además de otros colaboradores que han publicado sus trabajos por medio de la revista *Contribution of the University of California, Archaeological Research Facility*. En 1970 se llevó a cabo un simposio en Austria y en 1973 otro más en la Universidad de California en Los Angeles; en ambos se discutió la problemática olmeca.

Los arqueólogos mexicanos Román Piña Chan y Roberto Gallegos realizaron importantes trabajos de salvamento y Drucker y Squier regresaron a explorar. Su mayor descubrimiento fue la forma de la pirámide del Complejo C de La Venta, la cual ofrecía una apariencia de cono truncado con lomos y depresiones que se alternan.

En 1972 se descubrió la Cabeza Colosal de Cobata —Cerro El Vigía— que ha sido causa de discusión acerca de su posible filiación olmeca,[25] y yo publiqué en esa década el Catálogo de *La escultura monumental olmeca* (1973) y *Los hombres de piedra. Escultura olmeca* (1977).

Las investigaciones iconográficas se ampliaron notablemente a partir de esa década con las publicaciones de P. David Joralemon (1971, 1976). Con base en el análisis comparativo de símbolos dispersos, Joralemon propone un diccionario de 182 elementos y concluye que muchos diseños simbólicos se refieren a deidades, entre las cuales incorpora varios de los rasgos incididos en la figura de Las Limas. Otros autores han especulado en torno a la simbología y cosmovisión olmeca, entre los que destaca Kent Reilly (1994), y en estudios formales Anatole Pohorilenko (1990).

Década de 1980

En el año de 1982 y durante el proceso de hacer estanques para pesca, un grupo de campesinos de El Mayacal, pueblo cercano a El Manatí (ambas pequeñas colinas localizadas en la región de pantanos y de pequeños arroyos tributarios

[25] Beverido, información verbal de 1973, ver De la Fuente, 1973: 88.

Cabeza 6 de San Lorenzo, Veracruz.

Figura de piedra serpentina de El Manatí, Veracruz.

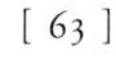

del río Coatzacoalcos al sur de Veracruz), hallaron casualmente en un manantial cerca de cuarenta figuras talladas en madera del árbol del hule tan común en la región. Estaban pintadas en rojo y en negro. También encontraron, como ofrendas y en el fondo del agua semiestancada, pelotas de hule, vasijas, hachas y pequeñas —pero magistrales— esculturas de jade y de serpentina, además de restos humanos de infantes. Se trata probablemente de un sitio sagrado —se ha dicho que un lugar de peregrinación—, y lo que sorprende es el extraordinario grado de conservación de la materia orgánica (huesos, madera, hule) de estos objetos que estuvieron guardados en el fango durante tres milenios. Los hallazgos y las exploraciones han continuado con éxito bajo la dirección de Ponciano Ortiz Cevallos y de Carmen Rodríguez, ambos investigadores del Centro INAH de Veracruz.

Para la década de 1980 un nuevo proyecto bajo la dirección de Rebecca González Lauck, del Instituto Nacional de Antropología e Historia, se inició en La Venta.[26] Desde 1985 se constituyó el Proyecto Arqueológico de La Venta, para el cual han colaborado, en distintos momentos, varias instituciones nacionales y extranjeras, participando así con el INAH y el Instituto de Cultura de Tabasco. Sus objetivos principales han sido y son: la protección de la zona arqueológica en La Venta, Huimanguillo, Tabasco; la investigación en torno a la historia y a los procesos culturales; la restauración del sitio, y su difusión con fines culturales y turísticos. Además de las excavaciones sistemáticas en la pirámide principal se han encontrado seis esculturas monumentales colocadas simétricamente a los lados del acceso principal.[27]

En 1987 un campesino descubrió accidentalmente —al cortar la yerba con un machete— tres esculturas monumentales en El Azuzul, una pequeña comunidad satélite de San Lorenzo. Los estudios de tales esculturas han sido dados a conocer por Ann Cyphers.[28] Dos de ellas son espléndidos gemelos de gran tamaño usando bragueros y tocados elaborados

[26] González Lauck, 1988, 1989.

[27] González Lauck, 2001.

[28] Cyphers, 1992, 1994 (coord.), 1997.

con manto sobre sus hombros; sus brazos extendidos llegan al piso y se arrodillan frente a imágenes colosales de jaguares.

El Proyecto Arqueológico de San Lorenzo Tenochtitlan, dirigido por la arqueóloga Ann Cyphers, se inició en 1990 con objetivos particulares y distintos a los estudios anteriores realizados en la zona: su propósito fundamental ha sido considerar la problemática olmeca en sentido integral, con referencia al patrón de asentamiento residencial, comunitario y regional, con el fin de comprender el uso diferenciado del espacio a lo largo del tiempo. Bajo la dirección de Cyphers se han descubierto 71 monumentos nuevos (fragmentos, piezas más completas y una cabeza colosal) que han llevado a conocer otros aspectos del arte monumental, como son el uso de esculturas individuales constituyendo escenas, la legitimación de los gobernantes y el reciclaje, es decir, la transformación intencional de los objetos. También se han efectuado estudios en torno a la geomorfología y a los medios de subsistencia, y se ha hecho un vasto reconocimiento regional.[29]

La historia mínima de la arqueología olmeca no podía concluir sin mencionar a Carlos Pellicer, insigne poeta tabasqueño, quien en apasionado encuentro con el pasado, se dio al rescate de las monumentales esculturas de La Venta y las entregó en custodia a lo que es hoy en día el Parque Museo La Venta en Villahermosa, Tabasco. Sin ser arqueólogo cumplió con una de sus metas primordiales: mostrar en el presente la permanencia del pasado. Muchos otros trabajos han sido publicados, pero quedan fuera de esta revisión historiográfica por falta de espacio o por estar dedicados a problemas específicos de la cultura olmeca.

Conviene recordar que los olmecas de la Costa del Golfo de México estuvieron interrelacionados con muchas regiones de Mesoamérica, de ello hay amplios testimonios. Estas regiones tenían, como ellos, una sociedad compleja y un arte que revela la presencia de un pueblo singular. Sin embargo, el arte monumental en basalto y de pequeño formato en piedras semipreciosas procedente de la Costa del Golfo es un destello único en la historia de la cultura universal. La arqueología y la historia de los que hemos nombrado olmecas es muy reciente, tiene menos de una centuria, y si bien ahora sabemos de su existencia, sólo sabemos de ellos procurando —a veces alcanzando— comprender lo que de ellos permanece y que es posible por los afanes de los exploradores.

[29] Cyphers (coord.), 1997, Cyphers *et al.*, 2001; Cyphers, 2001.

GRAN PIRÁMIDE DE LA VENTA, TABASCO
FOTO: MICHAEL CALDERWOOD

FRANS BLOM (1893-1963)
OLIVER LA FARGE (1901-1963)
EL ÍDOLO DE SAN MARTÍN PAJAPAN

FRANS BLOM

ÍDOLO DE SAN MARTÍN PAJAPAN, VERACRUZ. BASALTO. FUE ENCONTRADO EN UNA FORMACIÓN ROCOSA DEL VOLCÁN SAN MARTÍN, VERACRUZ, DONDE POR SIGLOS RCIBIÓ ADORACIÓN, COMO LO ATESTIGUAN LAS HUELLAS DE OFRENDAS HALLADAS EN ESE SITIO

MATTHEW STIRLING (1896-1975)
TRES ZAPOTES

POBLADORES RODEANDO LA CABEZA DE HUEYAPAN. THE NATIONAL GEOGRAPHIC MAGAZINE, 1939 STIRLING

MATTHEW STIRLING CON LA CABEZA DE HUEYAPAN. THE NATIONAL GEOGRAPHIC MAGAZINE, 1939

EL ARTISTA E. G. CASEY, DEL INSTITUTO SMITHSONIANO, CON LA ESTELA C DE TRES ZAPOTES. PARTE POSTERIOR CON LA FECHA 31 A.C. THE NATIONAL GEOGRAPHIC MAGAZINE, 1939 STIRLING

PARTE FRONTAL DE LA ESTELA C DE TRES ZAPOTES

MARION STIRLING CON LA OFRENDA DEL CERRO DE LAS MESAS. AL CENTRO SE OBSERVA LA FIGURILLA HUMANA Y LA PEQUEÑA LANCHA. THE NATIONAL GEOGRAPHIC MAGAZINE, 1991

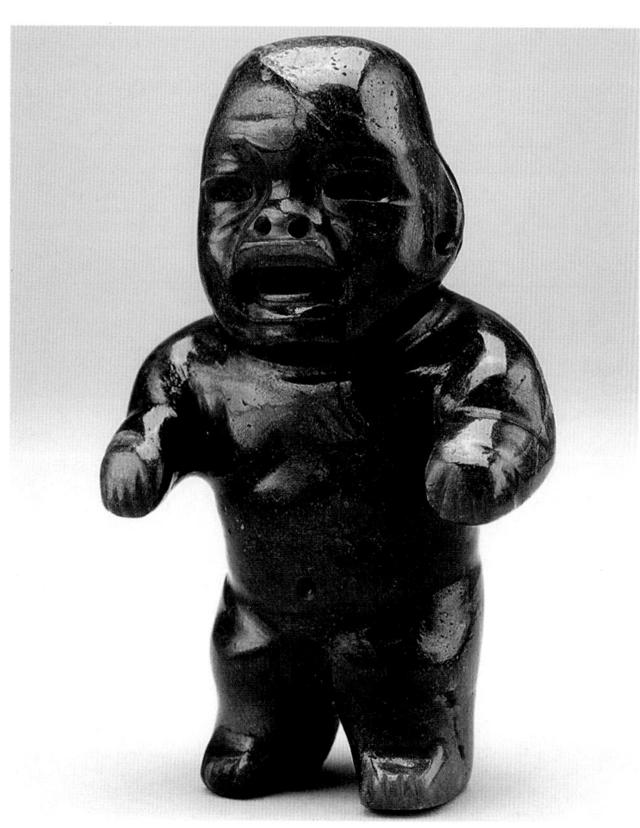

FIGURILLA DE PIEDRA VERDE

LANCHA MINIATURA

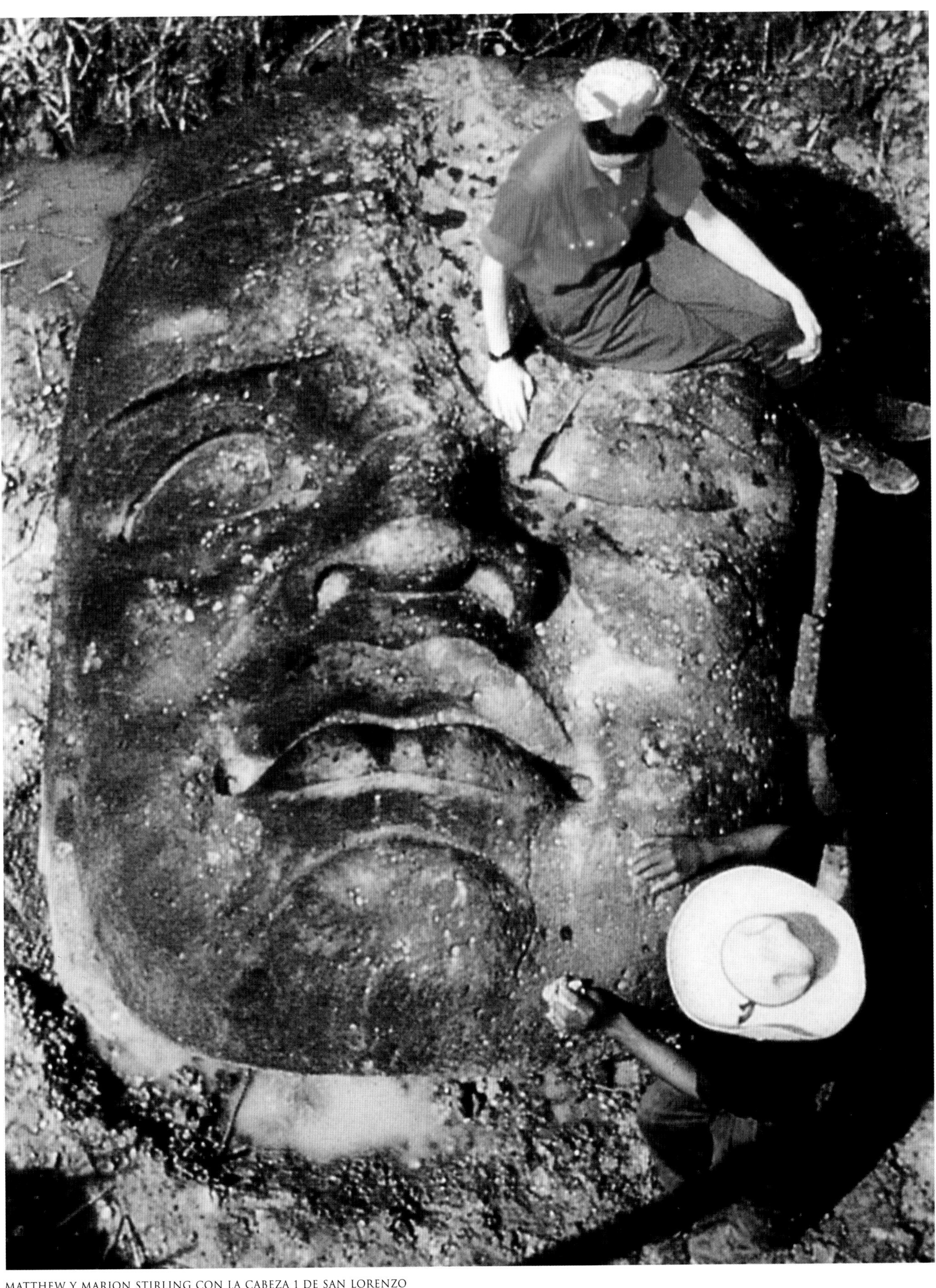

MATTHEW Y MARION STIRLING CON LA CABEZA 1 DE SAN LORENZO

MIGUEL COVARRUBIAS (1905-1957)

MIGUEL COVARRUBIAS (EL CHAMACO), 1955

DIBUJO DE COVARRUBIAS DE LA ESTELA 2, LA VENTA, TABASCO.

EDUARDO CONTRERAS, PHILLIP DRUCKER (1911-1982), ROBERT F. HEIZER (1915-1979), ROBERT SQUIRE Y JOHN GRAHAM
LA DÉCADA DE LOS CINCUENTA

EXCAVACIONES DE DRUCKER, HEIZER Y GRAHAM EN LA VENTA

FIGURILLA FEMENINA DE LA VENTA, TABASCO

MONUMENTO 19 DE LA VENTA, TABASCO

MICHAEL D. COE Y RICHARD DIEHL
AVENCES EN LOS AÑOS SESENTA Y SETENTA

MONUMENTO 52 DE SAN LORENZO, VERACRUZ. DESCUBIERTO POR MICHAEL COE Y RICHARD DIEHL

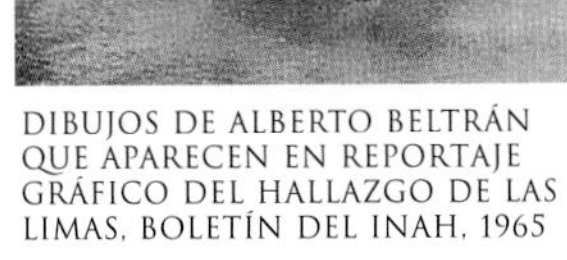

DIBUJOS DE ALBERTO BELTRÁN QUE APARECEN EN REPORTAJE GRÁFICO DEL HALLAZGO DE LAS LIMAS. BOLETÍN DEL INAH, 1965

HALLAZGO DEL SEÑOR DE LAS LIMAS, CAPTADO POR LA CÁMARA DE UN DIARIO LOCAL DE VERACRUZ, 1965

EL SEÑOR DE LAS LIMAS EN LA CASA DE SUS DESCUBRIDORES

LOS POBLADORES DE LAS LIMAS ADORARON LA FIGURA COMO A UNA VIRGEN

TRASLADO DEL SEÑOR DE LAS LIMAS AL MUSEO DE ANTROPOLOGÍA DE LA UNIVERSIDAD VERACRUZANA

LA FIGURA EN EL MUSEO

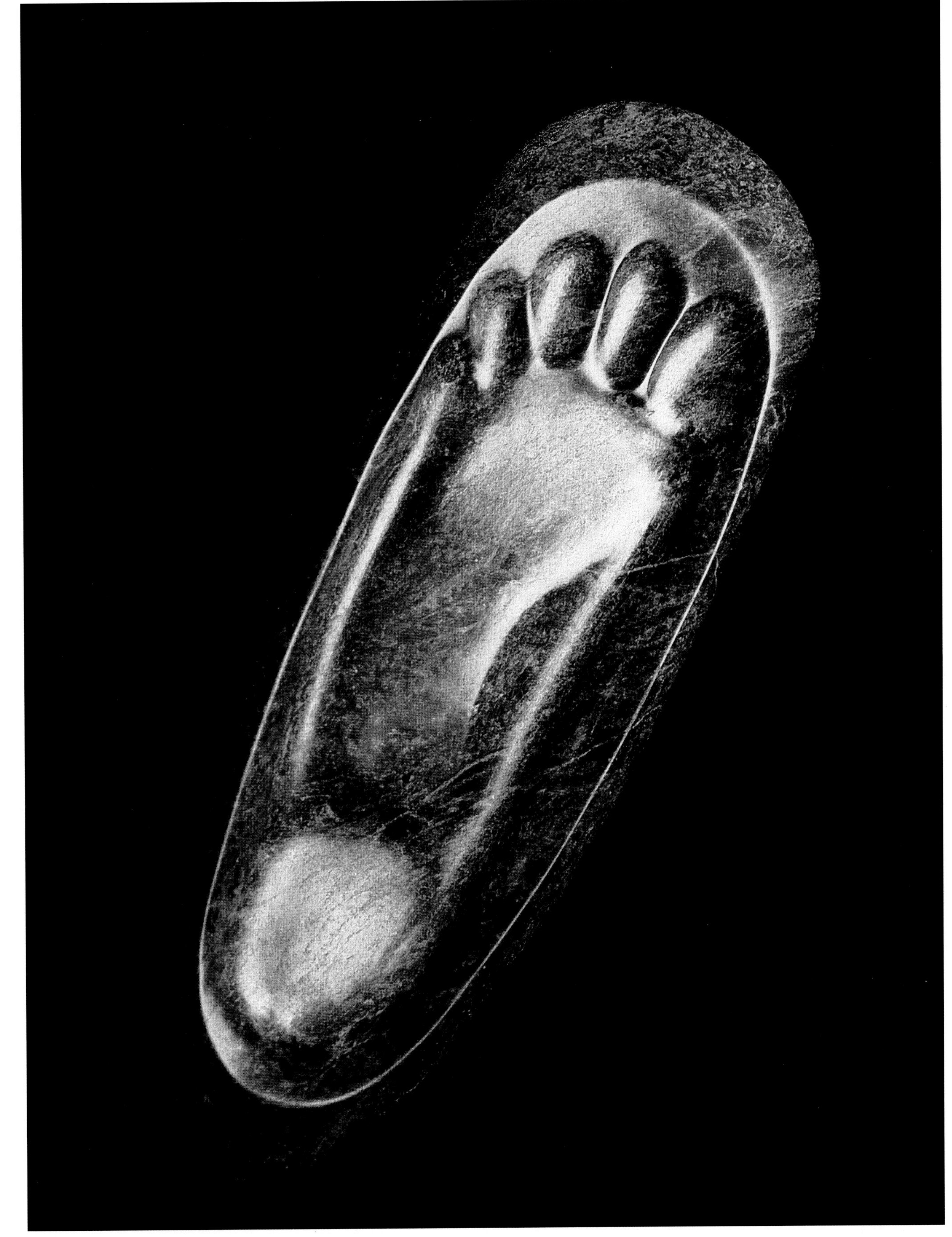

HUELLA DE PIE LABRADA PIEDRA VERDE

EXCAVACIÓN DE LOS TORSOS DE MADERA DE EL MANATÍ, ENCABEZADA POR PONCIANO ORTIZ Y CARMEN RODRÍGUEZ

LOS TORSOS DE MADERA ESTABAN PINTADOS EN ROJO Y NEGRO

ANN CYPHERS
PROYECTO ARQUEOLÓGICO SAN LORENZO-TENOCHTITLAN

CABEZA 10 DE SAN LORENZO TENOCHTITLAN EN EL MOMENTO DE SU DESCUBRIMIENTO, ENCABEZADA POR ANN CYPHERS

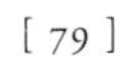

LA ZONA ORIENTAL: DONDE LOS DIOSES PAREN AL SOL

RUBÉN B. MORANTE LÓPEZ

Este trabajo habla de hombres y parajes arqueológicos que se unieron en las costas orientales de México, en los estados de Veracruz, Tamaulipas y San Luis Potosí. Creemos que los estudios antropológicos y arqueológicos en la Costa del Golfo han pasado por tres etapas. La primera es compartida con la arqueología nacional y llega hasta la primera parte del siglo XX; en ella la búsqueda científica se mezcla con una visión romántica del pasado. En la segunda etapa, y luego de consolidarse la profesión del antropólogo en México, se da un desarrollo regional de la antropología. La tercera etapa surge a raíz de la política de descentralización del gobierno federal, la cual involucra al Instituto Nacional de Antropología e Historia. El profesional nunca deja la visión romántica del pasado y la actuación de investigadores y custodios locales, en ocasiones, se contrapone a un control centralista del patrimonio.

Del romanticismo a la antropología

En el marco de las ideas independentistas, la búsqueda del pasado de México recibe la primera noticia de un sitio arqueológico del Golfo de México. La publica Diego de Ruiz en la *Gazeta de México* el 12 de julio de 1785 y se refiere al paraje totonaco de Tajín donde "...entre un espeso bosque, halló un edificio de forma piramidal con cuerpo sobre cuerpo a la manera de una tumba hasta su cima o coronilla... bien parece que los indios naturales de él no lo ignoraban, aunque jamás lo revelaron a español alguno". En esa época se escriben desde el extranjero obras que incluyen a la Costa del Golfo dentro del mosaico prehispánico de Mesoamérica. Destacan aquí Alexander von Humboldt y los jesuitas Francisco Javier Clavijero y Pedro Márquez, este último reproduciendo en su obra una imagen de Tajín.

Consumada la Independencia, la búsqueda de una identidad nacional impulsa la fundación del Museo Nacional de México, donde se promueve la búsqueda de vestigios arqueológicos en un ambiente donde todo lo relacionado con los indios nos ayuda en la euforia separatista. Décadas más tarde, con un nuevo impulso cobrado durante el porfiriato, los vestigios arqueológicos de la Costa del Golfo de México se mencionan en varias obras, en algunos casos por viajeros y artistas que conocieron Castillo de Teayo, Tajín y Zempoala. Entre ellos podemos mencionar a Carlos Nebel, Guillermo Dupaix y Teoberto Maler. En el siglo XIX se tendía a comparar la escultura y arquitectura prehispánica con las del Viejo Mundo, pero además, con cierto romanticismo, los escritos muestran la emoción de ver monumentos abrazados por la vegetación o parcialmente ocultos bajo la tierra, a los cuales consideran prueba del origen de "la nación mexicana", de nostálgicas civilizaciones perdidas y de una historia esplendorosa e irrecuperable. El discurso político trata de reivindicar al indio del pasado y de encadenar al indio del presente. Numerosos aficionados gustan de visitar y explorar sitios arqueológicos, así como de formar colecciones. Los hallazgos en las cuevas de la región de Orizaba hacia 1860, por parte de Désiré Charnay, al igual que las excursiones de la familia papantleca Buil Güemes a Tajín en 1927, son un buen ejemplo. Hacia fines del siglo XIX se logran escritos que, sin basarse en excavaciones controladas, formulan hipótesis y análisis de interés; entre ellos están los de Eduard Seler y Herman Strebel, al igual que la monumental obra de Alfredo Chavero. En 1891, Francisco del Paso y Troncoso dirige la expedición de la Comisión Científica Exploratoria de la Junta Colombina, de la que forman parte el capitán Romero y el teniente del Castillo, quienes hacen los primeros levantamientos y planos en Tajín.

La perspectiva romántico-antropológica es una herencia importante para los estudiosos de principios del siglo XX. Dominada por Leopoldo Batres, la arqueología sigue un derrotero importante en el Museo Nacional de México, adonde están siendo trasladadas distintas obras de la cultura de la Costa del Golfo, entre las que destacan dos que lleva el propio don Leopoldo: la Lápida de Alvarado y la Estela de Tepatlaxco-Orizaba. En 1905 Batres publica un estudio, acompañado de dibujos y fotografías, acerca de sus exploraciones en el Valle de Orizaba, incluyendo la zona arqueológica de Maltrata. Los hallazgos de vestigios se rodean de un ambiente victoriano que imita a las potencias colonialistas de Europa. La exhibición del pasado se convierte en orgullo nacional y en atractivo turístico. William Holmes da a conocer en 1907 la pequeña pero importante Estatuilla de Los Tuxtlas, que se traslada a Estados Unidos. Impulsado por los trabajos e ideas de figuras como Eduard Seler y Franz Boas, el 20 de enero de 1911 el presidente Porfirio Díaz inaugura la Escuela Internacional de Arqueología y Etnología. Boas, para aquel entonces, había tenido estrecho contacto con una figura que fue determinante en el panorama antropológico nacional: don Manuel Gamio. En tanto, se hacían trabajos en Tajín y Zempoala por parte de Jesús Galindo y en Isla de Sacrificios por Celia Nuttall.

Pronto las ideas revolucionarias modifican la visión del indio como objeto de exhibición y se busca en la arqueología la reivindicación de la dignidad autóctona que finalmente conlleve a la anhelada justicia social. En 1912 Manuel Gamio se traslada a la Sierra de Zongolica, donde en Tierra Caliente, cerca de Tezonapa, excava el sitio denominado Ruinas del Calvario y explora algunas cuevas de la región. Complementa su estudio con trabajos etnológicos y dialectales, un primer ensayo de lo que en 1917 será su Proyecto del Valle de Teotihuacan; además, estos estudios servirán a Gamio para hacer comparaciones estilísticas y para formular teorías acerca de la presencia teotihuacana hasta los límites de Hidalgo y Veracruz. Para entonces, Walter Krickeberg había estado formulando una teoría acerca de un territorio étnico en la Costa del Golfo de México al cual en su obra, publicada en 1914, habría de llamar Totonacapan; sus límites más tempranos, por el norte hasta el río Tuxpan y por el sur hasta la Sierra de los Tuxtlas, subsistirán en una de las escuelas más influyentes de la antropología veracruzana, hasta fines del siglo XX.

Los veinte y los treinta

En los años veinte, y dentro del marco de las escuelas formadas por Seler, Boas, Nuttall y Gamio, se divulgan importantes estudios comparativos y estilísticos acerca del arte prehispánico, incluyendo sitios y vestigios de la Costa del Golfo; consignan además datos descriptivos, historiográficos e iconográficos. Mencionaremos aquí a Herbert Spinden, Jesús Galindo y Villa, Herman Beyer, Enrique Juan Palacios y Eduardo Noguera. Hacia fines de los veinte, el ingeniero Agustín García Vega llega a Tajín, donde estará varias temporadas entre 1929 y 1937. Los trabajos de García Vega consistieron principalmente en la reconstrucción y consolidación de diversos edificios. En algunas excavaciones de Tajín, durante los treinta, se cuenta con la presencia de Ignacio Marquina, Wilfrido du Solier, Enrique Juan Palacios y Ellen Spinden. Entre los edificios explorados están la Pirámide de los Nichos y el Templo de las Columnas, donde se descubrirán importantes relieves, que servirán como base a estudios realizados desde entonces hasta la actualidad. Los trabajos de García Vega han resultado fundamentales para la reconstrucción, consolidación y conservación de muchos monumentos de la zona, en especial de la Pirámide de los Nichos. Entre 1935 y 1939 Du Solier también trabajará en Isla de Sacrificios, Tuzapan y la zona Huasteca.

En 1938 llega a Veracruz un arqueólogo que dejará honda huella en la arqueología mexicana: José García Payón. Nacido en Chalchihuites, Zacatecas, el 29 de agosto de 1896, como hijo de un cónsul, desde los 13 años viaja con su familia a Francia, España, Inglaterra y Alemania y posteriormente a Egipto, Grecia y Roma. En estos países conoce los vestigios de las antiguas civilizaciones occidentales y desde entonces su vida se ve envuelta por un gran cariño hacia el pasado, el cual refuerza con sus estudios en la Universidad de Columbia, Estados Unidos, donde es un destacado alumno de Franz Boas. Estudia también en la Universidad John Hopkins de Baltimore. A su regreso a México trabaja con Gamio y posteriormente es nombrado jefe del Departamento de Arqueología del Gobierno del Estado de México. Su arribo a Veracruz es con el fin de trabajar en Tajín. Entre 1938 y 1945, mientras se encuentra en este sitio, le informan de las zonas arqueológicas de Paxil y Vega de la Peña, sitios que visita en breves temporadas.

Las perspectivas regionales

Durante la presidencia de Lázaro Cárdenas se funda el Instituto Nacional de Antropología e Historia y se crea el Departamento de Asuntos Indígenas, que en 1948 se convertirá en el Instituto Nacional Indigenista. Corría 1939 cuando en Veracruz, bajo la gubernatura de Miguel Alemán y siguiendo el ejemplo de la capital, se establece la Sección de Asuntos Indígenas. Bajo esta atmósfera crecerán los fundadores de la escuela antropológica veracruzana: Gonzalo Aguirre Beltrán y José Luis Melgarejo Vivanco. Su perspectiva de claros tintes regionalistas cristalizará dos décadas más tarde. En la Huasteca Joaquín Meade Sainz-Trápaga, nacido en San Luis Potosí en 1896, al regresar de sus estudios en Estados Unidos y Europa a su ciudad natal, realiza importantes trabajos sobre periodos históricos. En 1938 firma un contrato con el Departamento de Estudios Prehispánicos que le permite explorar zonas arqueológicas tanto de su estado como de Tamaulipas y Veracruz. Sus expediciones en cuevas y sitios como Tamtok (1939) y San Antonio Nogalar (1950) lo convierten en uno de los más grandes difusores de la cultura huasteca. En 1947 solicita a Alfonso Caso la apertura del Museo Regional Potosino, inaugurado en 1952. La perspectiva regional potosina de Meade, formulada a la par de la veracruzana, tendrá un menor alcance.

Los cuarenta

Impulsados por Meade, a principios de esa década se llevan a cabo significativos trabajos en la región Huasteca, entre ellos

Pirámide de los Nichos de El Tajín, hacia 1880.

destacan los de Gordon F. Ekholm, quien en 1944 establece una de las primeras y más importantes secuencias cronológicas para esta área. Años después, en los cincuenta, trabajando en la Sierra de Tamaulipas, Richard S. Mac Neish agregará fechas tempranas a la cronología de Ekholm, al remontarse al año 9 000 a.C. En Tamuín son de gran significación los estudios de Wilfrido du Solier, sobre todo en cuanto a la pintura mural que descubre en 1946.

En el Veracruz de 1942 la Oficina de Asuntos Indígenas quedará a cargo de José Luis Melgarejo, maestro normalista, procedente de Palmas de Abajo, municipio de Actopan, Veracruz, quien ha aprendido pronto que en México el poder que otorga la cultura debe ser respaldado por la política. Melgarejo es entonces maestro en la Escuela Normal Veracruzana, donde se imparten cursos de antropología. Melgarejo tiene en la Normal dos destacados alumnos: Roberto Williams García y Alfonso Medellín Zenil, con quienes, como dice el propio Williams, "formará un pacto". La presidencia de Ávila Camacho prosigue con las políticas culturales del cardenismo, que habrán de motivar, tanto al arqueólogo José García Payón, como a José Luis Melgarejo Vivanco y sus alumnos, a iniciar un acopio de piezas arqueológicas en Xalapa, la capital del estado y sede de la Dirección General de Educación, en cuyo edificio se exhiben desde 1943. Un año después, el museo contará con edificio propio, el cual compartirá con una biblioteca.

El año 1943 es de gran importancia para la antropología de la Costa del Golfo: Paul Kirchhoff vive dos meses en Xalapa y junto con Miguel Acosta Saignés imparte clases en la Normal Veracruzana. También ese año, bajo la influencia de las ideas de importantes investigadores que transcurrían por la capital veracruzana, Jorge Serdán, gobernador del estado, solicita al gobierno federal su apoyo para la construcción de un museo, ante lo cual Ignacio Marquina, entonces director del Departamento de Monumentos Prehispánicos, comisiona a José García Payón. El INAH tendrá en Veracruz sus primeras oficinas regionales de México, siendo el mismo García Payón coordinador y director del museo. Ese mismo año se crea el Departamento Arqueológico del Estado y José Luis Melgarejo publica su libro *Totonacapan*, el cual a pesar de retomar muchas ideas de la publicación de Walter Krickeberg, constituye un parteaguas ideológico en la concepción étnica del centro de Veracruz. En 1944 se funda la Universidad Veracruzana (UV), la cual a partir de entonces paga a los trabajadores del Museo. Las ideas que privan en esos momentos en torno a la arqueología se observan en el fin manifiesto del museo, el cual servirá para "...el fortalecimiento de la nacionalidad". Además se dice que debe ser "...luminoso como Veracruz y alegre como su pueblo".

En 1945 Melgarejo consigue becas de estudio, en la Escuela Nacional de Antropología e Historia, para Medellín y Williams; el primero arqueólogo y el segundo etnólogo, se convertirán —en varios sentidos— en los primeros profesionales de la antropología veracruzana. Roberto Williams es originario de Coatzacoalcos, mientras que Alfonso Medellín había llegado, con grandes esfuerzos, desde su natal Tecomate, municipio de Chicontepec, Veracruz, con la ilusión de convertirse en maestro bilingüe, ya que dominaba a la perfección el náhuatl. Ambos discípulos comparten año de nacimiento: 1925.

Así el versátil profesor Melgarejo une los dos factores que harán avanzar la perspectiva independiente de la antropología veracruzana: el de la técnica antropológica y el del control político que aseguraba los indispensables recursos para la investigación. El potosino Meade, quien es ante todo un académico, no tiene esta lucidez política. Los discípulos de Melgarejo, Medellín y Williams, regresan esporádicamente a realizar trabajos de campo en Veracruz, Williams entre la población totonaca de Tajín y Medellín en Quiahuiztlan, Cotaxtla y Soledad de Doblado. Para 1947 la Oficina de Asuntos Indígenas de Veracruz se convertirá en la Sección de Antropología del Gobierno del Estado y se ocupará de aspectos relacionados con la arqueología, etnología, lingüística y antropología física.

Los cincuenta

En el transcurso de la década de los cincuenta, Medellín inicia sus trabajos profesionales explorando en una cantidad impresionante de sitios como son Quiahuiztlan, Quauhtochco, Vega de la Peña, Isla de Sacrificios, Napatecuhtlan, Los Cerros, Nopiloa, Dicha Tuerta, Isla del Ídolo y Loma de los Carmona, entre otros. Como resultado, planteará una secuencia cronológica, la cual resume en su libro *Cerámicas del Totonacapan*, editado por la Universidad Veracruzana en 1960. Aquí establece no sólo una tipología, sino la periodificación que, para el centro de Veracruz, será usada durante varias décadas. En tanto, García Payón, a quien se le verá solitario, explora sus sitios favoritos: Tajín y Zempoala, además de Castillo de Teayo. Resulta curioso que Medellín no trabaje nunca con García Payón, ni toque, cual si fuesen cotos de poder, los sitios donde entonces trabajaba el representante del INAH. Al parecer, aunque se guardan gran respeto, existe cierto celo entre los arqueólogos. Desde entonces se verá a García Payón, arqueólogo mexicano que habla con acento francés, alejado de los antropólogos veracruzanos.

En 1951 la Sociedad Mexicana de Antropología organiza en Xalapa la mesa redonda denominada Huastecos, Totonacos y sus vecinos, que reúne por vez primera en Veracruz a un grupo de especialistas de varias ramas de la antropología del Golfo de México. En 1957 se nombra rector de la Universidad Veracruzana a Gonzalo Aguirre Beltrán, médico y antropólogo originario de Tlacotalpan, Veracruz. A pesar de sus 48 años de edad se le ve lleno de juventud, peinado y ataviado a la moda, usa lentes, corbata y traje negro. Es un entusiasta de las doctrinas indigenistas enmarcadas en un discurso político oficial. En años anteriores se había introducido profundamente en las tradiciones autóctonas de los afroamericanos y en la medicina tradicional, sobre todo en la zona de Huatusco. Con respecto a Aguirre, Palerm diría que no era exactamente "...un investigador objetivo y desapasionado, que utilizaba con la frialdad de cirujano los instrumentos de las ciencias sociales".

Entre otros fines, con objeto de dar continuidad y solidez académica al proyecto localista de Melgarejo Vivanco, Aguirre crea, en enero de 1957, la Facultad de Antropología, donde él mismo impartirá clases junto con maestros de gran renombre: José García Payón, Roberto Williams, José Luis Melgarejo, Juan Hasler, Santiago Genovés, Juan Comas, Carlo Antonio Castro y Waltraud Hangert. Dos meses después, el 2 de marzo de 1957, se funda el Instituto de Antropología, que viene a sustituir a la Sección de Antropología del Gobierno del Estado, y dos años más tarde se coloca la primera piedra de lo que será el museo, en un terreno donado por los ejidatarios del Molino de San Roque, en las afueras de Xalapa. Al museo se integran las piezas resguardadas, que para entonces rebasan las diez mil. La creación de la escuela, el instituto y el museo fueron, a nivel nacional, el esfuerzo más importante para el desarrollo de la antropología. A raíz de ello, Aguirre Beltrán celebra un convenio con el INAH a fin de "...realizar exploraciones arqueológicas y crear la Sección de Arqueología del Museo".

José García Payón y Pedro Armillas en El Tajín, ca. *1949.*

Los sesenta

En esa década José García Payón, entonces jefe de arqueología de la Zona Oriental por parte del INAH, sigue solo trabajando en Tajín, donde distingue tres fases constructivas. El arqueólogo siempre tendrá su escritorio de madera en el Instituto de Antropología de la Universidad Veracruzana, sin embargo, dará la impresión de trabajar aislado de los demás integrantes de esta dependencia. Invitados por García Payón, en 1969, llegan los Kroster, Paula y Ray, con el fin de establecer una secuencia estratigráfica en Tajín.

Desde 1961 la Misión Arqueológica y Etnológica Francesa en México había establecido como una de sus prioridades el estudio de la Huasteca, por lo cual realiza diversos trabajos en esa región, entre los que destacan los efectuados en San Antonio Nogalar en dos temporadas, bajo el mando de Guy Stresser-Pean, en 1968 y 1969. En Tamtok, este mismo arqueólogo realizará otras tres temporadas, en 1962, 1963 y 1964. Tendrá entonces a Alain Ichón como asesor científico, cuyos trabajos etnográficos entre los totonacas de la sierra, al igual que los de Roberto Williams entre los tepehuas, siguen sin superarse. En 1968, Lorenzo Ochoa, del Instituto de Investigaciones Antropológicas de la UNAM, explora las huastecas veracruzana, potosina y tamaulipeca.

El 20 de noviembre de 1960 se inaugura en Xalapa el nuevo museo, que consta de un edificio circular que se consideró el primer museo moderno del país, título que no ostentaría mucho tiempo, ya que en 1964 se concluye el Museo Nacional de Antropología de México. En Xalapa, la mayoría de las piezas monumentales en roca se ubican en los bellos y siempre verdes jardines. Aun así, las instalaciones son insuficientes para colocar muchas de las extraordinarias obras que han llegado a Xalapa en las últimas tres décadas, por lo que en 1966 se agregará al museo un segundo edificio, también circular.

Entre los trabajos efectuados por Medellín destaca una de sus pocas temporadas en Tajín, la dedica a la delimitación de la zona arqueológica. Durante esta década y la siguiente, Medellín tendrá una enorme responsabilidad, ya que estará al frente de todas las exploraciones arqueológicas que realizará el Instituto de Antropología de la Universidad Veracruzana. En esta época dirige los trabajos de dos de sus discípulos: Manuel Torres en la Mixtequilla y Berta Cuevas en Carrizal. A principios de los sesenta la Universidad Veracruzana publica *Magia de la risa* donde intervienen Octavio Paz, Alfonso Medellín y Francisco Beverido, este último un fotógrafo originario de Córdoba, Veracruz, que estudiará antropología para convertirse en uno de los principales investigadores de la cultura olmeca. Paz nos presenta una visión poética, donde vuelve a la descripción soñadora de los vestigios del pasado, en este caso de las llamadas caritas sonrientes, de las que, con aire más poético que antropológico, dice de su risa: "...si alguna significación tiene, es divina y no humana".

Los setenta

Los setenta marcan una reducción importante en la actividad del Instituto de Antropología de la Universidad Veracruzana;

Alfonso Medellín de corbata, al centro, con el escritor Sergio Galindo (extrema izquierda). Al fondo, el primer edificio del Museo de Antropología de Xalapa de la Universidad Veracruzana, ca. *1961.*

a pesar de ello, en los inicios de esta década se presentan dos importantes descubrimientos, ambos a raíz de denuncias de saqueo: Las Higueras y Zapotal. El primer sitio, explorado desde 1968, resulta de medular importancia para estudios de restauración, además de poner al descubierto el acervo de pintura mural más importante de la Costa del Golfo de México; a él son asignados, bajo la dirección de Alfonso Medellín, los arqueólogos Juan Sánchez Bonilla y Ramón Arellanos Melgarejo. En Zapotal, cuya excavación oficial inicia en 1971, se va a encontrar un complejo adoratorio dedicado al Señor de los Muertos, el cual está rodeado de esculturas de tamaño natural conocidas como Cihuateteo, mujeres muertas en el parto. Su exploración se encarga a Manuel Torres Guzmán, quien es auxiliado por varios arqueólogos, entre ellos por Marco Antonio Reyes, bajo la supervisión de Medellín Zenil. Los acervos de ambos sitios van al museo de Xalapa, que se ha convertido en el segundo del país.

Maestro Francisco Beverido Pereau.

En 1976 el Instituto de Antropología de la Universidad Veracruzana recibe noticias de dos hallazgos, en esta ocasión se trata de objetos bajo el agua. Uno de los sitios se ubica cerca de Córdoba, en las fuentes del río Atoyac; el otro en las costas, cerca del Puerto de Veracruz. Para realizar las exploraciones, bajo la dirección de Medellín Zenil, se designa a Ramón Arellanos, Marco Antonio Reyes y Héctor Cuevas, a quienes se envía a cursos de buceo y se les dota del mejor equipo disponible. Luego de breve temporada en Atoyac, se recuperan dos yugos y algunos materiales cerámicos. En la costa se trataba de un pecio consistente en las famosas joyas de oro del pescador; por desgracia esta expedición no rinde resultados y los equipos de buceo se guardan.

S. Jeffrey K. Wilkerson, de Tulane University y quien en 1981 fundaría el Institute for Cultural Ecology of the Tropic, realiza importantes trabajos en la región del bajo río Tecolutla. En realidad los venía efectuando desde 1968 y en los setenta se llevan a cabo en dos periodos principales: 1972-1973 y 1976, en sitios como Santa Luisa y La Conchita donde Wilkerson encuentra una cronología que inicia antes de 7 000 a.C. Los trabajos la Misión Arqueológica Francesa, dirigida por Guy Stresser Pean, prosiguen en las huastecas potosina e hidalguense. En 1973 Dominique Michelet investiga la Meseta de Río Verde, San Luis Potosí, donde estudia 131 sitios en dos temporadas: 1973-1974 y 1975-1976. En 1976 Ponciano Ortiz y Lourdes Aquino, del Instituto de Antropología de la Universidad Veracruzana, realizan trabajos en el sitio de Tabuco, Veracruz, bajo la dirección de Medellín Zenil.

Poco después de la muerte de García Payón, acaecida en Xalapa en 1977, el INAH envía a Veracruz a Juergen Brueggemann, arqueólogo de origen alemán que ha estudiado en la ENAH. Su primer proyecto, iniciado en 1978, se refiere a los asentamientos humanos de la costa central de Veracruz y lo realiza en zonas como Zempoala, Chalahuites, Quiahuiztlan, Viejón y Villa Rica. En 1979 el INAH, según la política formulada por el gobierno federal en los setenta, descentraliza. Se crean así los Centros Regionales en Veracruz y San Luis Potosí. Las autoridades nacionales del INAH ponen al frente del Centro INAH Veracruz a Alfonso Medellín Zenil, quien entonces también era director del Instituto de Antropología de la UV. Aparentemente se unían fuerzas estatales y federales, pero en realidad era un periodo de transición en el cual se relevaba al Instituto de la Universidad Veracruzana de muchas funciones como rescate, salvamento, peritajes, vigilancia y mantenimiento de ciertas zonas arqueológicas. En 1981 Medellín es sustituido por Daniel Molina Feal en el Centro Regional INAH.

Para mediados de los setenta los próceres están cansados y la antropología veracruzana no encuentra relevos. Entre los miembros reclutados y formados en los sesenta se pierde la visión original de la antropología veracruzana independiente. Gladis Casimir, arqueóloga de origen panameño, trabaja intensamente en prácticas de campo con sus alumnos de la Facultad de Antropología de la Universidad Veracruzana, entre 1978 y 1980 lleva a cabo su Proyecto Campo Viejo en Coatepec, Veracruz. La maestra continuará en 1981 con el Proyecto de Loma Iguana, La Antigua, Veracruz. En éstos realiza trabajos de prospección y mapeo de sitios, así como de excavación de pozos estratigráficos.

En resumen, la perspectiva regionalista se desarrolla en Veracruz estando prácticamente ausente en otros sitios de la costa. Localmente se manifiesta en la escuela veracruzana de antropología, la cual tuvo gran impulso en los años cuarenta y cincuenta, gracias al discurso indigenista, agrarista y oficialista de José Luis Melgarejo y Gonzalo Aguirre Beltrán, inspirados en la política del cardenismo y con el respaldo ruizcortinista. Los años sesenta son de formación de las fuerzas jóvenes que mantendrían e impulsarían un ejemplar e independiente desarrollo de la antropología que, desgraciadamente en los setenta, sufre una desaceleración y finalmente cae en un hiato.

Tercera etapa: Los Centros Regionales

En esta etapa cambia el liderazgo de los proyectos arqueológicos de la Costa del Golfo. Pasa de la Universidad Veracruza-

Ojo de Agua de Atoyac.

na (léase Medellín) al INAH y otras instituciones nacionales e internacionales. Sin embargo, en estos proyectos trabajarán en un segundo plano, tanto investigadores del Instituto de Antropología de la Universidad Veracruzana como alumnos de la Facultad de Antropología de la misma Universidad Veracruzana, quienes realizarán así servicio social y prácticas de campo. En ocasiones, también recibirán un contrato o una beca.

Los ochenta

Al año siguiente de la muerte de Alfonso Medellín Zenil, en 1986, se inaugura el nuevo Museo de Antropología de la Universidad Veracruzana; custodio de los hallazgos de los investigadores del instituto, se convierte en punto de admiración cuando la mayoría de ellos lo observan desde lejos. Entre 1983 y 1987 se llevan a cabo trabajos de investigación, consolidación y restauración en Tajín, coordinados, en la mayoría de las temporadas, por Juergen K. Brueggemann, nombrándose codirectores a Alfonso Medellín primero y a José Luis Melgarejo después. En ellos participa personal del Instituto de Antropología de la Universidad Veracruzana, del INAH y arqueólogos independientes. Mientras tanto, en varios sitios menores, como Oceloapan, Cuyuxquihui, Yohualinchan, Misantla, Coatzintla y La Antigua, Omar Ruiz Gordillo, del INAH Veracruz, realiza trabajos de exploración y consolidación de monumentos.

Col. Maestro Manuel Torres Guzmán

Enterramientos humanos de la Trinchera X de El Zapotal.

En 1981, Annick Daneels, de la Misión Arqueológica Belga, llega para desarrollar el proyecto Exploraciones en el Centro de Veracruz, el cual establece una importante cronología y tipología cerámica en la cuenca de los ríos Cotaxtla y Jamapa. Por ese entonces, Bárbara L. Stark, de Arizona State University, se concentra hacia el sur con su Proyecto Arqueológico La Mixtequilla, en la cuenca de los ríos Blanco y Papaloapan, donde intenta establecer un patrón regional de asentamientos.

Arturo Pascual Soto, del Instituto de Investigaciones Estéticas de la UNAM, lleva a cabo trabajos, durante esa década, en sitios de la cuenca del Tecolutla como Morgadal Grande y Serafín, centrando sus estudios en aspectos iconográficos. El doctor Gonzalo Aguirre Beltrán regresa a Veracruz, pero no al Instituto de Antropología de la UV, del cual formaba parte; en cambio, funda en 1985 la división Golfo del Centro de Investigaciones y Estudios Superiores en Antropología Social.

Los noventa

Entre 1989 y 1992 se lleva a cabo un nuevo proyecto de exploración en Tajín, ahora bajo la exclusiva dirección de Juergen Brueggemann, del INAH Veracruz, pero en el cual también participan arqueólogos de la Universidad Veracruzana. A principios de los noventa, Omar Ruiz Gordillo, del centro INAH Veracruz, realiza un significativo proyecto en la zona arqueológica de Paxil, cerca de Misantla, Veracruz. En él destacan las labores de consolidación y liberación de varios edificios del sitio. Estos trabajos valieron a Ruiz Gordillo el Premio Nacional INAH 1996. En esa década, también tenemos un proyecto por parte de Instituto de Antropología de la Universidad Veracruzana, dirigido por Ramón Arellanos Melgarejo, quien trabaja en tres cortas temporadas en Quiahuiztlan. La primera se lleva a cabo entre 1990 y 1992, la segunda entre 1994 y 1995 y la tercera en 1999. Por su parte, Fernando Miranda, del Centro INAH Veracruz, realiza un importante proyecto en el sitio de Toro Prieto, en la región de Córdoba, Veracruz. Se trata de dos temporadas: 1991 y 1995, contando en la segunda de ellas con la participación de Annick Daneels. Durante estas investigaciones exploran 22 estructuras del periodo Clásico Tardío.

En 1993 inician una serie de proyectos arqueológicos en México, llamados Proyectos Especiales. De los 14 aprobados, uno va a llegar a Veracruz: el de Filobobos, abarcando dos zonas arqueológicas: Cuajilote y Vega de la Peña, dirigido por Jaime Cortés, quien cuenta con la colaboración de Silvia Niembro y Patricia Castillo del INAH. En Cuajilote explora seis estructura incluyendo un juego de pelota y cuatro adoratorios. En Vega de La Peña explora tres conjuntos, un juego de pelota y un edificio. Mientras tanto, el gobierno de Veracruz apoya la realización de otro proyecto en Tajín, nuevamente dirigido por Juergen K. Brueggemann del INAH Veracruz, con quien colaboran arqueólogos del Instituto de Antropología de la UV, entre ellos Juan Sánchez Bonilla, que se encarga de las pinturas descubiertas en el Edificio I; también están Sara Ladrón de Guevara y el arquitecto René Ortega. Sus labores son fundamentales para la ampliación de la zona de monumentos que se pueden visitar, así como en la consolidación de muchos edificios y calzadas.

En 1996, Carlos Serrano Sánchez, del Instituto de Investigaciones Antropológicas, inicia un ambicioso proyecto multidisciplinario en el Valle de Maltrata, Veracruz; en él participa Yamile Lira, junto con varios estudiantes de la Facultad de Antropología de la Universidad Veracruzana.

A través del trabajo arqueológico realizado en el siglo XX, la zona oriental de México ha revelado vestigios de elevado valor estético y documental. Al buscar la historia, hombres e instituciones, acaso sin notarlo, estaban escribiendo su propia historia. En ella se manifiestan virtudes y defectos, errores y aciertos, encuentros y desencuentros. Para el centro y norte de la costa del Golfo de México, tenemos ante nosotros complejos panoramas culturales: traer luz al pasado prehispánico requiere aún de una ardua labor en la zona donde los dioses paren al sol.

Tajín, Edificio I, pintura mural. Resane de fragmentos de pintura; atrás se puede apreciar el muro de las molduras en su lado oeste.

ZONA ARQUEOLÓGICA DE EL TAJÍN

ALFONSO MEDELLÍN ZENIL (1925-1986) Y MANUEL TORRES GUZMÁN
DESCUBRIMIENTOS EN EL ZAPOTAL, VERACRUZ

DE IZQUIERDA A DERECHA: JOSÉ LUIS MELGAREJO, MANUEL TORRES GUZMÁN Y JUAN SÁNCHEZ BONILLA DESCUBRIENDO LA CIHUATÉOTL DE EL ZAPOTAL EN 1973

DIOSA CIHUATÉOTL. PROCEDE DE LA OFRENDA AL DIOS DE LA MUERTE, MICTLANTECUHTLI, EN EL ZAPOTAL, VERACRUZ

EXCAVACIÓN DE LA ENORME
OFRENDA DEDICADA AL SEÑOR
DE LOS MUERTOS,
MICTLANTECUHTLI, EN EL ZAPOTAL

DIOSA TLAZOLTÉOTL

ALFONSO MEDELLÍN ZENIL (1925-1986)

FOTOGRAFÍA TOMADA POR JOSÉ ÁLVAREZ G.

FIGURILLA SONAJERO PROCEDENTE DE LAS EXCAVACIONES DE ALFONSO MEDELLÍN ZENIL EN NOPILOA, VERACRUZ

HACHA ANTROPOMORFA PROCEDENTE DE LAS EXCAVACIONES DE ALFONSO MEDELLÍN ZENIL EN NAPATECUHTLÁN, VERACRUZ

PIRÁMIDE DE LOS NICHOS EN EL TAJÍN, VERACRUZ, ANTES DE SU RESTAURACIÓN INICIADA POR AGUSTÍN GRACÍA VEGA EN LOS AÑOS TREINTA

PIRÁMIDE DE LOS NICHOS
EN SU ESTADO ACTUAL

JOSÉ GARCÍA PAYÓN (1896-1977)
EL TAJÍN

EXCAVACIONES RECIENTES EN EL TAJÍN,
ENCABEZADAS POR JÜRGEN BRÜGGEMANN

JOSÉ GARCÍA PAYÓN Y PEDRO
ARMILLAS (1914-1984)
EXAMINANDO LA COLUMNA
13 CONEJO DE EL TAJÍN,
HACIA 1949

ARTURO PASCUAL
PROYECTO MORGADAL GRANDE, VERACRUZ

CAMPAMENTO DEL PROYECTO
MORGADAL GRANDE, VERACRUZ,
ENCABEZADO POR ARTURO PASCUAL

EXCAVACIONES ARQUEOLÓGICAS
EN LA PLATAFORMA C SUR DE
MORGADAL GRANDE, VERACRUZ.

FRANCISCO BEVERIDO CON SU CÁMARA

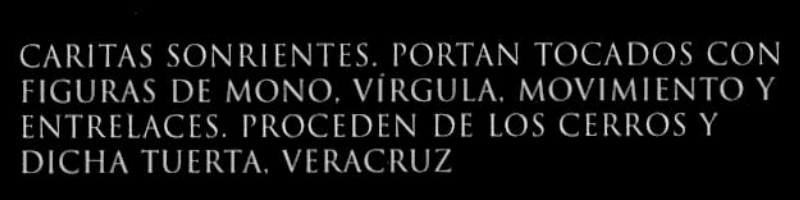

CARITAS SONRIENTES. PORTAN TOCADOS CON FIGURAS DE MONO, VÍRGULA, MOVIMIENTO Y ENTRELACES. PROCEDEN DE LOS CERROS Y DICHA TUERTA, VERACRUZ

SEMBRADOR DE MAÍZ, PROCEDENTE DE LAS EXCAVACIONES EN LAS HIGUERAS, DIRIGIDAS POR JUAN SÁNCHEZ BONILLA

BODY

RAMÓN ARELLANOS MELGAREJO
QUIAHUIZTLÁN, VERACRUZ

TUMBAS DE QUIAHUIZTLÁN
LOS TRABAJOS RECIENTES HAN
SIDO ENCABEZADAS POR RAMÓN
ARELLANOS MALGAREJO

JAIME CORTÉS
PROYECTO ESPECIAL FILO-BOBOS

EXCAVACIONES EN FILO-BOBOS, VERACRUZ, ENCABEZADAS POR JAIME CORTÉS

HISTORIA DE LA ARQUEOLOGÍA DE MESOAMÉRICA

Oaxaca

NELLY M. ROBLES GARCÍA

Cronistas y viajeros

Los antecedentes de la arqueología de Oaxaca se concentran en Mitla, memorable sitio del Valle de Oaxaca, que por haber estado habitado durante la Conquista y colonización españolas sufrió un proceso diferente que el resto de los sitios arqueológicos de la entidad. Es decir, nunca fue abandonado, por lo tanto la naturaleza no lo cubrió, convirtiéndose así en un atractivo exótico y una muestra permanente de los alcances estéticos de la civilización zapoteca de ese estado.

Los cronistas españoles jugaron un importante papel en la historia de la arqueología de Oaxaca. Sus testimonios acerca de la vida indígena del siglo XVI constituyen los documentos más antiguos disponibles para la arqueología moderna; estos testimonios se encuentran entresacando notas de sus diarios de viajes, crónicas, cartas y reseñas. En la *Historia de los indios de Nueva España*, fray Toribio de Benavente escribió una referencia del relato hecho por fray Martín de Valencia sobre su visita a Mitla, realizada en 1533.

En 1580 se escribe la *Relación de Tlacolula y Mitla*, por el corregidor Alonso de Canseco, obedeciendo al mandato del rey de "hacer una descripción de las Indias con el objetivo de un buen gobierno y su ennoblecimiento". En esta relación se describen los edificios de Mitla como:

> ...los dos de mayor grandeza que ahí en esta Nueva España: están sitiados a un tiro de arcabuz del asiento del propio pueblo, hacia la parte del norte y en tierra llana: son estos edificios en piedra blanca labrada, suben todos igualmente en un peso de treinta pies...[1]

En la *Geográfica descripción* de 1674, fray Francisco de Burgoa describió el pueblo de Mitla, sus antiguos edificios, y una versión del uso de los mismos, de los que dice:

> ...la una sala era el palacio del Sacerdote sumo, donde asistía y dormía, que para todo tenía capacidad la quadra... la segunda quadra era de los sacerdotes y ministros. La tercera del Rey cuando venía y la cuarta de otros señores y capitanes.[2]

Posteriormente, fray Francisco de Ajofrín describió a Mitla en su diario el 25 de mayo de 1766: hizo alusión a sus palacios y a la arquitectura, así como a su estado de conservación. Realizó el primer dibujo de los palacios de Mitla, mismo que representa el primer testimonio gráfico del sitio de la época colonial.[3]

Hacia el siglo XIX cambia la tendencia de ser los religiosos los únicos viajeros, se inicia la época de una gran curiosidad por parte de los científicos de ver de cerca aquellos monumentos extraordinarios descritos por los frailes durante el virreinato. Sobresale la presencia en México de Alexander von Humboldt, quien llegó a la Nueva España atraído por los relatos de diversos cronistas y por la apertura cultural iniciada por Carlos III y continuada por Carlos IV.

[1] Canseco, 1969: 151.
[2] Burgoa, 1674: 260-261.
[3] Ajofrín, 1964: 102.

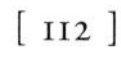

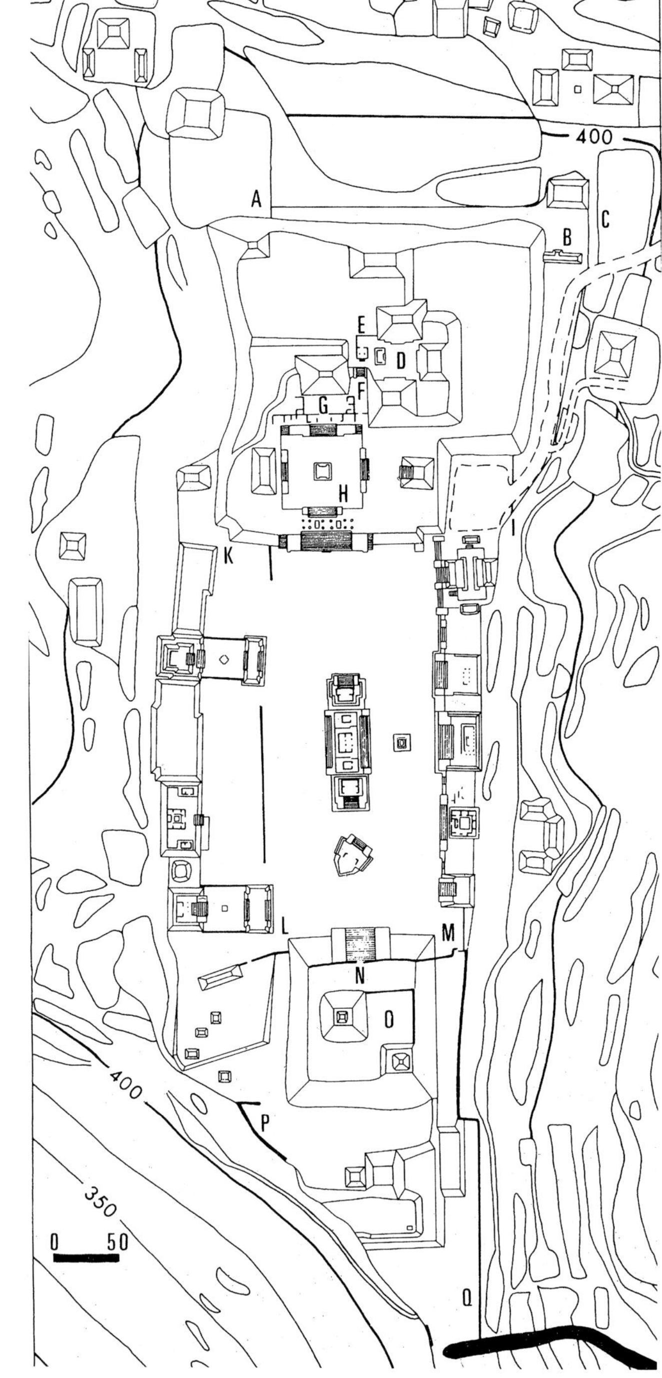

Plaza principal de Monte Albán.

Este último ordenó un amplio recorrido por todo el territorio descubriendo ruinas antiguas, además de objetos, estatuas y otras cosas que pudieran hallar.

En cumplimiento de esta misión llegó a México la Expedición Científica encabezada por el capitán Guillermo Dupaix en 1806, quien recorrió las ruinas de Oaxaca como parte de un recorrido mayor. En su visita a Monte Albán realizó una detallada descripción de la plaza principal, refiriéndose a ella como: "...una mesa con una serie de montículos artificiales de proporción cónica ó piramidal".[4]

Fue el primero en excavar en el sitio, descubriendo cinco notables piedras grabadas con figuras humanas conocidas como Danzantes.

La documentación gráfica de la expedición estuvo a cargo de Luciano Castañeda, a quien corresponde el mérito de haber realizado los primeros dibujos de Monte Albán. En Mitla estudiaron los palacios, las tumbas y la fortaleza, y acompañaron sus comentarios con dibujos panorámicos, planos y detalles excelentes.

En 1830 se hizo notable la presencia en Oaxaca del arquitecto alemán Eduard Mühlenpfordt, quien en compañía del oaxaqueño don Juan Bautista Carriedo realizó mediciones y dibujos muy detallados de los monumentos de Mitla, documentación que fue difundida en el libro *Die Paläste der Zapotecos zu Mitla.*[5] Su obra se caracteriza por una ausencia de prejuicios raciales y gran rigor de la documentación manejada a diferentes escalas, desde mapas de conjuntos de ciudades hasta detalles minúsculos de las grecas y las pinturas tipo códice plasmadas en los dinteles de Mitla, mostrando —como lo ha apuntado Víctor Jiménez—[6] que no era el simple resultado de una breve estancia, sino de una experiencia que demuestra los largos años que vivió y estudió la entidad.

Con Mühlenpfordt se inician una serie de expediciones alemanas a Oaxaca, sin cuyas relevantes contribuciones la historia de la arqueología de Oaxaca sufriría de serias lagunas documentales. Carriedo, por su parte, publicó en su propia imprenta la primera guía de Mitla y redactó el primer proyecto de ley de protección de los monumentos arqueológicos del mismo sitio.

En 1857 Johann W. von Müller hace un gran aporte a la arqueología de Oaxaca realizando un extraordinario plano de Monte Albán, en el que determina los límites precisos de la plaza, con las plataformas norte y sur y los edificios centrales; pensaba este viajero que el sitio había tenido un propósito eminentemente militar y defensivo.

En 1848 llegó por primera vez a México Charles Etienne Brasseur "dit de Bourbourg", quien creó la Comisión Cien-

[4] Dupaix, 1834.

[5] La edición más reciente de esta obra fue realizada en español por Ortega y Monjarás, 1984.

[6] Jiménez, 1993.

tífica Francesa en 1863 y realizó sus recorridos de evaluación por el territorio nacional como parte de una política de conquista propuesta por Napoleón III. Sus incursiones en búsqueda de posibilidades comerciales del Istmo de Tehuantepec le permitieron describir Mitla y otros sitios de interés arqueológico y antropológico, aunque sin ningún rigor científico.

Como parte de la Comisión Científica Francesa también llegó a México Désiré Charnay, el "más arqueólogo de todo el grupo", como lo consideró Bernal posteriormente.[7] Charnay, personaje aventurero, estudioso y fotógrafo, ocupa un lugar muy importante en la historia de la arqueología mexicana; percibe la integridad de Mesoamérica como una gran región, pensamiento que le permite ser clasificado dentro de los científicos de la época. Su aportación más importante es la que logra al nivel de la documentación de innumerables sitios con la ayuda de la tecnología que revolucionaría totalmente la percepción científica: la cámara fotográfica. Pasando mil contratiempos y vicisitudes, Charnay viajaba con sus asistentes cargando los enormes componentes de su equipo fotográfico; así llegó a Mitla en Oaxaca en 1859; sorteando las convulsiones políticas y militares de la región, obtuvo las primeras fotografías de los palacios.

En este mismo periodo se manifiesta el interés de varios investigadores norteamericanos que intervinieron notablemente en los primeros estudios arqueológicos de la región de Oaxaca. Destaca la obra de William H. Prescott, quien, sin haber viajado nunca a México debido a su total ceguera, escribió su espléndida obra titulada *History of the Conquest of México*, cuyo gran mérito es ser la primera en tratar de establecer la cronología de las culturas mexicanas, basada en la información proveniente de los expedicionarios.[8] Acerca de Oaxaca llaman la atención sus comentarios respecto a las "muy abundantes ruinas en su territorio". Seguidores de esta corriente se pueden considerar a otros famosos viajeros, como Hubert H. Bancroft (1883) y Frederick Ober (1887).

La obra de Bancroft, *The Native Races of the Pacific Coast,* es muy importante para la documentación de Mitla, cuyos cinco conjuntos arquitectónicos son concebidos por primera vez como la unidad cultural que representan.

[7] Bernal, 1979: 95.
[8] Prescott, 1852.

Désiré Charnay.

A partir de este periodo la arqueología dejó de ser sólo una aventura y asunto exclusivo de anticuarios, para convertirse en una ardua labor de escritores historiadores, como la sucesión de Manuel Orozco y Berra, Antonio Peñafiel y Alfredo Chavero, quienes intentaban, dentro del marco del pensamiento positivista, defender sus posturas en cuanto a la superioridad o inferioridad cultural indígena y la búsqueda de los orígenes de las culturas, creando con ello las bibliotecas históricas más importantes de la época.

Arqueólogos científicos

Los primeros estudios estrictamente arqueológicos en Oaxaca los realizan el alemán Eduard Seler (1888) y el arquitecto y arqueólogo norteamericano William H. Holmes (1897).

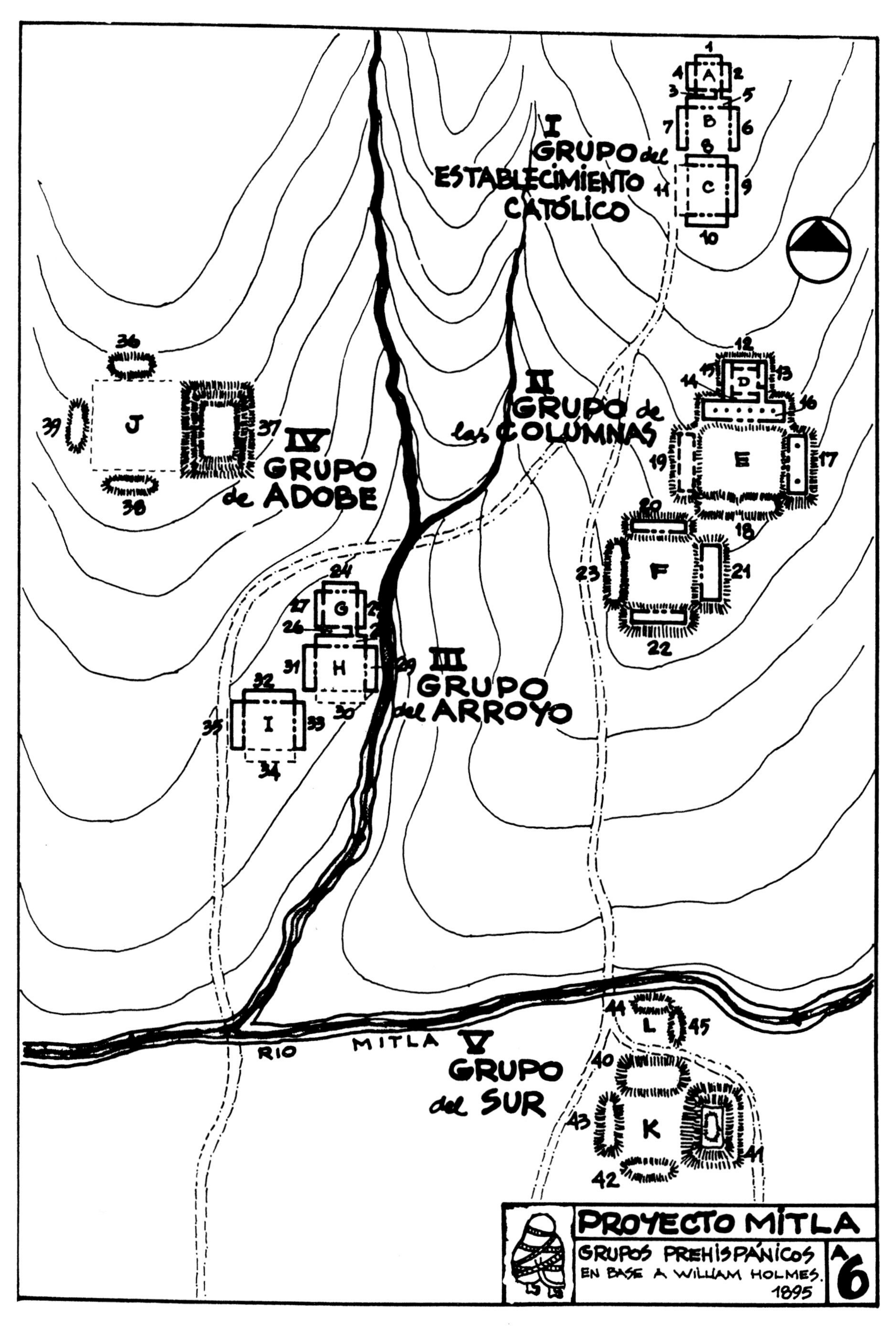

Plano de Mitla realizado por William H. Holmes, 1895.

Seler realizó las copias de las famosas pinturas murales tipo códice de los dinteles de Mitla, siendo, después de Mühlenpfordt, el único investigador que entendió la importancia científica de éstas. Sus dibujos fueron publicados originalmente en el XI Congreso Internacional de Americanistas con el título "Wandmalereien von Mitla" en 1895 y son hasta ahora el mejor documento disponible de lo que fueron los murales, aunque ya presentaban una grave destrucción en esa época.

El trabajo de William H. Holmes es de una gran importancia, sobre todo para la arquitectura de Mitla. En su obra[9] hace una excelente descripción y una insuperable documentación arquitectónica; descifró las técnicas constructivas y la distribución arquitectónica, llegando a la exageración de detalles como la descripción del ensamble de mosaicos minúsculos para formar los frisos de grecas, las técnicas de pintura y aplicación de aplanados. Además propuso una metodología para la nomenclatura de los palacios, misma que hasta hoy no ha sido superada. La visión de conjunto que tuvo de Mitla y Monte Albán convierte a su obra en un documento irremplazable dentro del contexto de las investigaciones arqueológicas de Oaxaca.

El XI Congreso Internacional de Americanistas realizado en 1895 fue de especial importancia para Oaxaca, debido a que sus participantes tomaron la iniciativa de visitar Mitla, en el marco de la discusión de la afiliación cultural de sus monumentos arqueológicos —unos defendían y otros negaban la afiliación tolteca de los mismos—. Entre los participantes iban el arquitecto don Manuel Francisco Álvarez, don Leopoldo Batres, don José Ramírez, el doctor Nicolás León, don Fernando Sologuren, don Manuel Martínez Gracida y Marshall Saville, entre otros notables. Resultado de esta visita fue la gran aflicción que demostraron los participantes por el grado de destrucción de los palacios, por lo que elevaron una solicitud al presidente de la República, don Porfirio Díaz, para que las ruinas de Mitla fueran conservadas oficialmente. Así, con la presencia de Batres como inspector de Monumentos en Mitla y Monte Albán se inician los esfuerzos oficiales por la conservación de los sitios de importancia arqueológica en Oaxaca.

Los trabajos de Leopoldo Batres[10] tuvieron como objetivo la restauración de los monumentos, dentro de una tendencia de nacionalismo triunfalista basada en la fuerza y la presencia del indio, que habría de reforzar los orígenes prehispánicos en apoyo a las políticas del Estado totalitario de la época, ignorando casi por completo la investigación arqueológica. En Mitla realizó una incursión militar para recuperar los monumentos de piedra labrada que se hallaban dispersos entre las casas de la población, reconstruyó gran parte del con-

[9] Holmes, 1895-1897.

[10] Batres, 1902, 1908.

Fachada del conjunto de las columnas de Mitla, 1887.

junto de las columnas y sin hacer mucho caso de los datos arqueológicos recurrió a técnicas de ingeniería para estabilizar los monumentos. En Monte Albán exploró y extrajo estelas de los llamados Danzantes, mismas que decidió trasladar a la Ciudad de México.

Contrasta en esa época la investigación muy rigorista hecha por Marshall Saville en Mitla, a quien le corresponde el mérito de haber documentado las tumbas cruciformes, dentro de un proyecto de investigación bastante ambicioso que lo llevó a realizar excavaciones tanto dentro de los edificios monumentales como fuera de la población.[11]

Entre los años 1921 y 1925 la recién creada Dirección de Arqueología de la Secretaría de Educación Pública llevó a cabo varios trabajos de restauración en Mitla. Los trabajos estuvieron a cargo de Agustín García Vega y consistieron sobre todo en la recuperación del aspecto original prehispánico del conjunto de la iglesia, mismo que había sido alterado sustancialmente durante la Colonia para servir como casa cural.[12]

En 1928 aparece en Oaxaca quien a la postre sería conocido como el símbolo de la arqueología de Oaxaca: don Alfonso Caso y Andrade. De familia de abolengo y tradición científica, nació en la Ciudad de México en 1896 y después de haberse graduado de abogado y filósofo en la Universidad Nacional decidió incursionar en el campo de la arqueología, motivado sobre todo por el estudio de los jeroglíficos y las urnas que le apasionaban, como parte de los cursos que recibía en el viejo Museo de Antropología. Con base en los fundamentos teóricos de sus profesores Franz Boas, Manuel Gamio y Hermann Beyer, Caso se planteó el estudio integral del Valle de Oaxaca, cuyo centro inminente era Monte Albán, en un proyecto que comprendía sobre todo el estudio sistemático basado en la estratigrafía para el fechamiento de las asociaciones de cerámica, arquitectura y tumbas.

En 1931 inició la exploración sistemática de la plaza principal; para ello reunió un valioso equipo de arqueólogos formado por Jorge Acosta, Ignacio Bernal, Juan Valenzuela, Hugo Moedano, Ponciano Salazar, Carlos Margain, Eulalia Guzmán y Daniel Rubín de la Borbolla; excelentes artistas como Armando Nicolau y Martín Bazán, antropólogos físicos encabezados por Javier Romero, diversos estudiantes de arqueología, fotógrafos, topógrafos e ingenieros, dando un carácter interdisciplinario a sus exploraciones. El planteamiento científico con el que se aproximó a Monte Albán no estuvo desligado de la tendencia nacionalista del uso de los monumentos arqueológicos en beneficio de la política del Estado. Por esta razón su proyecto finalmente comprendía la restauración total de los monumentos, en una moda reconstructiva que también fue un marcador de su época.[13] Esta combinación de actividades de exploración e interpretación científicas, complementada con la reconstrucción monumental, caracterizaron a lo que se llamó la "época dorada de la arqueología mexicana".

Sin embargo, la realización del proyecto de Caso en Monte Albán fue posible no tanto por la riqueza académica de su planteamiento, sino porque tuvo la gran suerte de explorar en la misma primera temporada la tumba más rica de que se tenga memoria en Mesoamérica, ésa fue la Tumba 7 de Monte Albán.

El día 9 de enero de 1931, a las cuatro de la tarde, Caso y su equipo quitaban una de las piedras que formaban el techo de la tumba y, a través de ese hueco, Caso observó ayudado por una lámpara un cráneo humano y junto a él dos vasos, uno de los cuales parecía barro negro por su extraordinario pulimento: era la copa de cristal de roca que constituía sólo uno de los más de doscientos finísimos objetos de ofrenda que contenía la tumba.

> Lo primero que se veía al descender a la tumba era una gran vasija blanca de tecali en medio de un gran amontonamiento de huesos, brillaban los objetos de oro (cuentas, cascabeles, etc.) y ensartadas en los huesos de los brazos de un cadáver relucían diez brazaletes, seis de oro y cuatro de plata.
>
> En ese mismo umbral levanté lo que al principio me pareció una pequeña vasija de oro macizo, decorada con la figura de una araña...[14]

La ofrenda estuvo colocada tanto al interior como al exterior de la tumba: en el exterior el caracol trompeta, urnas y collares, en el interior lo que se conoce como el Tesoro de Monte

[11] Saville, 1909.
[12] García Vega, 1929.
[13] Schávelzon, 1990: 131-139.
[14] Caso, 1969: 44-45.

Albán, formado por diademas, orejeras, brazaletes, cascabeles, broches y pectorales, todos realizados en materiales preciosos como jade, obsidiana, coral, oro, plata, turquesa, perlas, huesos labrados, collares de cuentas, objetos de tecalli, cráneo humano decorado con mosaicos de turquesas. Estos objetos fueron realizados mediante delicadas técnicas de orfebrería como la filigrana, de la que es heredera hoy día el pueblo oaxaqueño, la cera perdida, el repujado, el martillado, la perforación con buril. La combinación de materiales, texturas, colores y técnicas le dieron una imagen extraordinaria al conjunto de joyas que acompañó al entierro mixteco realizado en una tumba zapoteca de Monte Albán.

En el trabajo de exploración de la tumba se involucró directamente la señora María Lombardo, esposa de Caso, quien junto con Juan Valenzuela realizó el paciente trabajo de excavar y después ensamblar los minúsculos materiales que se combinaban en cada collar, pendiente, cráneo, y otros objetos de la ofrenda.

Indudablemente que este hallazgo fue una noticia internacional que colocó a Caso en el centro de la atención de científicos y gente común, y fue también el hecho indiscutible que convenció al gobierno federal de extenderle tanto sus permisos de excavación como su presupuesto.

Las exploraciones en Monte Albán se prolongaron por 18 temporadas de campo, durante las cuales exploraron y consolidaron los edificios de la plaza principal, las residencias de las tumbas 7, 104, 105, cerca de doscientas tumbas, los juegos de pelota y parte del conjunto monumental de Atzompa. Los hallazgos mixtecos de la Tumba 7 llevaron a Caso a la conclusión de la importancia de buscar sus orígenes en la región mixteca; por esa razón y por sus avanzados estudios de los códices, exploró también parcialmen-

Exploración de la Tumba 7. María Lombardo y Juan Valenzuela dentro de la tumba. 1931.

te el sitio de Monte Negro, en Tilantongo, Yucuñudahui, en Chachoapan, y Mitla en el Valle de Oaxaca. Tanto la cerámica como la arquitectura y la escultura le llevaron a descifrar cinco épocas en la evolución cultural del Valle de Oaxaca (Monte Albán I, II, IIIA, IIIB-IV, V), épocas a las que hoy en día la arqueología reciente ha efectuado revisiones, y que, sin embargo, se mantienen como base general de la cronología.

Posteriormente vinieron largos años de paciente y constante estudio de los materiales arqueológicos para llevar a cabo su interpretación. El resultado de los estudios sobre los objetos de la Tumba 7 tardó 37 años en ser publicado, y *La cerámica de Monte Albán*,[15] obra central para el entendimiento de la secuencia cultural de Oaxaca basada en la cerámica, se publicó en 1967.

Caso siempre culminó sus estudios con alguna publicación; en este sentido ha sido uno de los autores mas prolíficos en el campo, cuenta su obra con más de doscientos títulos, entre libros, ensayos, artículos, capítulos, conferencias, etc. En el último tramo de su vida académica se dedicó exclusivamente al estudio de los códices, campo en el que desarrolló otra enorme aportación para la arqueología de Oaxaca,[16] interpretando el significado de las estelas, las urnas, los lienzos y los códices tallados o pintados.

Su interés derivó finalmente por el estudio de los indios vivos; así ingresó al campo del indigenismo, siguiendo los pasos de Gamio, para lo que fundó el Instituto Nacional Indigenista, entre cuyas actividades lo sorprendió la muerte, en 1970. Sin embargo, el nombre de Alfonso Caso estará siempre ligado al mundo de la arqueología de Oaxaca, especialmente a Monte Albán.

Siendo estudiante y amigo personal de Caso, Ignacio Bernal (1910-1991) fue su heredero natural. Los trabajos de este renombrado arqueólogo estuvieron enfocados primero en Monte Albán y posteriormente dirigidos a sitios periféricos al gran centro cultural, uno de ellos fue Yagul y el otro Dainzú, ambos en el Valle de Oaxaca.

Entre 1954 y 1963 exploró Yagul[17] con la ayuda de Lorenzo Gamio y John Paddock, otro estudiante de Caso que ya gozaba de gran renombre académico. Con grupos formados por estudiantes del México City College (hoy Universidad de las Américas), así como con la ayuda de arqueólogos ya formados y de amplia experiencia como Román Piña Chan, Víctor Segovia, Jorge Gussynier, Braulio García Maldonado y Arturo Romano se dieron a la tarea de explorar los palacios y tumbas de la antigua ciudad prehispánica, así como de interpretar las grandes cantidades de cerámica del sitio.

Bernal interpretó a Yagul como un sitio fortificado, que se distinguía de la antigua matriz arquitectónica del Valle de Oaxaca y que confirmaba la teoría de Caso en el sentido de que grupos mixtecos sucedieron al abandono de Monte Albán. Encontró una relación en el diseño arquitectónico y la cerámica entre Santo Domingo (Cuicatlán) Yagul-Mitla, y propuso sobre esta base una relación de sitios "mixtecos" que pudiera derivarse de una raíz cuicateca fuertemente influenciada por mixtecos en su región.

En Dainzú, Bernal llevó a cabo exploraciones entre los años 1967 y 1973,[18] apoyado por José Arturo Oliveros, Jean Pierre Laporte, Lorenzo Gamio, Peter Goodwin y Beatriz Braniff. Eduardo Contreras y Ángel Rangel realizaron los levantamientos del sitio. El enfoque primordial fue el descubrimiento de la serie de monumentos grabados que se hallan en la base de la Plataforma Conjunto A, monumentos esculpidos con representaciones de jugadores de pelota que se encontraban asociados a las construcciones más antiguas del sitio. Sin embargo, el interés por la secuencia cronológica hallada en diferentes puntos (desde Monte Albán I hasta IV) llevaron a Bernal a extender sus exploraciones y a exponer un buen número de los edificios y tumbas del sitio.

Ignacio Bernal participó en muchas otras expediciones arqueológicas, su incansable búsqueda de sitios y documentos pictográficos lo llevaron a compilar uno de los recorridos pioneros de la arqueología de Oaxaca, mismo que desafortunadamente nunca se publicó y que sin embargo se refleja en su visión integral de Oaxaca plasmada en el *Handbook of Middle American Indians*. Su vida transcurrió entre la diplomacia y la arqueología, llevando a cabo uno de los grandes proyectos arqueológicos en Teotihuacan; su obra publicada consta de 267 títulos, entre libros y artículos que dan cons-

[15] Caso, Bernal y Acosta, 1967.

[16] Caso, 1977.

[17] Bernal y Gamio, 1974.

[18] Bernal y Oliveros, 1988.

tancia de su dedicación al trabajo arqueológico en Oaxaca y otras partes de Mesoamérica.

Paralelo al trabajo de Bernal, Roberto Gallegos Ruiz realizó en 1962 la exploración de las tumbas 1 y 2 de Zaachila. En este trabajo Gallegos se apuntó un mérito doble, ya que el hallazgo en sí es considerado como otro tesoro comparable sólo con el de la Tumba 7 de Monte Albán; ambas tumbas contuvieron cantidades de vasijas policromas de estilo mixteco, así como joyas de oro en técnicas sumamente delicadas y discos ornamentados con mosaicos de turquesas. La Tumba 1 presenta en sus muros relieves esculpidos de estuco, representando al Búho, y dos figuras humanas asociadas, la Muerte y el personaje 5 Flor.[19]

El otro gran mérito de Gallegos es el haber logrado realizar las exploraciones dentro del hostil ambiente que ha representado la comunidad de Zaachila para los estudiosos del Valle de Oaxaca. Según el mismo Gallegos, de ninguna manera fue fácil realizar la exploración científica en medio de los soldados que tuvieron que llegar a resguardar su integridad física y los objetos arqueológicos que se exploraban en las tumbas. El contenido osteológico de las mismas fue tan complejo que, según relata Arturo Romano —quien estuvo ayudando a Gallegos en la exploración—, tuvieron que pasar varios días tan sólo observando los huesos para entender la relación anatómica entre unos y otros y así llevar a cabo una exploración adecuada.

En este ambiente dominado por arqueólogos mexicanos, apareció entre los estudiantes de Bernal John Paddock, de nacionalidad estadounidense, quien reinició la presencia de arqueólogos norteamericanos interesados en la arqueología de Oaxaca. Afiliado al México City College y al Museo Frissell de Mitla, Paddock realizó trabajos en la Mixteca Alta, en Yatachío y Tamazulapan y en Yagul, como apoyo a los trabajos del propio doctor Bernal. En este sitio se hizo famoso por las exploraciones de gran cantidad de tumbas.

Años más tarde, de 1961 a 1976 realizó su gran proyecto de investigación en Lambityeco, en el Valle de Oaxaca, donde descubrió los restos de una ciudad tardía con espléndidas esculturas y bajorrelieves en estuco, realizados en un estilo que no se conocía en la región. Con la experiencia acumulada por toda la entidad, editó su obra más importante en 1966 en colaboración con otros especialistas,[20] entre ellos Caso, Bernal y Jiménez Moreno. Años más tarde se ocuparía de la cultura Ñuiñe de la Mixteca Baja, otro de sus grandes aportes.

La obra de Paddock es muy extensa, sobresale en ella la identificación de personajes mixtecos y su papel en la historia del Valle de Oaxaca. Su formación como discípulo de Ignacio Bernal y Alfonso Caso, así como su visión holística de antropólogo, lo llevaron a ser el último de los arqueólogos de la tradición académica integral que desarrolló Caso desde sus inicios. Paddock murió en Oaxaca en 1998.

Con un enfoque ecologista, en 1965, Kent V. Flannery, fundador de la arqueología sistémica, y su grupo de estudiantes, entre los que se encontraban Joyce Marcus, Robert Drennan, Stephen Kowalewski, Marcus Winter, Michael Whalen, Gray Feinman y Richard Blanton, iniciaron el proyecto Prehistoric Human Ecology, aplicando modelos teóricos para explicar la evolución de sistemas culturales de la entidad.

Los amplios objetivos de su proyecto los alejaron del planteamiento de la arqueología de sitio desarrollado por sus contrapartes mexicanos al mismo tiempo en Oaxaca, ya que estaban enfocados en documentar los procesos de cambio que llevaron a las sociedades nómadas al sedentarismo; en la búsqueda de los procesos sociales que las condujeron a la estratificación social; en determinar el origen y desarrollo de Monte Albán. Es decir, en escudriñar los procesos de desarrollo de la civilización oaxaqueña.

En este proyecto, Flannery se concentró en la exploración arqueológica multidisciplinaria en el sitio prehistórico de Guilá Naquitz en Mitla,[21] y en San José Mogote,[22] sitio urbano temprano donde estudia la naturaleza de las aldeas grandes y la transición a los centros urbanos. Blanton, Kowalewski, Feinman y Appel realizan los recorridos regionales para entender la integración de patrones de asentamiento en el Valle de Oaxaca[23] y Blanton encabeza el estudio del patrón de asentamiento de Monte Albán[24] y define las dimensiones reales de la ciudad prehispánica.

[19] Gallegos, 1978.

[20] Paddock, 1966.

[21] Flannery, 1986.

[22] Flannery y Marcus, 1996.

[23] Blanton, Kowalewski, Feinman y Appel, 1982.

[24] Blanton, 1978.

A la fecha, Flannery sigue produciendo importantes aportaciones para la arqueología de Oaxaca. Uno de los aspectos más sobresalientes de su trabajo ha sido la fundación de una corriente académica que está vigente en una multiplicidad de proyectos que tienden al estudios de los procesos en que se han desarrollado las culturas de Oaxaca.

Marcus Winter inició sus estudios con Kent Flannery, explorando la aldea temprana de Tierras Largas en las laderas de Monte Albán;[25] más tarde el mismo Flannery lo impulsó para formar parte del recién creado Centro Regional de Oaxaca del INAH en 1973. Desde este ámbito oficial, Winter ha desarrollado proyectos de investigación regionales enfocados en los cambios sociales de épocas determinadas; tales han sido el proyecto Desarrollo Social en la Mixteca Alta, llevado a cabo entre 1974 y 1980, y el proyecto Arqueología de la Costa de Oaxaca, llevado a cabo entre 1988 y 1991.[26] El Instituto Nacional de Antropología e Historia le encargó en 1992 el desarrollo del Proyecto Especial Monte Albán, mediante el cual Winter se planteó como metas: realizar exploraciones en las Plataformas Norte y Sur y aumentar los conocimientos del sitio; realizar un mapa topográfico del sitio; llevar a cabo obras de infraestructura; proteger la zona mediante una declaratoria presidencial; formar personal en la especialidad de arqueología y difundir las actividades.[27] Sus resultados científicos han apuntado sobre todo a la precisión de la cronología basada en la cerámica de periodos específicos.[28]

La historia de la arqueología de Oaxaca constituye en sí un tema de interés desde el punto de vista antropológico, ya que representa una serie de corrientes de pensamiento y de condiciones históricas que han definido el quehacer del arqueólogo interesado en la región. La época de Caso ha sido indudablemente la de mejores condiciones para el desarrollo de la ciencia y el prestigio de la profesión. La conciencia de que esa época es irrepetible nos lleva a los arqueólogos modernos a valorar el trabajo de nuestros antecesores.

[25] Winter, 1976: 25-30.

[26] Joyce, Winter y Mueller, 1998.

[27] Winter (coord.), 1994.

[28] Martínez López, Markens, Winter y Lind, 2000.

ALFONSO CASO (1896-1970)
MONTE ALBÁN

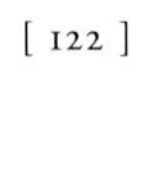

ALFONSO CASO Y MARTÍN BAZÁN EN EL INTERIOR DE LA TUMBA 7 DE MONTE ALBÁN, 1931

ZONA ARQUEOLÓGICA DE MITLA, OAXACA

MÁSCARA DE ORO XIPE TOTEC DE MONTE ALBÁN

PECTORAL DE ORO QUE REPRESENTA AL DIOS MICTLANTECUHTLI PROCEDENTE DE LA TUMBA 7 DE MONTE ALBÁN

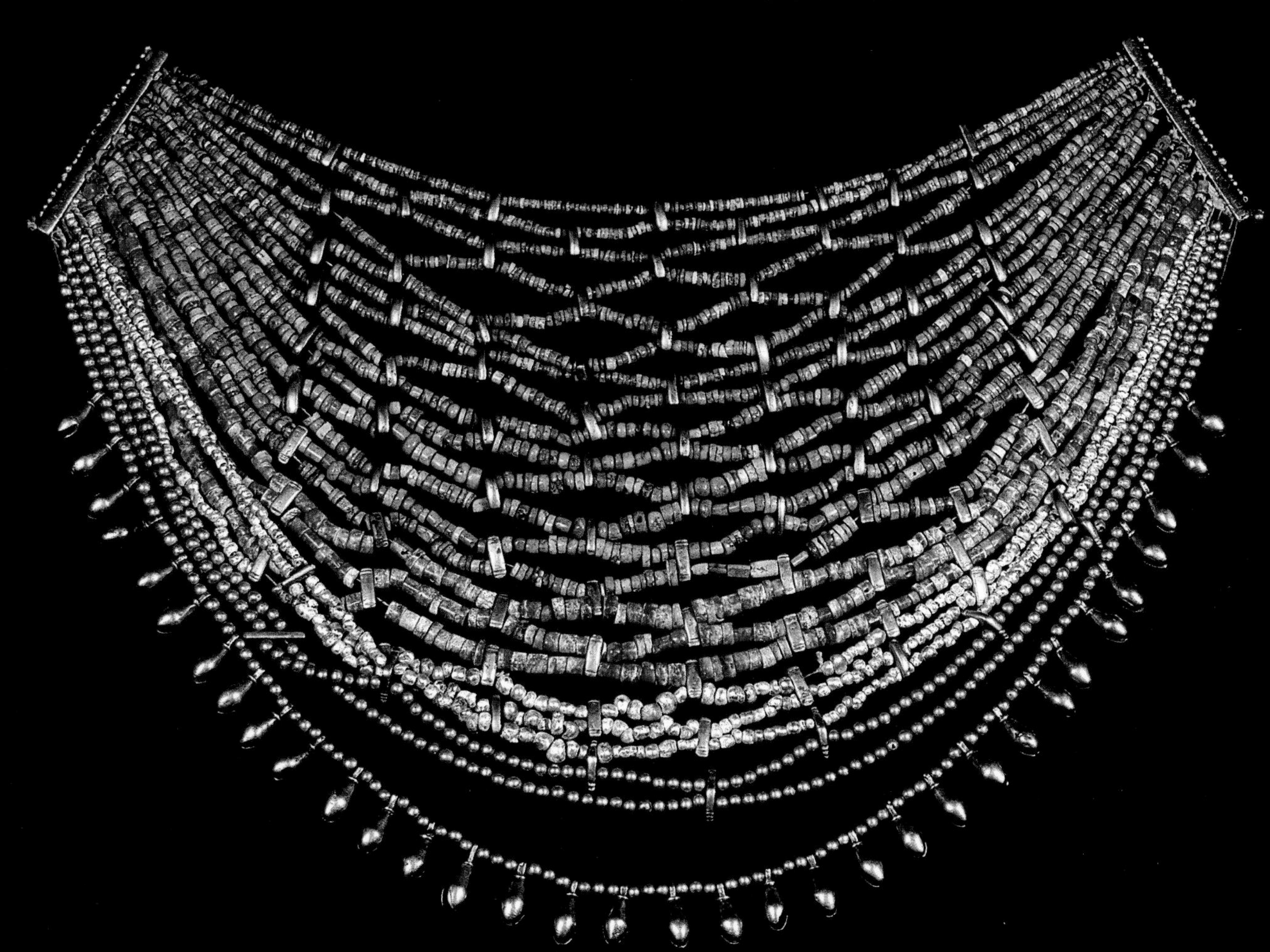

PECTORAL DE TURQUESA, CORAL, PERLA, ORO Y CONCHA

MARCUS WINTER
DESCUBRIMIENTOS RECIENTES EN MONTE ALBÁN

URNA FUNERARIA PROCEDENTE DE LAS EXCAVACIONES DEL PROYECTO ESPECIAL MONTE ALBÁN, ENCABEZADO POR MARCUS WINTER

IGNACIO BERNAL (1910-1992)
YAGUL

PANORÁMICA DE YAGUL, OAXACA, EN 1956

EFIGIE DEL DIOS JOVEN

IGNACIO BERNAL
EN YAGUL

EL ESCRIBA DE
CUILAPAN

KENT FLANNERY
DESCUBRIMIENTOS EN SAN JOSÉ MOGOTE

PERSONAL DE CAMPO EN LAS EXCAVACIONES EN SAN MIGUEL MOGOTE Y GUILÁ NAGUITZ, ENCABEZADAS POR KENT FLANNERY

FIGURA FEMENINA PROCEDENTE DE LA EXCAVACIÓN DE LA TUMBA 1-95 DE SAN JOSÉ MOGOTE

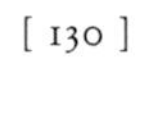

JOHN PADDOCK (1918-1998)

JOHN PADDOCK, JOSEPH R. MOGOR Y SU GRUPO DE TRABAJADORES EN UNA TUMBA ÑUIÑE, EN HUAJUAPAN DE LEÓN, CERRO DE LAS MINAS, OAXACA, 1970

URNA FUNERARIA CON LA REPRESENTACIÓN DEL DIOS DEL FUEGO

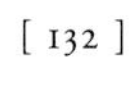

ARQUEÓLOGOS MAYISTAS, REVELADORES DEL TIEMPO ANTIGUO

Mayas del Área Central y las Tierras Altas

MERCEDES DE LA GARZA CAMINO

En este trabajo presentaremos una visión de aquellos que han propiciado el retorno a la vida de los antiguos mayas, sacando a la luz sus antiguas ciudades y otros vestigios; es decir, haremos una breve síntesis de la rica arqueología mayista realizada en algunas ciudades de Tabasco, Chiapas, Guatemala y Honduras, mencionando sus antecedentes en los siglos XVI y XVII.

COMALCALCO, TABASCO

En su primer viaje a México, realizado en 1859, el explorador francés Désiré Charnay visitó Comalcalco, donde permaneció quince días y realizó una completa descripción de la ciudad, así como el primer croquis de la zona, y en 1892, el capitán Pedro H. Romero en su expedición de Chiapas a Tabasco visita la ciudad y elabora una descripción.[1]

Ya en el siglo XX, la primera visita que se realiza a Comalcalco es la de Frans Blom y Olivier La Farge, en cuya obra *Tribus y templos* se asienta: "Comalcalco es una ciudad típica del viejo imperio de tamaño nada extraordinario."[2] Blom destaca la peculiar técnica de construcción de Comalcalco, con tabiques y mortero; describe los trabajos realizados, elaborando planos de las bases de los edificios y dibujos de los ornamentos; asimismo, bautiza el principal edificio como El Palacio.

Entre 1956 y 1957 Gordon Ekholm, del Museo Americano de Historia Natural, realiza trabajos en el sitio, que nunca fueron publicados. En sus dos temporadas de campo estuvo asistido por varios arqueólogos, como Robert Rands, Carlos Navarrete y Víctor Segovia. Se señaló la filiación del sitio, se ubicó su temporalidad y se hicieron excavaciones en la Gran Acrópolis. Gracias a estos trabajos, de los cuales derivaron varias publicaciones, se postuló que Comalcalco ocupó un destacado lugar como centro

Foto: Zabé/Tachi

Cabeza modelada en estuco procedente de Comalcalco, Tabasco.

[1] Ver "Expedición a Chiapas y Tabasco", en Mejía y Mirambell, 1992.

[2] Blom y La Farge, 1986: 151.

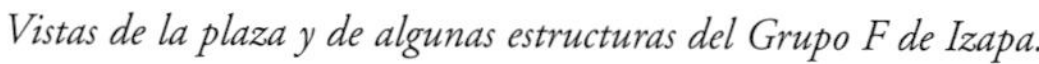

Vistas de la plaza y de algunas estructuras del Grupo F de Izapa.

comercial durante el periodo Clásico. Entre las publicaciones puede mencionarse *Los ladrillos grabados de Comalcalco, Tabasco* de Carlos Navarrete. Otro proyecto fue el de Ponciano Salazar, de 1972 a 1982, quien realizó trabajos de restauración y mantenimiento.

Izapa, Chiapas[3]

Un extraordinario sitio, ubicado en la frontera entre México y Guatemala, es Izapa, donde se hallan conjuntos de monumentos esculpidos que se cuentan entre los más grandes de Mesoamérica, la mayoría de los cuales están todavía en su sitio.

El primero en poner en conocimiento del Instituto Nacional de Antropología e Historia la existencia de las ruinas fue José Coffin, en 1935 y 1936. Más tarde, en 1939, el profesor Carlos A. Culebro publica un texto en el que da detalles sobre el área de Izapa y algunos de sus monumentos. De la Institución Carnegie de Washington visitan Izapa Karl Ruppert (1938) y Alfred V. Kidder (1939). Pero la primera exploración propiamente dicha fue la de Matthew W. Stirling, de la Institución Smithsonian, quien pasó siete días de 1941 limpiando y fotografiando la mayoría de los monumentos esculpidos. Y en 1947 Philip Drucker, de la misma institución, hizo un mapa provisional y excavó pozos en el lugar.

Hasta 1961 no se había intentado ninguna excavación en el sitio, y fue la Brigham Young University-New World Archaeological Foundation la que se abocó a esa labor, dentro de su programa de cinco años en la Depresión Central de Chiapas. El proyecto se realizó en cuatro etapas y fue dirigido por Gareth Lowe con la ayuda de Carlos Navarrete y de Eduardo Martínez como topógrafo; desde la segunda temporada se unieron Pierre Agrinier y Thomas A. Lee Jr., y en la última, Susana Ekholm. Los trabajos consistieron en excavaciones intensivas en la plaza y los edificios; se hallaron nuevos monolitos y se realizaron mapas.

Desde entonces, el sitio estuvo abandonado, hasta que el Instituto Nacional de Antropología e Historia inició en 1992

[3] Lowe *et al.*, 2000.

Entierro con ofrendas cubierto con cinabrio, hallado bajo las estructuras principales de Chiapa de Corzo (Preclásico tardío/Clásico temprano).

un nuevo proyecto, bajo la dirección de Hernando Gómez Rueda. En este proyecto se han realizado exploraciones en la estructura principal, la número 60; se registraron y recuperaron nuevos monumentos, se realizaron excavaciones en la gran plaza abierta y algunas estructuras, y se llevaron a cabo labores de mantenimiento y protección de la zona y de los monumentos. Del proyecto han derivado varias publicaciones, informes técnicos, conferencias y actividades de difusión.[4]

Chiapa de Corzo, Chiapas

Fue C. H. Berendt, en 1869, quien proporcionó la primera referencia escrita sobre este sitio, el de mayor tamaño descubierto en esa región, en un manuscrito inédito:[5] mencionó tres pirámides ubicadas en la colina llamada Dili-Calvario, cuya construcción atribuyó a indios chiapanecas. Cerca de estos montículos halló fragmentos de cerámica, de concha, obsidiana y piedras trabajadas. El autor incluye un mapa, tal vez copia de un original dibujado por Julián Grajales en 1868, el cual muestra la plaza, su pirámide trunca y una serie de "teocallis" (templos). Lowe opina que lo que está ilustrado en el mapa son los montículos principales del cuadrante suroccidental del sitio. El plano muestra asimismo que mucho de la destrucción superficial de los montículos se hizo en 1868, debido a prácticas agrícolas.

El arqueólogo Frederick Starr publicó en 1908 un popular libro que describe sus viajes y ahí habla de Chiapa de Corzo, describiendo algunos montículos y una pirámide (que corresponde al montículo 11).

También mencionaron el sitio Sapper en 1895, Spinden en 1913 y Marquina en 1939. Pero no se realizó ningún trabajo hasta que Jorge A. Vivó excavó estratos para colectar cerámica en 1941. El resultado de esa breve investigación fue reportado por Heinrich Berlin, a quien le enviaron las piezas colectadas; él destaca que la cerámica es de periodos muy antiguos, que no hay muestras de cerámica pin-

[4] Hernando Gómez Rueda, comunicación personal.
[5] Lowe, *et al.,* 1960: 2.

tada, lo cual indica que no se construyeron nuevos montículos después del Clásico Temprano y que el sitio fue abandonado mucho tiempo antes de la llegada de los chiapanecas.

Hasta 1955 la arqueología volvió a ocuparse de Chiapa de Corzo, dentro del programa de la New World Archaeological Foundation. Gareth Lowe, Shook y Sorenson, entre 1955 y 1956, realizaron investigaciones extensivas en la Cuenca Superior del Grijalva, y concluyeron que Chiapa de Corzo era el sitio que tenía una mayor ocupación continua desde el Preclásico Temprano. Se abocaron así a realizar excavaciones, consolidación y restauración de las principales estructuras, dividiendo el sitio para su estudio en cuadrantes. Entre otras cosas, los estudiosos realizaron clasificaciones cerámicas, corroboraron las conclusiones de Berlin en cuanto a la antigüedad de las construcciones del sitio, determinaron las épocas de mayor desarrollo y la importancia de las principales construcciones. También se hicieron investigaciones respecto de la filiación de los creadores de Chiapa de Corzo: algunos investigadores afirman que los pobladores más antiguos debieron ser mixe-zoques.

Palenque, Chiapas[6]

Palenque empezó a existir para la historia occidental cuando sus ruinas fueron dadas a conocer al mundo europeo hacia mediados del siglo xviii. Pero hay algunos antecedentes registrados en los textos coloniales que si bien no fueron divulgados entonces, ahora podemos conocer gracias al rescate de las fuentes escritas.

La ciudad parece haber sido descubierta por fray Pedro Lorenzo de la Nada, fundador del pueblo de Palenque, en 1567, ya que el fraile asegura que dio ese nombre al nuevo poblado en homenaje a unas ruinas denominadas Palenque, "sitio fortificado o ciudad enmurallada", cuyos vestigios descubrió a cierta distancia del pueblo.[7] Por otra parte, en los primeros años del siglo xvii fray Gregorio García registra noticias de ruinas antiguas en Chiapas y Yucatán, entre las cuales hay algunas que parecen referirse a Palenque.[8]

Pero estos descubrimientos no trascendieron y Palenque permaneció ignorada hasta que en 1773 el canónigo Ramón Ordóñez y Aguiar, presbítero de Ciudad Real de Chiapa,[9] envió una carta a José Estachería, presidente de la Real Audiencia de Guatemala, informándole de la existencia de la ciudad, y éste ordenó la primera exploración oficial a Palenque, la del teniente José Antonio Calderón, que se realizó en 1784 y que marca, en estricta justicia histórica, el inicio de la arqueología mesoamericana. El teniente hace un informe acompañado de dibujos de los relieves, con fecha 15 de diciembre de 1785. En ese mismo año, Estachería ordena una nueva exploración a cargo del arquitecto de obras reales de Guatemala, Antonio Bernasconi, quien levanta planos y mapas del sitio y describe cada uno de los edificios.

Por órdenes de Carlos III, las investigaciones sobre Palenque fueron continuadas por el capitán Antonio del Río, quien llega a Palenque en 1786, acompañado por el dibujante Ricardo Almendariz. Del Río elabora un largo y detallado informe, en el que describe la ciudad y la región donde se encuentra, así como sus propios trabajos de excavación.

A principios del siglo xix, Carlos IV ordena una nueva expedición a Palenque, encomendada al ex oficial de Dragones coronel Guillermo Dupaix. Su viaje se realiza en 1807 y coincide con la Independencia de México, por lo que su obra *Los monumentos de la Nueva España* no fue conocida sino hasta 1831, en la edición inglesa de Lord Kingsborough. Lo acompañó el dibujante Luciano Castañeda, quien realizó varios dibujos incluso de obras hoy perdidas. Otro destacado visitante de Palenque fue Jean Frederick de Waldeck, un aventurero y artista de nacionalidad dudosa, que en sus últimos años se hizo pasar por conde. Waldeck realizó varios dibujos, 35 de los cuales aparecieron en la edición conjunta que realizó con el famoso abate Charles Etienne Brasseur de Bourbourg, *Monuments Anciens du Mexique*. Estos dibujos son bellos, pero poco fieles; sin embargo, dibujó obras que después desaparecieron, como el llamado Bello Relieve, y a él se deben gestiones ante las autoridades para proteger a la ciudad del saqueo y la destrucción.

[6] Garza, 1992. Por falta de espacio no incluimos aquí las opiniones e interpretaciones sobre Palenque de aquellos que la visitaron o tuvieron conocimiento de ella. Ver la obra citada.

[7] Vos, 1980: 34.

[8] García, 1981: 52-53.

[9] Ver Ordóñez, s/f.

Las noticias sobre la gran ciudad se habían propagado, y en 1840 se realiza el viaje del norteamericano John Lloyd Stephens, acompañado por el inglés Frederick Catherwood. En 1841 publica su libro *Incidents of Travel in Central America, Chiapas and Yucatan*, ilustrado con los bellos dibujos de Catherwood. La obra de Stephens nos muestra una notable imagen de Palenque, además de proporcionar datos sobre su historia y descripciones detalladas de las construcciones. Hace un recuento de las expediciones que lo precedieron y critica las exageraciones sobre Palenque, como la de afirmar que era tres veces mayor que Londres. Sus observaciones revelan una nueva actitud más realista y científica que las anteriores.

Otro viajero destacado que arriba a Palenque en el siglo XIX es Désiré Charnay, quien explora la ciudad y habla de ella en su obra *Les Anciennes Villes du Nouveau Monde.* Hizo dos viajes a Palenque, el primero en 1859 y el segundo 22 años después, lo cual le permitió constatar la destrucción paulatina de la ciudad.

Alfred Maudslay, quien llega a Palenque en 1881, trabaja ya con unos métodos y un rigor más cercanos a los que se emplearán en las modernas exploraciones arqueológicas, aunque hizo una arqueología esencialmente descriptiva. Sus estudios sobre Palenque se encuentran en su obra *Biologia Centrali Americana* (1896-1902). En ella se incluyen planos detallados de la ciudad y de los edificios, que tienen ya los nombres con los que se los conoce hoy, así como numerosos dibujos y fotografías, que han sido básicos para todos los estudios posteriores. En 1895 William H. Holmes realiza una expedición a Palenque y en su obra *Archaeological Studies among the Ancient Cities of Mexico* describe los edificios de la ciudad y su sistema constructivo.

En el siglo XX se inician ya los trabajos arqueológicos en Palenque auspiciados por el gobierno de México. En 1921 Eduardo Noguera hace una inspección del sitio y redacta un informe, y en diciembre de 1922 se comisiona al arqueólogo danés Frans Blom para realizar un estudio de la zona, que culmina en marzo de 1923. Blom escribe un minucioso informe, acompañado de mapas y planos, que titula *Las ruinas de Palenque, Xupá* y *Finca Encanto.*[10] Es el primero en advertir que la ciudad era mucho más grande de lo que abarcaban los edificios visibles y que contaba con elementos urbanos, como desagües y un acueducto.

Después realizan algunas labores arqueológicas en Palenque Eduardo Noguera en 1926 y Alberto Escalona Ramos en 1933; en el mismo año Miguel Ángel Fernández realizó un viaje al sitio acompañado por Luis Rosado Vega, Alberto Escalona Ramos y Carlos Cámara, y en 1941 Eulalia Guzmán lleva a cabo una exploración.[11]

Pero los trabajos más importantes en Palenque, a mediados del siglo XX, fueron los realizados por el arqueólogo Alberto Ruz Lhuillier, de 1949 a 1958, auspiciados por el INAH.[12] Ruz realizó un ambicioso proyecto multidisciplinario de trabajo intensivo que nunca se había hecho en la ciudad. Múltiples fueron los hallazgos (Relieve del Palacio, por ejemplo) y exploraciones, consolidaciones y restauraciones de los diversos edificios que ya se conocían y de los que él descubrió, salvando varias estructuras de la destrucción inminente. Es imposible mencionar aquí, por falta de espacio, todos los aportes de la labor de Ruz en Palenque, pero destacaremos el más importante.

Otro de los propósitos de Ruz al iniciar sus trabajos en Palenque era buscar vestigios de una ocupación más antigua, tal vez de otras culturas; por ello, cuando salía hacia Palenque Alfonso Caso le dijo que descubriera debajo de algún templo maya un templo olmeca.[13] Ruz decidió buscar en el Templo de las Inscripciones por ser la pirámide más alta, y en 1949 tomó a su cargo personal la exploración de ese templo. Los pasos de esa que fue una de las exploraciones más importantes de la arqueología mesoamericana fueron los siguientes: después de remover el escombro del piso del templo, vio unas perforaciones circulares con tapones de piedra. Blom había advertido también esos tapones, pues en *Tribus y templos* los menciona, añadiendo: "No me imagino cuál era la intención de esos agujeros",[14] y no les dio mayor importancia. Ello nos muestra que los descubrimientos arqueológicos no se deben sólo al azar, sino fundamentalmente al conocimiento, la visión y la capacidad de anticipación del arqueólogo. Poseedor de todas esas cualidades, Alberto Ruz quitó los tapones, levantó la losa y

[10] Editado por el Instituto Nacional de Antropología e Historia en 1982.

[11] Ver García Moll (comp.), 1985.

[12] Ver informes de 1949, 1952, 1953, 1954, 1955, 1956, 1957 y 1958.

[13] Ruz, 1973: 32.

[14] Blom y La Farge, 1986: 244.

Foto: Ricardo Castro Mendoza/Coordinación Nacional de Restauración, INAH

Muro oriente de la Cámara 3 de Bonampak.

observó que los muros continuaban hacia abajo, por lo que inició una ardua excavación, que fue poniendo al descubierto una escalinata abovedada que descendía hacia el corazón de la gran pirámide. Se realizaron cuatro temporadas de trabajo, hasta llegar por fin a una piedra triangular ante la cual había cinco esqueletos de hombre y uno de mujer, al lado de una ofrenda. El 15 de junio de 1952 se logró mover la piedra.

> El instante en que franquee la entrada —dice Ruz— fue naturalmente para mí de indescriptible emoción. Me encontraba en una cripta espaciosa que parecía tallada en hielo...[15] En el momento de pasar el umbral tuve la extraña sensación de penetrar en el tiempo, en un tiempo que se había detenido mil años antes... lo que nuestros ojos eran los primeros en descubrir era lo mismo que había visto el último sacerdote maya al retirarse.[16]

Pero no fue sino hasta el 27 de noviembre que Alberto Ruz Lhuillier supo que se trataba de una tumba. Así tuvo lugar uno de los hallazgos arqueológicos más relevantes de nuestro tiempo: la sepultura más original y grandiosa encontrada en el área maya, que en la actualidad sabemos (gracias a los avances de la epigrafía) perteneció al

[15] Ruz, 1974: 118.

[16] Ruz, 1955: 156.

gobernante más importante de Palenque, que han llamado Pacal II.[17]

El hallazgo dio a Alberto Ruz renombre mundial, acrecentado por sus numerosos trabajos arqueológicos en el área maya. A él se debe, en parte considerable, el aspecto que tiene hoy el sitio de Palenque y mucho de lo que sabemos sobre la gran ciudad, pues manejó también las fuentes escritas, la epigrafía, la iconografía y otros aspectos de la investigación constituyéndose en uno de los mayistas más destacados del siglo XX.

Después de los trabajos de Ruz, transcurrieron diez años sin labor arqueológica en el sitio, hasta que Jorge R. Acosta realizó fundamentalmente mantenimiento y consolidación, de 1969 a 1976. Entre sus diversos trabajos destaca la exploración del Templo XIV, donde localizó un tablero que reconstruyó. Durante otros cinco años no se prestó atención a Palenque, hasta que César A. Sáenz realiza un proyecto de restauración, de 1979 a 1982, fundamentalmente de los templos de la Cruz Foliada y el Sol.

En 1982 los arqueólogos Rosalba Nieto y Fernando López Aguilar, bajo la dirección de Roberto García Moll, iniciaron un proyecto de investigación y mantenimiento que concluyó en 1988. Entre otras cosas, se hicieron diversas impermeabilizaciones y se construyeron drenes para canalizar el agua de las filtraciones; asimismo, se restauró el Templo Olvidado, que amenazaba con caerse.[18]

A partir de 1989 se inició un nuevo proyecto arqueológico, bajo la dirección de Arnoldo González Cruz, del Centro Regional de Chiapas del Instituto Nacional de Antropología e Historia. Han participado en él arqueólogos como Lynneth S. Lowe, Roberto López Bravo, Alejandro Tovalín, Rodrigo Liendo y Fanny López.[19]

Este proyecto ha dado extraordinarios frutos. Se han excavado, entre otras construcciones, el basamento del Templo de la Cruz, donde se hallaron sepulturas y más de cien incensarios de barro policromados; el Grupo XVI,[20] del que procede el bello Tablero del Bulto; el Templo XIX, donde se encontró una extraordinaria plataforma esculpida cuyas inscripciones contienen datos esenciales para completar la historia de Palenque,[21] y el Templo XX, en cuyo interior hay una cámara funeraria totalmente decorada con pinturas.

Otro de los grandes logros de este proyecto es el hallazgo de la sepultura de una mujer, de entre 35 y 40 años, en la subestructura del Templo XIII, dentro de un sarcófago monolítico, totalmente cubierto en su interior de polvo de cinabrio, por lo que se le ha llamado la Reina Roja. No se conoce aún su identidad ya que no hay inscripciones en esta sepultura.[22]

BONAMPAK, CHIAPAS[23]

El descubrimiento de este sitio, destacado por sus maravillosas pinturas, se realizó en los años cuarenta del siglo XX. Las ruinas eran conocidas por los lacandones o "caribes" con el nombre de *tun*, piedra, y asimismo lo frecuentaban chicleros y cazadores. Uno de ellos, Acasio Chan, comentó haber estado en el sitio, y la noticia fue escuchada por un norteamericano de padres suizos, H. Carl Frey quien, guiado por un indígena llamado Kayún, llegó a las ruinas el 6 de febrero de 1946. Lo acompañaba el norteamericano John G. Bourne, el cual dibujó los planos de los edificios. Los expedicionarios comunicaron el descubrimiento al Instituto Nacional de Antropología e Historia en marzo de 1946 y enviaron copias de los planos a un investigador de la Institución Carnegie de Washington.

Al salir de la selva, Frey y Bourne encontraron al fotógrafo Giles G. Healey, quien realizaba en Chiapas una película para la United Fruit Company, y le dieron a conocer el descubrimiento. En mayo de 1946, Healey arribó a las ruinas acompañado por el lacandón José Pepe Chan Bor, que ignoraba la existencia del Templo de las Pinturas; ambos persiguieron a un venado que se ocultó entre los arbustos que cubrían el templo, y se toparon con un puma que salía de la entrada a uno de los cuartos. Al alejarse el puma, Healey penetró con una antorcha y descubrió que el interior

[17] Tuve el privilegio de escuchar muchas veces de boca de Alberto Ruz, además de informaciones sobre sus hallazgos e interpretaciones de Palenque, la narración sobre el descubrimiento de la tumba de quien él llamó Uoxoc Ahau, el nombre calendárico del personaje enterrado en el Templo de las Inscripciones.

[18] Rosalba Nieto, Informe, inédito.

[19] Informaciones personales de los participantes. Lynneth S. Lowe, "Excavaciones recientes..." e "Informe de ...". Arnoldo González, 1993.

[20] González y Bernal, 2000.

[21] Ver Stuart, 2000.

[22] González, 1994.

[23] Nájera, 1991.

Dintel 24, Yaxchilán, Chiapas.

estaba cubierto con pinturas. Así, Frey descubre el sitio y Healey el Templo de las Pinturas.

Frey, al enterarse de la existencia de los murales, regresó para conocerlos y de inmediato acudió a los periódicos mexicanos para obtener el crédito del descubrimiento del sitio; la comunidad científica mexicana reconoció a Frey como el descubridor de Bonampak, y éste cambió su nombre por el de Carlos.

Mientras tanto, Healey informó de las pinturas a la Institución Carnegie, la cual encargó al guatemalteco Antonio Tejeda Fonseca y al propio Healey fotografiarlas. En agosto de 1946 realizaron dicha labor, y la Institución Carnegie envió el siguiente año un equipo de estudio financiado por la United Fruit Company, que contó con la colaboración del Instituto Nacional de Antropología e Historia. El director fue el arqueólogo Karl Ruppert, y participaron Gustav Strömsvik, J. Eric S. Thompson, Antonio Tejeda y Giles G. Healey; representando al INAH se unió el pintor Agustín Villagra Caleti. El grupo descubrió que al aplicar gasolina diáfana a las pinturas éstas se hacían visibles durante horas. Esta práctica, que ocasionaba que se fuera perdiendo la cubierta de sales minerales, dejando a las pinturas expuestas al deterioro, infortunadamente continuó por mucho tiempo. Y fue Sylvanus Morley, al conocer una copia de las pinturas, quien sugirió que el centro debía llamarse Bonampak, según él, "muros pintados", aunque en realidad significa "muros teñidos".

En 1949, el Instituto Nacional de Bellas Artes organizó una temporada de campo con un numeroso equipo integrado por fotógrafos, periodistas y otros especialistas; el grupo sufrió varias penalidades, y por transportar la planta de luz en una canoa por el río Lacanjá, Carlos Frey y el grabador chiapaneco Franco Gómez perdieron la vida.

Durante una década no se realizaron trabajos en Bonampak, y en 1960 el Instituto Nacional de Antropología e Historia reanudó los trabajos, que fueron dirigidos durante dos años por Raúl Pavón Abreu. Durante esta temporada se construyeron la pista de aterrizaje y un campamento, se desmontó el sitio y se iniciaron las labores de restauración, entre ellas, la colocación de una cubierta sobre el Templo de las Pinturas. Entonces se advirtió que las pinturas estaban a punto de desaparecer e investigadores de todo el mundo propusieron diversas alternativas para su conservación.

Y fue hasta 1977 cuando el Instituto Nacional de Antropología e Historia reanudó los trabajos bajo la dirección de Roberto García Moll; y en la década de los ochenta un grupo de especialistas mexicanos, coordinados por el INAH, se entregaron a la labor de restaurar las pinturas. El trabajo se realizó en cuatro temporadas de campo y consistió en la limpieza con fresas de diamante accionadas por pequeños motores eléctricos y espátulas de ultrasonido. Así salieron a la luz las maravillosas pinturas de Bonampak, obra maestra del arte pictórico mesoamericano.

Uno de los estudios actuales más importantes sobre el Templo de las Pinturas de Bonampak es el realizado dentro del proyecto La Pintura Mural Prehispánica en México que dirige la historiadora de arte Beatriz de la Fuente, investigadora del Instituto de Investigaciones Estéticas de la Universidad Nacional Autónoma de México. En 1998 se editaron dos volúmenes sobre Bonampak, coordinados por Leticia Staines Cicero, que contienen el catálogo (vol. I), con las mejores fotografías que se han obtenido hasta hoy, gracias a importantes innovaciones tecnológicas, acompañado de su cedulario, así

Foto: Miguel Morales

Vista de Toniná, Chiapas.

como 14 trabajos sobre el templo (vol. II), resultado de investigaciones inter y multidisciplinarias.

YAXCHILÁN, CHIAPAS[24]

Un mes más tarde del descubrimiento de Tikal en 1696 por fray Andrés de Avendaño, al regreso de su fracasado viaje a Tayasal, una expedición española que remontaba el Usumacinta con Jacobo de Alcayaga se encontró con las ruinas de Yaxchilán.[25] No hemos hallado otras referencias de visitas a la ciudad durante el siglo XVII y no es sino hasta 1833 en la *Description of the River Usumacinta, in Guatemala* de Juan Galindo, publicada en Londres, donde se vuelve a hallar una mención de la ciudad.

La primera exploración arqueológica es la de Alfred Maudslay, quien estuvo en Yaxchilán del 18 al 26 de marzo de 1882. Él llama al sitio Menché-Tinamit, que se puede traducir como "La ciudad de la selva joven", nombre con el que era conocido. Su informe, con descripciones, planos, moldes de papel y excelentes dibujos, está contenido en su *Biologia Centrali-Americana*. Lamentablemente, Maudslay se llevó consigo varios dinteles.[26]

Con la ayuda del arqueólogo inglés, arriba a la ciudad dos días después el notable explorador francés Désiré Charnay, quien le puso el nombre de Ciudad Lorillard (por Pierre Llorillard, quien financió su viaje). En *Les anciennes Villes du Nouveau Monde* narra su llegada y su encuentro con Maudslay en Yaxchilán, donde acordaron compartir la gloria del descubrimiento.

En 1891 visita la ciudad el ingeniero topógrafo Gerónimo

[24] Sotelo, 1992.

[25] Soustelle, 1985: 217; citado por Alcina Franch, 1995: 55.

[26] Ver García Moll y Juárez Cossío, 1986.

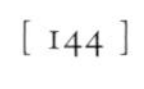

Foto: Jorge Pérez de Lara

Templo 1 de Tikal, Guatemala.

López de Llergo, quien levanta un cuidadoso plano topográfico de la parte central de la ciudad y de los principales edificios, y entrega un reporte al jefe de la Comisión Mexicana de Límites con Guatemala. Y seis años después arriba a la ciudad Teobert Maler, quien permaneció el mes de julio y en 1900 los tres primeros meses del año, bajo los auspicios del Museo Peabody de la Universidad de Harvard. A él se debe el nombre de Yaxchilán, "Piedras verdes", como se denomina un arroyo cercano, así como la nomenclatura de los edificios, las piezas escultóricas y algunos conjuntos arquitectónicos.

Entre los primeros visitantes del siglo XX se encuentra Sylvanus G. Morley, quien en 1931 pasó un mes en el sitio (5 de abril al 4 de mayo) con Karl Ruppert y John Bolles; fotografiaron monumentos, descubrieron altares, estelas y dinteles y levantaron el plano todavía vigente. En su obra *The Inscriptions of Petén*, Morley da una detallada información sobre Yaxchilán, en especial sobre sus textos jeroglíficos.

El Instituto Nacional de Antropología e Historia echa a andar en 1973 el proyecto Yaxchilán, que buscaba la conservación y la investigación del sitio, a cargo de Roberto García Moll, con la colaboración de Daniel Juárez. En este proyecto se consolidaron más de treinta estructuras, se colocaron en su sitio algunas piezas y se protegieron los relieves. Además se hicieron esfuerzos para la conservación de la selva, desmontando el sitio lo menos posible. Los trabajos e investigaciones se concretaron en dos publicaciones: el libro *Yaxchilán. Antología de su descubrimiento y estudios* y la *Guía oficial de Yaxchilán*.

Toniná, Chiapas

Es posible que la ciudad de Toniná haya sido conocida por los europeos desde la primera mitad del siglo XVII, ya que en un documento de 1629 se habla de "unos edificios o palenques (sitio fortificado) antiguos que los indios llaman Cangabanal" situados cerca de Ocosingo.[27] Pero la primera descripción de Toniná se encuentra en la obra *Isagoge Histórica Apologética de las Indias Occidentales*, escrita a principios del siglo XVIII y publicada en Madrid en 1892.[28] El autor anónimo cita a un tal fray Jacinto Garrido que presenta una descripción global de las esculturas del sitio, sobre todo estatuas y discos. Este texto tiene el interés de demostrar que la mayor parte de las esculturas descritas más adelante, en 1925, estaban ya visibles a finales del siglo XVII.

En 1808 el coronel Guillermo Dupaix visita Toniná y en 1840 llegan Stephens y Catherwood, quienes realizaron dibujos, algunos de los cuales muestran elementos desaparecidos. Carl Sapper estuvo en la ciudad en 1895 y 1897 y realizó un plano de las estructuras de lo alto de la acrópolis. Poco tiempo después el sitio es visitado por Edward Seler y su esposa.

Aunque no hizo ninguna excavación, a Bloom (1927 y 1928) se debe el primer estudio sistemático del sitio: realizó un plano sumario de la acrópolis, así como una descripción detallada de las Casas A y B. Hizo además un primer catálogo de esculturas y descubrió el juego de pelota.

Vino después (1972) el proyecto de la Mission archéologique et ethnologique française au Mexique, dirigido por Pierre Becquelin y Claude Baudez, quienes buscaban "estudiar una ciudad maya clásica a través de los vestigios de su último periodo de ocupación, que corresponde aproximadamente a los siglos IX y X d.C."[29] Ellos realizaron un estudio de los dos principales templos y otras estructuras de la Acrópolis, el juego de pelota y varios grupos habitacionales. Establecieron una nueva secuencia cultural, hallaron los marcadores en los campos del juego de pelota y varias tumbas, así como la inscripción calendárica más antigua del sitio, conocida hasta hoy, que da inicio a la sucesión de gobernantes (estructura E5-5). Este proyecto produjo cuatro volúmenes sobre Toniná que incluyen estudios de otras disciplinas (1979-1982).

En 1978 se inicia un nuevo proyecto del Instituto Nacional de Antropología e Historia dirigido por Juan Yadeum, que duró 13 años; se realizaron excavaciones extensivas y estudios comparativos con otras zonas arqueológicas de México.[30] En su obra *Toniná. El laberinto del inframundo* (1992), Yadeum asienta que Toniná fue construida sobre una superficie un poco mayor que la de la Pirámide del Sol en Teotihuacan, pero es el mayor espacio vertical hasta hoy investigado en México. En él se apiñan diez templos y cua-

[27] Vos, 1980: 81.

[28] El pasaje sobre Toniná ha sido reproducido en la obra *Tribus y templos* de Blom y La Farge.

[29] Becquelin y Baudez, 1979: 16.

[30] *Idem*.

tro palacios, formando un laberinto monumental de escalinatas que multiplican y restringen la circulación.[31] Estos templos y palacios, escaleras y canchas de juego de pelota están hoy abiertos y restructurados gracias a este proyecto. Asimismo, se recuperaron muchas obras escultóricas, relieves y enterramientos con ricas ofrendas.

Tikal, Guatemala

Sabemos que en el siglo XVI la ciudad fue visitada por itzáes que residían junto al lago Petén Itzá, gracias a que ellos realizaron el entierro de una mujer en uno de los cuartos del Templo I. El descubrimiento de Tikal se da en 1696, durante el viaje que hizo a Ta Itzá fray Andrés de Avendaño en misión de paz. Ya de regreso, los expedicionarios llegaron a las márgenes de un gran río que parece ser el Holmul, y luego a unas antiguas construcciones, que son descritas por Avendaño como edificios muy altos, "en forma de convento con sus claustritos pequeños", hechos de "cal y canto revocados con yeso"; sin duda se trataba de la ciudad de Tikal.[32]

Pero la primera expedición oficial fue la realizada en 1848 por Modesto Méndez y Ambrosio Tut, comisario y gobernador, respectivamente, de El Petén, acompañados por el artista Eusebio Lara, quien dibujó varias estelas y dinteles. El informe de estos exploradores se publicó en 1853, por la Academia de Ciencias de Berlín; en él se emplea ya el nombre itzá de Tikal, que significa "Lugar de las voces". Entre otras cosas, describe el viaje y las exploraciones de templos. En 1877, llegó a Tikal el suizo Gustav Bernoulli y se llevó varios dinteles de madera tallada de los templos I y IV a Basilea, Suiza, donde se conservan hasta hoy en el Museum für Völkerkunde.

La primera exploración sistemática fue la de Alfred Maudslay (1881 y 1882), quien levantó el primer plano. Después arribó Teobert Maler (1895 y 1904) para elaborar un nuevo plano por encargo del Museo Peabody de la Universidad de Harvard. Estuvo más de tres meses dibujando y tomando fotografías, y luego se negó a entregar su mapa por temor de que la publicación de su trabajo sobre Tikal enriqueciera al Peabody; dicho mapa nunca fue encontrado. Unos años después, el Museo organizó una expedición encabezada por Alfred Marston Tozzer para levantar otro mapa. Finalmente, en 1911 el Peabody publicó un excelente informe de Maler y Tozzer.

En 1956 el University Museum de la Universidad de Pennsylvania, con la colaboración del gobierno de Guatemala, realizó el Proyecto Tikal, del que fueron directores Edwin M. Shook, William Coe y George Guillemin, y que duró 11 años. Participaron arqueólogos, antropólogos, historiadores y otros científicos. Durante esta temporada fue elaborado un mapa completo del sitio, se excavaron muchas construcciones y se efectuaron trabajos de restauración en la Gran Plaza, las Acrópolis Norte y Central y varios grupos de pirámides gemelas.

A partir de 1970, el Instituto de Antropología e Historia de Guatemala asumió la responsabilidad del Parque Nacional Tikal, y entre 1972 y 1980 se realizaron varios trabajos. Y finalmente se inició el Proyecto Nacional Tikal, enfocado principalmente a uno de los más grandes e importantes conjuntos del lugar, denominado Mundo Perdido, aunque también se excavaron otras áreas. La investigación se realizó entre 1979 y 1985, dirigida por Juan Pedro Laporte y Marco Antonio Bailey. Uno de sus logros fue comprobar que Mundo Perdido y Acrópolis Norte son las zonas más antiguas, donde se asentaron los primeros pobladores de Tikal.[33]

Copán, Honduras

Copán fue conocida por el mundo occidental desde el siglo XVI. Fue Diego García de Palacio, en 1576, quien escribió el primer informe, cuyos detalles revelan que el autor estuvo realmente ahí.[34] Y la primera expedición oficial se realizó en 1834 por el coronel Juan Galindo, comisionado por el gobierno de Centroamérica, quien hizo descripciones y dibujos, así como algunas excavaciones. Stephens y Catherwood conocieron esas publicaciones y viajaron al sitio. Dos opiniones de Stephens son relevantes: que la escritura y el arte maya hablaban de hechos históricos y que habían sido crea-

[31] *Ibid.*, p. 30.

[32] Alcina Franch, 1995: 54.

[33] Valdés, "Tikal", en Agurcia Fasquelle y Valdés, 1994: 99-104.

[34] García de Palacio, 1983: 89.

Foto: Jorge Pérez de Lara

Copán, Honduras.

dos por los antecesores de los indígenas que aún habitaban en la región.

Varias décadas después, en 1885, llega a Copán Alfred Maudslay, quien realizó excavaciones, planos y mapas de las estructuras, fotografías, moldes y réplicas que llevó a Inglaterra, así como excelentes dibujos de las esculturas. Fotografió y describió edificios y esculturas después desaparecidos, como el Templo 20, que fue destruido por el río Copán.

Motivado por los trabajos de Maudslay, Charles P. Bowditch hizo investigaciones en Copán de 1891 a 1895, con autorización del Museo Peabody. Entre sus contribuciones más importantes se pueden mencionar el descubrimiento de nueve estelas y numerosas inscripciones, así como la excavación de la escalera jeroglífica. Pero el primer arqueólogo que habla de Copán como una gran ciudad que desplegó su influencia hasta Quiriguá fue Sylvanus Morley. En 1920 publicó un grueso volumen titulado *The Inscriptions at Copán*, que fue ejemplar para todos los estudios epigráficos mayas. Y de 1935 a 1946, la Institución Carnegie, en colaboración con el gobierno de Honduras, realizó un proyecto, bajo la dirección de Gustav Strömsvik, dedicado a la restauración del Grupo Principal, dando a muchos edificios el aspecto que presentan hoy; el trabajo más ambicioso fue la restauración de la escalera jeroglífica.

La arqueología moderna empieza en 1975, con el proyecto de carácter multidisciplinario del Museo Peabody de la Universidad de Harvard, encabezado por Gordon Willey. En 1977, el gobierno de Honduras, a través del Instituto Hondureño de Antropología e Historia, echa a andar el Proyecto Arqueológico Copán, cuya primera fase se inició bajo la dirección de Claude Baudez del Centre National de la Recherche Scientifique de Francia, y logró avances como la conclusión del mapa arqueológico del valle de Copán. Y en diciembre de 1980, William Sanders y David Webster realizan un proyecto de excavaciones intensivas y restauración en el barrio de Las Sepulturas.[35] Una de las conclusiones de los proyectos de Gordon Willey, Claude Baudez y William Sanders fue que en las décadas finales de su historia Copán no era autosuficiente en su agricultura, dependía de la importación de alimentos por su alta densidad poblacional.

De 1989 a 1994 se realizó el Proyecto Arqueológico Acrópolis de Copán, dirigido por William Fash de la Universidad de Harvard y Ricardo Agurcia Fasquelle de la Asociación Copán, y auspiciado por el gobierno de Honduras. Colaboró en este proyecto el Museo de la Universidad de Pennsylvania, bajo la dirección de Robert Sharer. De los múltiples trabajos, cabe destacar los realizados en la estructura 1OL-16 o Templo 16, al centro de la Acrópolis, donde Ricardo Agurcia Fasquelle hizo uno de los más importantes hallazgos:

> Dentro de la estructura 1OL-16, al centro de la Acrópolis de Copán, descubrí el 23 de junio de 1989, al antecesor de ésta y le dí el nombre de campo de "ROSALILA". Hasta ahora, esta construcción representa, para el sitio, el mejor ejemplo de su arquitectura y arte monumental.[36]

El templo está en un extraordinario estado de conservación, ya que antes de enterrarlo, fue preparado como un ser viviente:[37] sus cuartos, molduras y nichos fueron rellenados con barro y piedras, mientras que sus enormes paneles de estuco policromados fueron recubiertos con una gruesa capa de estuco blanco. Rosalila fue el templo más importante de la ciudad a finales del siglo VI d.C.

Y en 1992, penetrando aún más profundamente en el Templo 16 ...y en el tiempo..., a través de una red de túneles, se fueron hallando otras plataformas y edificios. En esta excavación participaron, entre otros, Robert J. Sharer y David W. Sedat. En la llamada Mini-Acrópolis del Sur, datada en el periodo más antiguo de Copán, Sedat excavó un túnel hacia el corazón de la pirámide y a fines de 1993 halló una espectacular estructura que fue denominada Margarita, enterrada directamente bajo Rosalila, en cuyo panel de fachada se representó, en un bello altorrelieve de estuco policromado, el símbolo de quien fundó la dinastía copaneca en 426 d.C., K'inich Yax K'uk' Mo', que también fue retratado en el famoso Altar Q, colocado en la plaza frente al Templo 16.[38]

[35] Fash, 1996.

[36] Agurcia Fasquelle, inédito: 1.

[37] Los chortís actuales entierran a sus muertos envueltos en un manto blanco.

[38] Sedat y López, 1999.

ZONA ARQUEOLÓGICA DE
COMALCALCO, TABASCO

LADRILLO DE ARCILLA, COCIDO
Y GRABADO, PROCEDENTE DE
COMALCALCO

GARETH LOWE
CHIAPA DE CORZO, CHIAPAS
PROYECTO FUNDACIÓN ARQUEOLÓGICA DEL NUEVO MUNDO

VISTA AÉREA DEL CUADRANTE SUROESTE DE CHIAPA DE CORZO. PROYECTO FUNDACIÓN ARQUEOLÓGICA DEL NUEVO MUNDO, ENCABEZADO POR GARETH LOWE

REUBICACIÓN DE LOS MONUMENTOS DE IZAPA. PROYECTO FUNDACIÓN ARQUEOLÓGICA DEL NUEVO MUNDO, DIRIGIDA POR GARETH LOWE

ESTELA 50 DE IZAPA

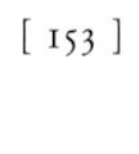

LÁPIDA DE DUPAIX

TRONO DE IZAPA

ALBERTO RUZ LHUILLIER (1906-1979)
TUMBA DEL TEMPLO DE LAS INSCRIPCIONES

ALBERTO RUZ LIMPIANDO LA CABEZA DE ESTUCO HALLADA EN LA TUMBA DEL TEMPLO DE LAS INSCRIPCIONES, 1952

CABEZA ANTROPOMORFA MODELADA EN ESTUCO

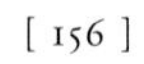

MÁSCARA FUNERARIA DE PACAL CON INCRUSTACIONES DE JADE. PROCEDE DE LA TUMBA DEL TEMPLO DE LAS INSCRIPCIONES DE PALENQUE

TEMPLO DE LAS INSCRIPCIONES, PALENQUE, EN 1950, ANTES DE LOS TRABAJOS DE ALBERTO RUZ

ARNOLDO GONZÁLEZ CRUZ
PROYECTO ESPECIAL PALENQUE
TEMPLO XIII. TUMBA DE LA REINA ROJA

TUMBA DE LA REINA ROJA, PALENQUE, DESCUBIERTA POR ARNOLDO GONZÁLEZ CRUZ Y SU EQUIPO

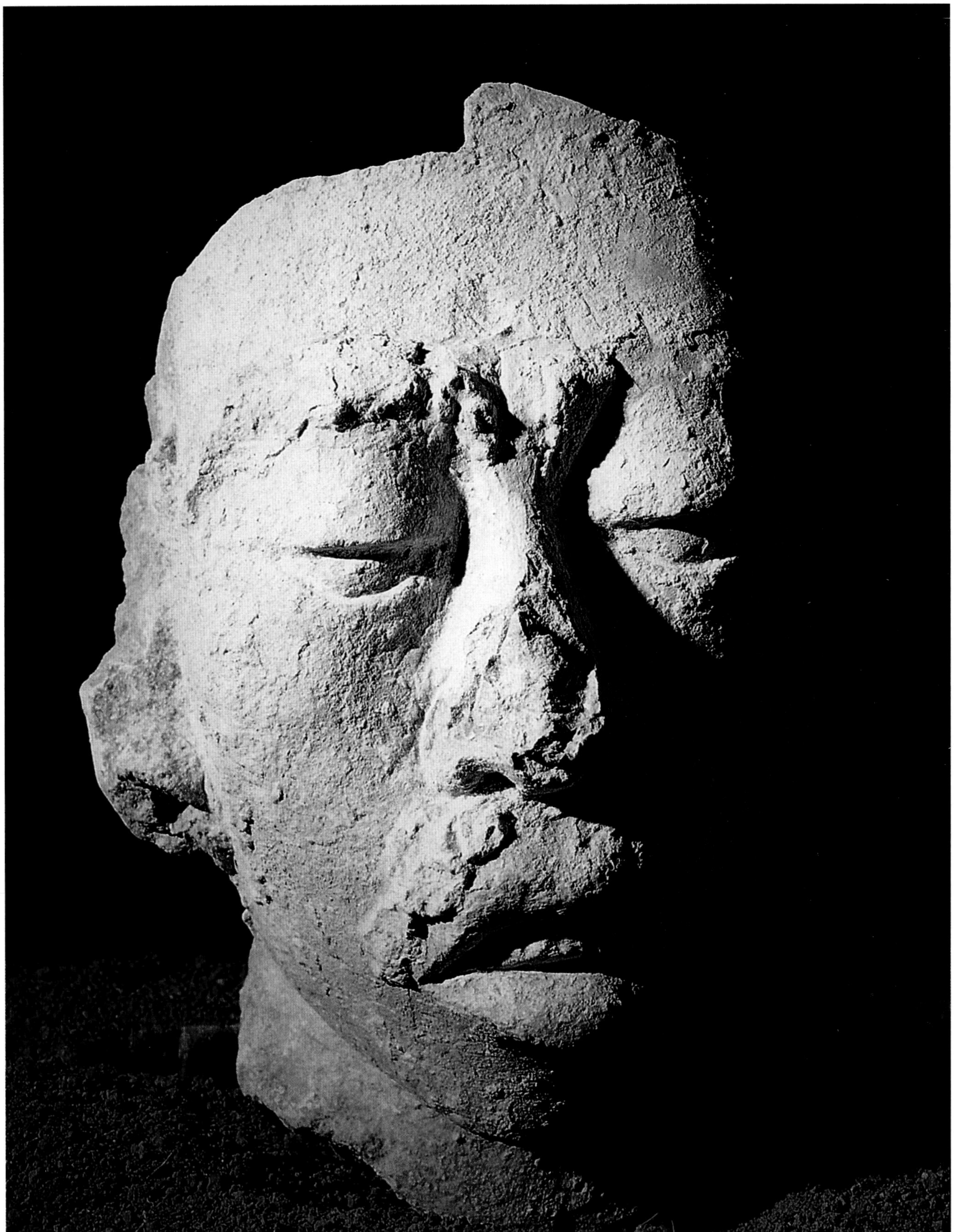

CABEZA DE ANCIANO PROCEDE DE
LAS EXCAVACIONES DEL PROYECTO
ESPECIAL TONINÁ, CHIAPAS,
DIRIGIDAS POR JUAN YADEUM

ARQUEOLOGÍA EN LA PENÍNSULA DE YUCATÁN

AGUSTÍN PEÑA CASTILLO

INTRODUCCIÓN

El relativo desinterés de los conquistadores españoles hacia la península de Yucatán debido a la ausencia de minerales como el oro o la plata en su seno, que retrasó su colonización y desarrollo, propició, sin embargo, la preservación de infinidad de asentamientos prehispánicos, desde pequeñas aldeas hasta enormes metrópolis como Chichén Itzá y Uxmal, los cuales comprenden un periodo que abarca desde varios siglos antes de nuestra era hasta la llegada de los europeos en el siglo XVI.

En este trabajo nos proponemos hacer un recuento de lo que ha sido la trayectoria de la visión que propios y extraños han tenido de los vestigios prehispánicos. En vista de la imposibilidad de mencionar aquí de manera exhaustiva a todos los que se han interesado en las antigüedades mayas en el territorio de lo que hoy es Campeche, Quintana Roo y Yucatán desde el siglo XVI, iniciaremos nuestra crónica a partir de la llegada, a mediados del siglo XIX, de John Stephens y Frederick Caterwood, quienes a través de sus descripciones e imágenes abren al mundo las maravillas de la civilización maya, desencadenando el arribo, en apretada sucesión, de viajeros y exploradores tanto del viejo mundo como de los Estados Unidos de Norteamérica.

La presencia de algunos investigadores en distintos sitios y entidades de la península nos obliga, en favor de la claridad, a mencionarlos en el lugar o región que a nuestro arbitrario hayan hecho la mayor aportación, aunque en algún caso los referimos en varias ocasiones.

La afortunada abundancia en los últimos decenios de proyectos y arqueólogos hace imposible mencionar a todos, por lo que de antemano pido la comprensión de los colegas que no sean mencionados por falta de espacio. Se ha suprimido la mención de los títulos académicos en favor de la claridad.

Hemos tratado, hasta donde fue posible —sobre todo en el momento más temprano—, mencionar a personajes yucatecos —en sentido peninsular— con el ánimo de expresar la perspectiva local de las corrientes científicas y culturales imperantes en el país.

LA PRIMERA VISIÓN[1]

En 1839 fue enviado como diplomático a Centroamérica el estadounidense John L. Stephens, quien junto al arquitecto inglés Frederick Caterwood llevó a cabo dos viajes en los cuales recorrió Belice, Guatemala, Chiapas y la Península de Yucatán y publicó *Incidents of Travel in Central América, Chiapas y Yucatán* (1841) e *Incidents of Travel in Yucatán* (1843). Es importante notar que este último volumen fue traducido al español por el patriarca de las letras yucatecas don Justo Sierra O'Reilly en 1848, con interesantes notas y comentarios.[2] Un aspecto interesante del trabajo de Caterwood es que utilizó para fijar sus imágenes el aparato conocido como daguerrotipo, el cual permite fijar sobre una placa metálica sensible las imágenes obtenidas en la cámara oscura o cámara lúcida.

[1] Agradezco a Luis Millet Cámara la información que gentilmente nos cedió con relación al cura Carrillo de Ticul y a Juan Peón Contreras.

[2] Ruz Menéndez, 1984.

Con los viajes de estos exploradores se inició la arqueología maya, con lo que se reúnen por primera vez descripciones exactas y dibujos fieles de los sitios prehispánicos.

El éxito de sus libros atrajo la atención de otros anticuarios, que habrían de visitar y escribir acerca de los monumentos mayas en los siguientes años.[3]

Un personaje muy pocas veces mencionado al referir los viajes de Stephens y Caterwood a Yucatán es fray Estanislao Carrillo, cura del poblado de Ticul y hombre muy interesado en la antigüedad peninsular. Recorrió exhaustivamente los alrededores de Teabo, su pueblo natal[4] y Ticul, en donde desarrolló su labor apostólica. Conoció y apoyó a Stephens y Caterwood en sus viajes por el Puuc, brindándoles hospedaje en el convento de Ticul así como apoyo logístico a través de sus contactos personales. A este fraile debemos la recopilación de la leyenda del enano de Uxmal, la cual le fue narrada por un indígena en Nohpat, lugar donde había llegado para hacer una descripción de las ruinas ahí existentes. A instancias de Stephens se dirigió a Maní, en donde realizó una copia fiel de algunos textos relacionados con el mapa antiguo de la provincia.

Conocemos de él dos escritos, publicados ambos en *El Registro Yucateco* (Mérida, 1845), firmados con el seudónimo "Un curioso" y titulados "Una ciudad murada" y "Dos días en Nohpat".

Al terminar su segundo viaje a Yucatán, Stephens envió al cura Carrillo un diploma en el cual se le nombra miembro honorario de la Sociedad Histórica de Nueva York.

Falleció en Ticul el 21 de mayo de 1846. Su tumba se encuentra en la parte exterior de la puerta mayor en la iglesia parroquial.

Yucatán

Chichén Itzá

Prácticamente desde el siglo XVI existen noticias de esta gran metrópoli prehispánica, reportada y visitada por Diego de Landa, quien nos dejó además un sencillo dibujo de su edificio más sobresaliente: la Pirámide de Kukulkán. Fue visitada por John Stephens y Frederick Caterwood durante su segundo viaje a Yucatán. Su estancia se extendió del 14 al 29 de marzo de 1842, y se menciona que Chichén Itzá era el único punto del cual habrán oído hablar desde antes de embarcarse hacia Yucatán y aun en su primera llegada a la ciudad de Mérida.[5] Además de la descripción de ocho edificios que visitaron,[6] levantaron un plano del sitio.

En 1875 Chichén Itzá fue visitada y explorada durante tres meses por Augusto Le Plongeon. De origen francoamericano, este extravagante personaje desarrolló una serie de teorías acerca de las culturas mesoamericanas, las cuales aun en su tiempo fueron rechazadas. Llegó a nuestro país acompañado de su esposa en 1873 y acumuló un total de 11 años de trabajo de campo en diversas regiones mesoamericanas, incluida por supuesto el área maya.

Sus publicaciones, plagadas de ideas e hipótesis fantásticas, carecen de utilidad, aunque su tremenda audacia y el uso de la novedosa cámara fotográfica le permitieron registrar ampliamente sus visitas,[7] además de que sus planos y dibujos tienen un alto grado de exactitud.[8]

A raíz del examen de las pinturas murales en el Templo Superior de Los Jaguares, identificó la imagen de quien consideraba fue un príncipe llamado Chacmool ("garra roja" en lengua maya). Posteriormente, decidido a encontrar su tumba, excavó sobre la estructura ahora conocida como Plataforma de Venus, muy cerca de la Pirámide de Kukulkán, en la cual entre otros objetos encontró una escultura antropomorfa apoyada parcialmente sobre su espalda, las piernas semiflexionadas, las manos sobre el abdomen y el rostro mirando hacia un lado. Su automática identificación como el mencionado príncipe, bautizó hasta el presente con aquel nombre a las decenas de esculturas de este tipo encontradas en diversos sitios de Mesoamérica.[9]

[3] Velázquez *et al.*, 1988.

[4] Ortegón, 1993.

[5] Stephens, vol. I, 1984.

[6] *Gimnasium* (actualmente Gran Juego de Pelota), *Teocalis o Castillo* (Castillo o Pirámide de Kukulcán), *Edificio con muchas columnas* (Templo de los Guerreros), *Pequeño Templo* (La Casa del Venado), *Edificio con jeroglíficos* (Chichanchob o Casa Colorada), *Edificio circular* (El Observatorio o El Caracol), *Akatseeb* (Akadzib), *Las Monjas* (Las Monjas) [Stephens, *op. cit.*].

[7] Bernal, 1992; Desmond y Messenger, 1988.

[8] Pollock, 1941.

[9] Carmichel, 1973.

Anexo de las Monjas en Chichén Itzá, fotografía tomada por Désiré Charnay.

Mucho de su material fotográfico es aún utilizado para conocer el estado de preservación en que se encontraban los edificios de Chichén Itzá hace cien años.

Poco después de la estancia de Le Plongeon, en 1899, la gran metrópoli del norte de Yucatán fue visitada por Alfred Percival Maudslay, quien además de utilizar la novedosa cámara fotográfica aplicó una gran dosis de exactitud en sus planos, en la descripción de los edificios y cuidado en sus dibujos gráficos.[10] Sus extensivas exploraciones resultaron en un gran cuerpo de información plasmada en su monumental obra *Biologia Centrali-Americana* (1889 y 1902). Maudslay fue enteramente moderno en su acercamiento al problema histórico combinando material documental temprano, geografía, etnología, lingüística, mitología y arqueología para recuperar la historia.[11]

[10] Bernal, 1992.

[11] Pollock, 1941.

Inició sus viajes de exploración en 1872, como administrador colonial de la corona británica, y regresó seis veces más entre esa fecha y 1894.

Entre 1900 y 1907 estuvo en Chichén Itzá, Adela Catherine Breton, viajera inglesa quien llegó a nuestro país después de visitar el lejano oriente y varios lugares del norte, centro y sur de América. Visitó México y Centroamérica 13 veces. Pintó y coloreó acuarelas de las 15 figuras tipo atlante encontradas en la cámara exterior del Templo Norte del Gran Juego de Pelota y fabricó moldes de varios de los dinteles del sitio.[12] Pero la obra por la que es ampliamente reconocida es la fiel reproducción de los murales del interior del Templo Superior de Los Tigres en el Gran Juego de Pelota, en el cual se describen diversas batallas cubriendo los cuatro muros del cuarto. En algunas secciones se observa un paisaje montaño-

[12] Carmichel, 1973.

Adela Breton en Chichén Itzá.

so y la pelea que se lleva a cabo en una aldea a la orilla del agua. Este trabajo fue realizado entre 1904 y 1906.[13] Visitó además Uxmal y Acanceh pintando en este último los relieves de un friso de estuco.[14] Actualmente su obra se encuentra depositada en el Museo de Bristol en Inglaterra, lugar donde nació esta sobresaliente artista.

El primer restaurador de Chichén Itzá fue Santiago Bolio, quien hacia 1905 llevó a cabo trabajos en la escalinata poniente de la Pirámide de Kukulkán. Al parecer este personaje no tomó en cuenta la información que había proporcionado Diego de Landa acerca del número de peldaños de cada escalera, pues considerando este criterio, en 1927 Eduardo Martínez Cantón y José Erosa Peniche rehicieron la escalinata constituyéndose en referencia para los posteriores trabajos en ese importante edificio.

Fue Santiago Bolio un personaje controvertido, ya que fungía como inspector de Monumentos del Gobierno Mexicano en Yucatán cuando Edward Thompson llevó a cabo el dragado del Cenote Sagrado.[15]

El trabajo arqueológico sistemático en Chichén Itzá se inició con la llegada al sitio del grupo de la Institución Carnegie de Washington encabezado por Sylvanus G. Morley, al firmar un convenio de trabajo con el gobierno mexicano por diez años para intervenir en el Templo de los Guerreros, Las Monjas, El Observatorio, Templo de los Tableros Esculpidos, El Mercado y La Casa Redonda.[16]

Simultáneamente, el gobierno mexicano encargó a Eduardo Martínez Cantón[17] y José A. Erosa Peniche la exploración y restauración de la Pirámide de Kukulkán, lo que se llevó a cabo entre 1927 y 1936, y que incluyó los costados norte y oeste del basamento piramidal en su última etapa, la identificación de la subestructura y el templo superior.[18] En 1923 Miguel Ángel Fernández inició los trabajos de liberación y restauración del Grupo del Gran Juego de Pelota en el Templo Superior de los Jaguares. Es muy meritorio su trabajo de recolección y armado de las piedras con bajorrelieves que permitieron reintegrar la parte exterior del Templo Superior de los Jaguares, el interior del Templo Norte o Templo del Hombre Barbado y los taludes de las banquetas de la cancha.[19] Martínez Cantón en 1927 intervino en los trabajos del Templo Superior de Los Jaguares, y a partir de 1930 fue apoyado por Enrique Juan Palacios, concluyendo en 1932.[20]

Aunque desde 1931 se llevó a cabo un trabajo preliminar, no fue hasta 1951 que Jorge Acosta Ruffier, con la colaboración de Ponciano Salazar, se hizo cargo de la restauración integral del Tzompantli o Muro de Cráneos —donde rescató una escultura de Chacmool—, la Plataforma de las Águilas y la Plataforma de Venus.[21]

Con estos trabajos concluyó una etapa de exploraciones dedicada casi exclusivamente a la liberación y restauración de los grandes edificios de Chichén Itzá, tanto por los norteamericanos como por el gobierno de México.

[13] Coggins y Shane, 1989.

[14] Miller, 1991.

[15] Martínez Cantón, 1930; Ramírez Aznar, 1990, y Maldonado, 1997.

[16] Morgan, 1972.

[17] Sustituido en 1935 por Manuel Cirerol Sansores como jefe de Zonas Arqueológicas de Yucatán. (Maldonado, 1997).

[18] Maldonado, 1997; Peña, 1998.

[19] Morgan, 1972; Marquina, 1964.

[20] Maldonado. 1997.

[21] Acosta, 1951; Morgan, 1972.

La mención en las fuentes indígenas y en las crónicas del siglo XVI acerca de la importancia que tuvo el Pozo de los Sacrificios o Cenote Sagrado en la vida no sólo de Chichén Itzá sino del noroeste de la Península de Yucatán como punto de comunicación con los dioses, despertó desde muy temprano grandes expectativas sobre lo que ocultarían sus aguas, sobre todo a la luz de los sacrificios humanos y ofrendas que se lanzaban a su seno.

El primer dragado del cenote fue llevado a cabo a principios del siglo XX por el norteamericano Edward Thompson, quien entre 1904 y 1911 extrajo una gran cantidad de materiales de oro, jade, cerámica y perecederos, además de restos óseos, los cuales en ese tiempo fueron entregados al Museo Peabody de Washington. En 1976 un lote de 246 piezas fue devuelto al gobierno mexicano, con lo que pasó a formar parte del acervo del Museo Regional de Antropología Palacio Cantón en Mérida, Yucatán.

No es hasta 1960-1961 que se intentó recuperar materiales del Cenote Sagrado por medio de equipo moderno. En esa ocasión con la anuencia del INAH y bajo la dirección de Román Piña Chan se intentó extraer material del fondo por medio de una enorme aspiradora conocida como "airlift", pero la absorción era tan violenta que destruía los materiales. En base a esa experiencia se planeó una exploración que tuviera un nivel adecuado de control arqueológico para recuperar y preservar debidamente los hallazgos. En 1967 se implementó el proyecto con la participación del INAH, la National Geographic Society y el Club de Exploraciones y Deportes Acuáticos de México (CEDAM). El trabajo se realizó mediante dos procedimientos: el abatimiento del espejo de agua del cenote, sacando a la superficie la parte menos profunda del fondo, en donde se llevó a cabo una excavación estratigráfica. Para controlar la extracción en la parte del fondo que permaneció bajo el agua se establecieron cuadrantes y se aplicó una sustancia clarificadora ampliándose la visibilidad hasta ocho a diez metros.[22]

Entre 1977 y 1978 Peter J. Schmidt S. realizó un recorrido en el sitio para delimitar su extensión con fines de protección legal y jurídica, planteando ya la necesidad de estudiar Chichén Itzá desde el punto de vista del patrón de asentamiento como alternativa al intenso trabajo en arquitectura monumental anterior.[23] Llevó a cabo la consolidación de las escalinatas este y sur de la Pirámide del Kukulkán.

Durante los años de 1990 y 1991 se realizaron trabajos de liberación y restauración en el Grupo de las Mil Columnas, incluyendo la Columnata Oeste, y se concluyó la restauración de la Columnata Norte, que había restaurado en gran medida Agustín Peña Castillo. Se liberó y consolidó la mitad del patio interior del Mercado.[24]

A partir de 1991, en el marco de los Proyectos Especiales CONACULTA-INAH, se llevaron a cabo importantes trabajos encabezados por Peter Schmidt, en donde además de la liberación y consolidación de arquitectura monumental —Plaza de la Tumba del Gran Sacerdote, Plaza de las Mil Columnas, entre otros— se ha dedicado por mucho tiempo a la localización del complejo sistema de calzadas (sacbe-ob), así como al enriquecimiento del plano general del sitio, tarea en la que ha participado Rafael Cobos Palma, de la Universidad Autónoma de Yucatán.

Hay que mencionar también el trabajo de análisis del patrón de asentamiento que realizó Charles Edward Lincoln, de la Universidad de Harvard, entre 1982 y 1986.[25]

Muy relacionada con esta gran metrópoli, pero en la costa norte de Yucatán, se encuentra Isla Cerritos, donde un equipo compuesto por los arqueólogos Anthony P. Andrews, Tomás Gallareta Negrón, Fernando Robles Castellanos, Rafael Cobos Palma y Pura Cervera Rivero desarrollaron trabajos de recorrido y excavación en 1984 y 1985. Reconocimientos anteriores habían sugerido que esta isla fue un puerto de intercambio controlado por Chichén Itzá, lo cual fue confirmado por dichas exploraciones, reconociendo contactos con diversos lugares de Mesoamérica, como las tierras altas de Guatemala y el altiplano central.[26]

Uxmal

Teoberto Maler es uno de los más importantes pioneros en la exploración de los vestigios mayas. Nació en Roma, creció

[22] Entre los jóvenes arqueólogos participantes se encontraban Amalia Cardós, Ana María Crespo, Otto Schöndube, Juan Pedro Laporte y Yoko Sigura. Víctor Segovia Pinto, arqueólogo residente y asistente del director general fue capacitado en las técnicas de buceo con lo que se contó con un arqueólogo-buzo (Piña Chan, 1970).

[23] Schmidt, 1981.

[24] Peña C. 1990.

[25] Lincoln, 1990, 1991.

[26] Anthony Andrews *et al.*, 1998.

Detalle del Palacio del Gobernador captado por Désiré Charnay.

en Baden y adoptó la nacionalidad austriaca. Llegó a México como voluntario del ejército austriaco en apoyo al emperador Maximiliano de Habsburgo. Permaneció en Centroamérica y México la mayor parte de su vida. Después de visitar varias regiones del país se estableció en la ciudad de Mérida (1884). En el curso de los siguientes nueve años (1886-1894) visitó, descubrió o redescubrió aproximadamente cien sitios arqueológicos en la Península de Yucatán entre los que se encuentran Labná, Kabah, Uxmal y Chichén Itzá en Yucatán y El Meco y Cobá en Quintana Roo.[27] Desarrolló tres proyectos para el Museo Peabody de la Universidad de Harvard.

Muchos de los reportes, planos, dibujos y fotografías que componen su obra fueron publicados a finales del siglo XIX y principios del XX por investigadores como Eduard Seler, aunque una gran cantidad todavía está inédita.[28] Las fotografías tomadas por este explorador son de una calidad inigualable. Reproducen de una manera precisa y artística los principales edificios de los sitios que visitó. Sus estancias en Uxmal se realizaron en el periodo comprendido entre 1886 y 1892.[29] Gran cantidad de sus fotografías se encuentran en la fototeca de la Facultad de Ciencias Antropológicas de la Universidad Autónoma de Yucatán. Murió en Mérida en 1917.

Hacia 1930, bajo los auspicios de los organizadores de la Feria Mundial de Chicago y la Universidad de Tulane, Frans Blom visitó Uxmal. Exploró una baja plataforma frente al Palacio del Gobernador rescatando una estela monolítica (número 14) que exhibe rastros típicos de monumentos mayas del sur. Preparó un plano general del sitio y realizó levantamientos detallados del Cuadrángulo de Las Monjas y la Pirámide del Adivino.[30]

Durante los años treinta y cuarenta del siglo XX se llevaron a cabo trabajos de liberación y restauración por casi los mismos investigadores que intervinieron en Chichén Itzá, como Eduardo Martínez Cantón, Manuel Cirerol Sansores y José Erosa Peniche. Sin embargo, a partir de 1947 Alberto Ruz Lhuillier se hizo cargo de los trabajos con apoyo de César Augusto Sáenz Vargas. Intervinieron el Edificio Chenes en la Plataforma del Gobernador, el Juego de Pelota, el Cuadrángulo de Las Monjas y la Pirámide del Adivino. El propio Alberto Ruz encontró una gran ofrenda al excavar la Plataforma del Jaguar Bicéfalo frente a la Casa del Gobernador, compuesta por 913 piezas trabajadas sobre materiales como el tecali o alabastro, jade, piedra gris, concha, sílex y obsidiana.[31]

No fue hasta 1968 y 1973 cuando Sáenz se hizo responsable de continuar los trabajos de exploración en La Pirámide del Adivino y El Palacio, entre otros.[32] En 1955 Jorge Acosta Ruffier intervino el edificio norte del Cuadrángulo de Las Monjas, en donde utilizó por primera vez dinteles de concreto ocultos en el vano de las entradas, siendo visibles los de madera aunque ya no sostienen carga.[33]

Entre 1973 y 1974 los arqueólogos Pablo Mayer Guala y Barbara Konieczna supervisaron la excavación de trincheras para la instalación del sistema de luz y sonido, explorando además estructuras aledañas al Cuadrángulo de Las Monjas.[34]

En 1977 y 1978 Rubén Maldonado Cárdenas llevó a cabo la restauración del Juego de Pelota, que ya había sido intervenido por Morley (1941 y 1948) y Ruz (1958), y que presentaba un alto grado de deterioro.[35]

Alfredo Barrera Rubio encabezó en 1977 trabajos arqueológicos con la finalidad de conocer el patrón de asentamiento de esta metrópoli maya.[36]

Desde 1992 José Guadalupe Huchím Herrera ha realizado extensos trabajos de restauración en Uxmal. Sobresale entre ellos la anastilosis en el edificio Los Pájaros, ubicado entre el Cuadrángulo de Las Monjas y la Pirámide del Adivino.

Mayapán

Esta ciudad prehispánica, a pesar de ser conocida y mencionada desde el siglo XVI; de haber sido referida por Stephens y Caterwood en una visita que realizaron en su viaje de 1841-1942; y de que Brasseur de Bourbourg resaltara su importancia a través de un informe que envió a Francia, no fue explorada sistemáticamente hasta 1950, cuando la Institución Car-

[27] Benavides, 1981; Andrews y Robles, 1986; García Moll, 1986.

[28] Mayer, 1985.

[29] Barrera Rubio, 1985.

[30] Ruz, 1974; Kowalski, 1987; Barrera Rubio, 1985.

[31] Kowalski, 1987.

[32] Gallegos, 1997.

[33] Matos Moctezuma, 1976.

[34] Kowalski, 1987; Barrera Rubio, 1985.

[35] Maldonado, 1981.

[36] Barrera Rubio, 1981.

negie de Washington comisionó a Harry D. E. Pollock, entonces director de su Sección Histórica, quien fue apoyado por investigadores como E. M. Shook, J. E. S. Thompson, Tatiana Proskouriakoff, Robert E. Smith y el ingeniero Morris R. Jones, entre otros, para implementar los primeros registros sistemáticos de prospección, excavación y análisis de materiales. Pocos planos de ciudades arqueológicas se han levantado con el cuidado y la minuciosidad con los que éste fue llevado a cabo.[37] Después, Mayapán vuelve a ser olvidado en lo que a proyectos de restauración se refiere. Más recientemente, desde 1994, con el apoyo de gobierno del estado de Yucatán, Carlos Peraza Lope desarrolló nuevos trabajos de restauración arquitectónica en los que se han incluido las principales estructuras, entre ellas la Pirámide de Kukulkán.

Dzibilchaltún

A principio de los años cincuenta el ilustre filólogo yucateco Alfredo Barrera Vázquez visitó, en compañía del doctor E. Wyllys Andrews IV, un grupo de ruinas prehispánicas cercanas al pueblo de Dzibilchaltún, ubicado a unos 15 km al norte de la ciudad de Mérida. Algunos años después (1956) se inició un proyecto arqueológico, cuya actividad se prolongó durante 12 años, encabezado por el doctor Andrews, con anuencia del INAH y patrocinado por la Universidad de Tulane y la National Geographic Society, entre otras instituciones. Al finalizar los trabajos se había sacado a la luz una ciudad prehispánica que cubrió una extensión de 50 km^2 en la cual se localizaron alrededor de cincuenta mil estructuras en rangos que van desde la arquitectura monumental con estelas y sacbe-ob asociados con diferentes edificios como el Templo de las Siete Muñecas hasta bajas plataformas habitacionales.[38] Esta enorme concentración de restos prehispánicos demostró también que el norte de la Península de Yucatán floreció autónoma y contemporáneamente a las grandes ciudades mayas de las tierras bajas del sur. Hay que mencionar también el sistema de periodificación propuesto por el doctor Andrews como alternativa a los tradicionales términos preclásico-clásico-posclásico.

En años recientes Rubén Maldonado Cárdenas ha llevado a cabo importantes trabajos en la Plaza Principal, muy cerca del Cenote Xlacah y de la Capilla Colonial, especialmente en la Estructura 44.

[37] Marquina, 1964.

[38] Wauchope, 1968.

Campeche

Edzná

Este sitio arqueológico fue conocido por los habitantes del área desde mucho tiempo atrás, y aunque sabemos que en 1906 el jefe político del entonces partido de Campeche comunicó al gobernador la existencia de las ruinas, no fue hasta 1927 que don Nazario Quintana Bello, inspector de Monumentos Arqueológicos del gobierno mexicano, las dio a conocer con el nombre de Edzná.[39] Poco después fue visitada por el ingeniero José Reygadas Vértiz; Federico Mariscal presentó los primeros dibujos y planos en su *Estudio arquitectónico de las ruinas mayas* (1928) y Enrique Juan Palacios descifró, junto a Sylvanus G. Morley, algunas fechas en estelas del lugar.[40]

En 1943 Alberto Ruz Lhuillier con apoyo de Raúl Pavón Abreu, director del Museo Estatal, realizó los primeros trabajos de exploración determinando la extensión del núcleo de arquitectura monumental y estableciendo la cronología en base a pozos estratigráficos. Estos primeros trabajos, y algunos efectuados poco después, fueron generosamente apoyados por el historiador y gobernador de Campeche, Héctor Pérez Martínez.[41]

En 1958 y 1962 Raúl Pavón Abreu exploró y restauró la parte frontal de los edificios de la Gran Acrópolis. El primer trabajo de patrón de asentamiento fue llevado a cabo por George Andrews en 1968, quien al frente de un equipo patrocinado por la Universidad de Oregon, Estados Unidos, realizó un excelente mapa del recinto central así como de diversas áreas de la periferia, mencionando la existencia de un canal, el cual formó parte de un gran sistema hidráulico, identificado y registrado más tarde por Ray T. Matheny.[42]

En 1970, Román Piña Chan liberó y restauró, patrocinado por el INAH y el gobierno del estado de Campeche, la

[39] Benavides, 1997.

[40] Marquina, 1964; Piña Chan, 1978.

[41] Ruz, 1945.

[42] Matheny, *et al.*, 1983.

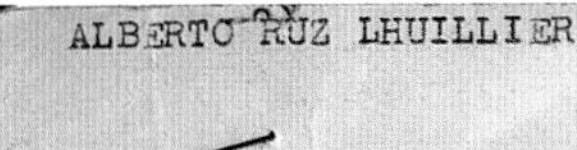

ALBERTO RUZ LHUILLIER

INSTITUTO NACIONAL DE ANTROPOLOGIA E HISTORIA

Nombre completo RUZ LHUILLIER, Alberto
Sexo Masc. Nacionalidad Mexicana.
Lugar de nacimiento Paris. Municipio
Estado País Francia.
Edad 34 años Fecha de nacimiento 27 En.906
Domicilio particular: San Cosma #4.-23.
Empleo actual Pract.Arqueología.
Trabajo que desempeña Est.cerám.Mont.Alb.
Oficina o centro de trabajo al cual depende Inst.
Lugar en que trabaja Instituto.

Edad manifestada a Pensiones 30 años
en el año de 1936. Estado civil: ¿Casado? Sí.
¿Soltero? Nombre de la esposa Silvia Rendón Mayoral.
Estatura 1.75 Mts. Color pelo Castaño.
Color ojos azul. Frente regular
Boca mediana Señas particulares
Nombre de los padres o parientes más cercanos Luisa Vda. de Ruz.
Domicilio "Le Croa".-San Antoine d'Auberoche.- Francia.
(Firma del interesado)

Feb 26 de 1941

Fil:R-u-1258

EMPLEOS QUE HA OCUPADO EN LA SECRETARIA DE EDUCACION	FECHA		DEPENDENCIA	RECOMENDACIONES
Prof. Ens. Sec. c.3 hs.	Feb.16	36	Enseñanza Secundaria	
Prof. "A" Ens. Voc. c. 3 hs.	"	37	Educación Obrera.	
Prof. Ens. Sec. c.6 hs.	En.	38	Enseñanza Secundaria.	
Prof.Ens.Tec.Sup. c 3 Hs.	"	39	Enseñanza Técnica.	
Prof.Ens.Tec.Sup. c.4 hs.	"	40	Emseñanza Técnica.	

SANCIONES

Archivo Técnico de la Coordinación Nacional de Arqueología, INAH

Alberto Ruz.

Gran Plaza, la Gran Acrópolis, la Plataforma de los Cuchillos, los templos Noroeste y Suroeste, el anexo de los Cinco Pisos, la Casa de la Luna y la Plataforma Puuc, continuando en 1975 y 1976 en el Sacbé o Calzada, el Anexo de los Cuchillos y el llamado Juego de Pelota.[43]

Una nueva generación de arqueólogos en la investigación sobre Edzná se inició con Luis Millet Cámara (1986 y 1987) y Antonio Benavides Castillo (1988-1993), quienes bajo los auspicios del Alto Comisionado de las Naciones Unidas para los Refugiados, la Comisión Mexicana de Ayuda a los Refugiados y el Instituto Nacional de Antropología e Historia trabajaron en esa zona. Los albañiles y jornaleros que participaron en dichos trabajos fueron habitantes guatemaltecos refugiados del campamento Quetzal-Edzná, muy cercano a las ruinas. Los trabajos de Benavides (1994-1997) fueron patrocinados también por la Unión Europea.[44]

Jaina

Esta pequeña isla que mide tres kilómetros de largo por 800 metros de ancho está ubicada 32 km al norte de la ciudad de Campeche. Se encuentra separada de tierra firme por un canal de aproximadamente cien metros de ancho.[45]

[43] Piña Chan, 1978; Benavides, 1997.

[44] Benavides, 1998.

[45] Ruz, 1969; Piña Chan, 1985.

Foto: Ignacio Guevara

Román Piña Chan.

Desde la parte final de la época prehispánica se menciona la existencia de esta isla, aunque fue hasta 1843 cuando se publican las primeras noticias modernas. Pero el explorador Désiré Charnay (1828-1909) fue quien nos dio noticia de una visita que llevó a cabo en 1886, cuando era dueño de ella don Andrés Espínola, quien tenía allí una habitación, sirvientes y millares de cocoteros.[46]

Refiere la existencia de cuatro grandes pirámides. Supone que la isla fue lugar de peregrinaciones. En cuanto a la idea de que es de origen artificial, la desmiente debido a que encuentra que su base es calcárea. Recolectó estatuillas de terracota y vasos, entre otros.[47] Reporta asimismo las dos estelas que se conocen en el sitio.[48]

Este personaje exploró las ruinas mayas usando los entonces nuevos negativos de placas de vidrio. Aunque la calidad de su trabajo fotográfico fue excelente, sus cortas estancias en los sitios limitaron el número de placas tomadas, por lo que no logró un registro sistemático.[49] Alcanza una gran fidelidad en sus planos y dibujos, los que revelan detalles anteriormente desconocidos; fue el primero en sacar moldes en papel de monolitos.[50] Désiré Charnay es un magnífico ejemplo de los exploradores del siglo XIX que en sus escritos lo mismo incluyen la relación de sus peripecias que interpretaciones desde sus muy particulares puntos de vista sobre los sitios que visitaban.[51]

La cantidad tan grande de entierros encontrados —la mayor parte destruidos por saqueadores— y las bellas figuras de terracota que siempre tienen como ofrenda, han propiciado que la mayor parte de las investigaciones se enfoquen al carácter funerario de la isla, con lo que se han sacrificado en gran medida otros aspectos como el patrón de asentamiento y el estudio de la arquitectura monumental.

Al principio de los años cuarenta, Hugo Moedano K. (1940-1941) y Miguel Ángel Fernández (1942) junto a Raúl Pavón Abreu estuvieron en Jaina. El primero incluyó el estudio de las diferentes clases de sepulturas así como una descripción cerámica preliminar, mientras que el segundo exploró algunos de los edificios de la isla.

En 1945 Román Piña Chan, en uno de sus primeros trabajos, exploró la isla y publicó *Breve estudio sobre la funeraria de Jaina* (1948). Más adelante, con el objetivo de incrementar las colecciones cerámicas para el nuevo Museo Nacional de Antropología, llevó a cabo nuevas exploraciones en compañía de Luis Aveleyra Arroyo de Anda, y con la colaboración de Agustín Delgado, Raúl Pavón Abreu y Héctor Gálvez, publicó *Jaina: la casa en el agua* (1968).

En 1957 César A. Sáenz y Carmen Cook de Leonard obtuvieron algunos datos de las estructuras, levantaron un croquis de la isla y recuperaron 389 entierros.[52]

Con un enfoque diferente, los antropólogos físicos Sergio López Alonso y Carlos Serrano Sánchez efectuaron sendas temporadas de trabajo en 1973 y 1974, recuperando en total 99 entierros. Como resultado se presentó el simposio "La población prehispánica de la isla de Jaina", Campeche, desarrollado en el marco de la XVII Mesa Redonda de la Sociedad Mexicana de Antropología (1984).

[46] Charnay, 1987.
[47] Ochoa y Salas, 1984.
[48] Ruz, 1945.
[49] Desmond y Messenger, 1998.
[50] Pollock, 1941.
[51] *Arqueología Mexicana*, núm. 22.
[52] Cook de Leonard, 1971, Ochoa y Salas, 1984.

Las más recientes intervenciones arqueológicas en Jaina han sido llevadas a cabo por Antonio Benavides Castillo a partir de 1986, cuando realizó prospecciones. Entre 1996 y 1998 se replanteó la investigación mediante un programa interdisciplinario, llevándose a cabo un trabajo exhaustivo: se topografió la mayor parte de la isla, se excavaron los edificios B y C del grupo Sayosal, y se tomaron muestras de pozos estratigráficos para análisis edafológico.[53]

Becán

Esta importante zona arqueológica, ubicada al sur del actual estado de Campeche, se asienta sobre una elevación natural y se encuentra rodeada por un foso seco de diez metros de profundidad, delimitando el grupo de arquitectura monumental de sitio. Sin embargo, por toda la vecindad inmediata se extiende una gran cantidad de plataformas habitacionales, muchas de las cuales están circundadas por bajas elevaciones artificiales que serpentean por el terreno y que conocemos en español como "camellones".

Los primeros visitantes modernos de esta región fueron sin duda los chicleros, quienes al iniciar la temporada de lluvias se internaban por veredas de herradura hasta las "centrales", en donde, estableciéndose provisionalmente, recolectaban la savia del árbol zapote, materia prima para la producción de la goma de mascar.

En 1969 se inició el Proyecto del Suroeste de Campeche, encabezado por E. Wyllys Andrews IV, investigador norteamericano que recién terminaba su trabajo en Dzibilchaltún. Definió como objetivo general el conocimiento de la región conocida arqueológicamente como Río Bec, la cual se ubica geográficamente entre la región del Petén al sur y el Puuc al norte. A nivel regional se llevaron a cabo recorridos de superficie, localizando algunos nuevos sitios y reubicando otros previamente visitados.

En lo que a Becán se refiere, además del plano detallado, se excavaron parcialmente seis estructuras y se desarrolló un amplio programa de pozos estratigráficos en los que se incluyó el foso. Andrews IV encabezó este proyecto hasta 1971, fecha de su muerte.[54]

[53] Zaragoza, 1999.

[54] Andrews, 1976.

Entre 1979 y 1985 el gobierno del estado de Campeche patrocinó labores de exploración y restauración en diversos sitios de la región Río Bec integrados en lo que se llamó Proyecto Arqueológico del Sur de Campeche, encabezado por Román Piña Chan. Además de Becán se intervino en Xpuhil, Chicanná, Hormiguero y Calakmul.[55] En varios de estos trabajos participó como jefe de campo Ricardo Bueno Cano, entonces recién egresado de la Escuela Nacional de Antropología, quien a partir de 1991 se hizo cargo de dicho proyecto. Falleció prematuramente en 1995.[56]

Calakmul

Esta gran metrópoli ubicada en el sur de Campeche, en la región arqueológica del Petén, fue conocida gracias al reporte de C. L. Lundell, quien trabajando para una compañía chiclera de la región, llegó al sitio en 1931.

Un año después, la Institución Carnegie organizó la primera de cuatro expediciones, las tres primeras directamente a Calakmul, encabezadas por Sylvanus G. Morley, John Denison Jr. y Karl Ruppert, respectivamente. La cuarta, también bajo la dirección de este último, incluyó un recorrido en el cual fueron visitados 29 sitios.[57] Habría que esperar hasta 1976, cuando un grupo del Centro Regional del Sureste del INAH, encabezado por Norberto González Crespo, accedió con vehículos de doble tracción a la ciudad de los dos cerros.

A partir de 1984, William J. Folan inició trabajos que incluyeron el mapeo detallado del sitio y exploraciones en diversas estructuras. Sus actividades se extendieron durante 1984-1985, 1988-1989 y 1993-1994.[58]

Desde 1993 Ramón Carrasco Vargas, del INAH, ha laborado en Calakmul, con lo que ha logrado avanzar en trabajos de epigrafía y restauración arquitectónica. Entre sus hallazgos mencionamos aquí el complejo funerario de la tumba del gobernante conocido como Garra de Jaguar y la identificación de la estructura II sub C, que ostenta una bóveda de cañón corrido, único en su género.

[55] Piña Chan, 1985.

[56] Campaña, 1996; Bueno Cano, 1999.

[57] Ruppert, 1943.

[58] Folan, 1996.

Sylvanus Griswold Morley y Juan Martínez Hernández.

Quintana Roo

Kohunlich

Antiguo yacimiento prehispánico ubicado 69 km al suroeste de la moderna ciudad de Chetumal, capital del estado de Quintana Roo. Como muchos sitios arqueológicos, fue bautizado —por Raymond Merwin hacia 1912— como Clarksville debido a un cercano campamento maderero.

Un intento de saqueo provocó su salida a la luz 52 años después, ya que en 1968 la intervención oportuna de unos campesinos del vecino pueblo de Francisco Villa evitó la destrucción de la estructura ahora conocida como Pirámide de los Mascarones. A partir de 1972 el INAH comisionó a Víctor Segovia Pinto para que llevara a cabo exploraciones tendientes a rescatar el sitio por su valor arqueológico y, a mediano plazo, para su aprovechamiento como atracción turística.

Desde el principio, Víctor Segovia imprimió al sitio su peculiar personalidad. Le inventó un nombre derivado del inglés *cohoon ridge*, que podemos traducir como "colina de corozos",[59] y que era como se conocía el paraje, expresándolo como Kohunlich, término maya que significa "un diente en la cara",[60] lo cual seguramente fue relacionado con los mascarones de estuco que han dado fama al sitio.[61] Fueron muy comentados también los árboles secos que Víctor sembró con la raíz hacia arriba a la entrada del sitio.

En 1978 y 1981, bajo la dirección de Norberto González Crespo, se integraron al trabajo seis investigadores del Centro Regional del Sureste.[62] Fue entonces cuando se realizaron trabajos en gran escala. Más recientemente (1993), con motivo de los 500 años del encuentro de dos mundos, se liberaron fondos para una nueva etapa de trabajos intensivos, los cuales[63] fueron dirigidos por Adriana Velázquez Morlet.[64]

A todo lo anterior hay que añadir las investigaciones arqueoastronómicas llevadas a cabo por Fernando Cortés de Brasdefer, a partir de las cuales se han identificado hierofanías en la pirámide de los Mascarones y la Plaza de las Estelas.

Dzibanché

El explorador Thomas Gann visitó por primera vez el sitio en 1927, reportando un basamento piramidal cuyo edificio superior contenía una galería abovedada y crestería, al que llamó Templo I. Más adelante, en 1972, Peter Harrison reportó que dicho edificio se encontraba en una plaza acondicionada en la parte más elevada de la zona. Pero no fue hasta las exploraciones llevadas a cabo entre 1993 y 1994 bajo la dirección de Enrique Nalda que se descubrió en el Templo I, entonces rebautizado como Templo del Búho, una escalera interior que conduce a un recinto funerario que se encuentra sólo a un metro del nivel externo de la plaza. Aunque al parecer no se trataba de la tumba de algún gobernante, sino la de algunos guardianes sacrificados, se descubrió que uno de ellos fue acompañado de una rica ofrenda consistente en vasijas policromas de barro, otras de alabastro, orejeras de jade, una concha con dos perlas naturales que el personaje portaba como pectoral y una cuenta esférica de jade en la boca, entre otros objetos.

El descubrimiento reciente de cámaras funerarias dentro de los basamentos piramidales ha echado por tierra el concepto manejado durante mucho tiempo de que estos últimos sólo servían como soporte para templos superiores, y

[59] El corozo *(Orbignya cohune)* es una palmera abundante en la región (Cortés, 1998).

[60] Segovia, 1981; Cortés, 1998.

[61] Al menos dos de estos mascarones (mencionados como 3 Sur y 3 Norte por Cortés de Brasdefer (1998), representan al sol como Kinich Ahau (señor rostro de sol), el cual suele representarse con el incisivo central en forma de "T" (Velázquez, 1995; Miller y Taube, 1997).

[62] Fueron Patricio Dávila, Peter Schmidt, Enrique Terrones, Araceli Pérez Rosete y Diana Zaragoza.

[63] Estos trabajos además de los realizados en Dzibanché y Kinichná forman parte del Proyecto Sur de Quintana Roo encabezado por Enrique Nalda.

[64] Velázquez, 1995.

que la única excepción era la tumba de Pacal en el Templo de las Inscripciones de Palenque. En la actualidad se ha encontrado por lo menos otro caso en Palenque, además de la del Templo de los Cormoranes y el ya mencionado Templo del Búho, ambos en Dzibanché.[65]

Cobá

En la parte centro-norte de la Península de Yucatán, a 30 km aproximadamente tierra adentro, se levanta la gran metrópoli de Cobá. Creció alrededor de cinco lagos, dos de los cuales alcanzan una profundidad máxima de seis metros. Su denso núcleo central cubre una superficie de 2 km^2, aunque en total el asentamiento se puede calcular en 128 km^2, en la cual podemos encontrar grupos con arquitectura monumental estilo petén al parecer correspondiente al periodo Clásico Tardío Terminal y del estilo Costa Oriental, perteneciente al periodo Posclásico. Impresionante es también el sistema de caminos o "sacbeoob", zonales, locales o regionales que suman 35, el más largo de los cuales se extiende al oeste por 100 km y culmina en el sitio de Yaxuná, Yucatán, a corta distancia de Chichén Itzá.

Durante su visita al pueblo de Chemax, Yucatán, el cura local mencionó a John Stephens y Caterwood la existencia de las enormes ruinas, ubicándolas 14 leguas al oriente de la citada comunidad.[66] Habría que esperar hasta 1882 para recibir información de primera mano, ya que el entonces director del Museo Yucateco en Mérida, Juan Peón Contreras (hermano del ilustre poeta peninsular José Peón Contreras), en compañía del coronel Traconis y setenta elementos de tropa, visitó Cobá. Salieron de Chemax el 24 de septiembre de 1882, y aunque no sabemos a ciencia cierta la fecha del regreso, debió ser los últimos días del mismo mes. Durante el primer día de viaje el grupo encontró la calzada "que es fama se dirigía desde la ciudad regia de los itzaes hasta Tulum pasando por Cobá".[67] El 26 iniciaron la visita de los edificios monumentales; Peón Contreras envió en un correo a Mérida la primera parte del relato, y aunque prometió entregar las subsiguientes, por causas desconocidas nunca lo cumplió.[68] De su expedición se conservan cuatro dibujos realizados por él mismo durante su estancia en el sitio;[69] uno de ellos intenta representar el edificio conocido actualmente como Nohoch Mul, mencionando que desde la cima eran visibles las torres de la iglesia de Chemax. Otro de los dibujos probablemente sea el basamento piramidal ahora conocido como La Iglesia. Un tercero muestra un grupo de edificios y en el último se observan las cabañas construidas junto al lago donde estuvieron alojados los miembros de la expedición.[70]

En 1881 Teoberto Maler visitó Cobá y tomó la primera fotografía que conocemos del sitio. En 1926 la Institución Carnegie inició los primeros trabajos arqueológicos en esa antigua ciudad maya. Las labores fueron realizadas por J. Eric Thompson, Harry D. Pollock y Jean Charlot, quienes se dedicaron a registrar las múltiples inscripciones jeroglíficas de los monumentos; se levantó un primer plano del sitio y un estudio iconográfico.

En 1933 Alfonso Villa Rojas recorrió el sacbé número 1. Otros investigadores que han laborado cortas temporadas en Cobá son E. Wyllys Andrews IV y Carlos Navarrete, éste último en compañía de Alejandro Martínez y María José Con.

A partir de 1974 el Centro Regional del Sureste inició el Proyecto Cobá, el cual, bajo la dirección de Norberto González, desarrolló labores de mapeo, excavación intensiva de pozos estratigráficos así como exploración y consolidación de arquitectura monumental. El equipo de trabajo estuvo conformado en uno u otro momento por Antonio Benavides, José Fernando Robles Castellanos, Enrique Terrones González, Ricardo Velázquez, Fernando Cortés de Brasdefer y Jaime Garduño Argueta, entre otros.

[65] Campaña, 1995.

[66] Stephens, 1984.

[67] Millet, 1988.

[68] Fue publicado en *Revista de Mérida* del 5 de octubre de 1982 (Millet, 1988).

[69] Actualmente forman parte de una colección particular en la ciudad de Campeche.

[70] Sobresalen en su labor como director del Museo Yucateco dos hechos interesantes. El primero se refiere al traslado que realizó de la escultura de *Chacmool* extraída por Le Plongeon de la plataforma de Venus en Chichén Itzá, la cual se encontraba muy cerca del pueblo de Pisté esperando ser exportada a los E.U. La entrada de este monumento a la ciudad de Mérida fue apoteósica, habiéndose leído incluso, un poema escrito para la ocasión. El periódico oficial expresaba lo siguiente: "Chacmool perpetuará en los anales de Yucatán la epoca del gobierno interino del Gral. D. Protasio Guerra". La alegría fue sin embargo muy breve, ya que por orden del gobierno federal, la pieza se trasladó inmediatamente al Museo Nacional, en la capital de la República, donde permanece hasta la fecha (Millet s/f). El otro evento que nos interesa mencionar aquí es la exploración que Peón Contreras realizó en unos pasadizos subterráneos que se localizaron en el costado poniente del basamento conocido como *Kinich-kakmó* en la ciudad de Izamal (Millet, 1989).

El Geosiber en su traslado.

Los recorridos de superficie y la percepción remota

Como paso inicial históricamente establecido, el acercamiento a las ruinas o yacimientos arqueológicos, sobre todo cuando se lleva a cabo por exploradores o viajeros de otros países, se inicia con el recorrido de superficie, lo que permite visualizar la extensión del grupo visitado, aunque en esta visión generalizadora se tomaba en cuenta únicamente la arquitectura monumental, que era la más visible y valiosa para los anticuarios, ya que en ella se encuentran los objetos de alto valor estético, reflejo de los grupos elitistas en el poder.

Más adelante, con el surgimiento de la arqueología científica, se reconoce el valor que poseen los elementos periféricos de menor calidad estética, pero representativa de gran parte de los procesos de producción, distribución y consumo de satisfactores en las sociedades antiguas, estableciéndose así el concepto de patrón de asentamiento como visión integradora.

A principios del siglo XX en la Península de Yucatán —parte sur de los estados de Campeche y Quintana Roo— se realizaron expediciones que con gran dificultad penetraron la selva tropical húmeda, aportando la primera información acerca de los mayas prehispánicos que poblaron aquellos apartados rincones.

Entre 1906 y 1907 el explorador francés Maurice de Perigny, buscando comparar las ruinas del Petén con las del norte de la península, recorrió, entrando por el Río Hondo, el sur de Campeche, y localizó unas ruinas prehispánicas a las que llamó Río Beque.[71] Más adelante los estadounidenses Raymond Merwin y Clarence Hay llegaron al mismo sitio localizando grupos de edificios no reportados por su antecesor.[72]

[71] Perigny, 1908, 1909.

[72] En el recorrido de estos últimos se incluyeron las ruinas de Clarksville, conocidas actualmente como Kohunlich, en el sur de Quintana Roo (Cortés de Brasdefer, 1998).

Geociber

Entre 1933 y 1938 la Institución Carnegie de Washington patrocinó cuatro expediciones al sur de Campeche, tres de las cuales fueron encabezadas por Karl Ruppert, y la cuarta por J. Eric Thompson.[73]

Estos periplos a regiones que estaban deshabitadas y que eran prácticamente desconocidas partieron oficialmente de Chichén Itzá y atravesaron la región de Los Chenes. Ellos mismos y su pesado equipo se transportaron en recuas compuestas por decenas de mulas que los llevaron, siempre guiándose por las referencias de chicleros y madereros, a través de cientos de kilómetros, localizando en total 29 sitios, entre ellos la gran metrópoli de Calakmul.[74]

En cuanto a recorridos costeros debemos mencionar que Sylvanus Morley y Thomas Gann, en 1918, navegaron todo el litoral entre Belice y el puerto yucateco de Progreso. Más recientemente, en el marco del moderno estudio de patrón de asentamiento, Anthony Andrews inició recorridos con la intención de registrar los sitios arqueológicos en la costa de la Península de Yucatán. Inició este trabajo a mediados de los años setenta[75] continuando de manera intermitente por lo menos hasta 1990, cuando ya había incluido la costa de Belice además de las de Campeche, Yucatán y Quintana Roo.[76] Durante este largo periodo fue acompañado por diversos investigadores entre los que podemos mencionar a Tomás Gallareta Negrón.

La ubicación de sitios arqueológicos en la selva tropical fue un reto que durante decenios no tuvo solución satisfactoria. Los ingenieros de la Institución Carnegie utilizaron teodolitos para realizar observaciones astronómicas que resultaron en estimaciones de posición en grados de latitud y longitud.

[73] Gendrop, 1983.
[74] Ruppert y Denison, 1943.
[75] Andrews, 1976.
[76] Andrews y Vail, 1990.

Sin embargo, estas observaciones presentaban un error de tres a diez km, y eso en la selva, es demasiada distancia.

A principio de la década de los ochenta, el Centro Regional del Sureste del INAH adquirió en los Estados Unidos un equipo que permitió utilizar el entonces incipiente sistema de seis satélites de navegación para determinar la latitud y longitud de los sitios arqueológicos conocidos como "Geociver". Fue durante al menos cinco años que Eduardo B. Kurjack y Silvia Garza Tarazona encabezaron un equipo de trabajo que recorrió la península ajustando la ubicación de los sitios. La gran exactitud de este equipo estaba en relación directa con la difícil tarea de transportarlo. Esto lo pudieron constatar los investigadores que en un momento u otro acompañaron a Eduardo Kurjack —Renee L. Zapata, Fernando Cortés de Brasdefer y Agustín Peña C., entre otros—, ya que hubo que trasladar por brechas y veredas el receptor/procesador (0. 35 × 0. 45 × 0. 34 metros y 19 kg de peso), la antena/preamplificador (0.23 × 0.58 × 0.21 metros y 7.7 kg de peso), más de treinta metros de cable coaxial y ¡un acumulador de automóvil! como fuente de energía. Una vez desplegado el equipo, había que esperar entre dieciocho y veinticuatro pasos de satélite para conseguir una lectura que tuviera un promedio de error de dos a cuatro metros.

Pocos años después, gracias a la miniaturización, el sistema se pudo instalar en un helicóptero, con lo que requirió menor cantidad de tiempo la ubicación de sitios, y un mínimo esfuerzo.[77]

El otro lado de la arqueología

En prácticamente todas las expediciones arqueológicas que tienen como objetivo la localización de sitios de la Península de Yucatán existen trabajadores, gente local casi siempre, que por su actuación se distingue de los demás jornaleros. En el sur de Campeche y Quintana Roo, donde la selva tropical hace casi inútil la fotografía aérea, la guía de alguien que trabaje en la recolección del chicle o con los madereros es imprescindible, no sólo para la localización de ruinas, sino para la supervivencia misma del o los arqueólogos, gente esencialmente urbana. Los campamentos chicleros o madereros se establecen muy cerca de las aguadas, costumbre que también tuvieron los mayas prehispánicos, por lo que un buen principio es identificar espacialmente los campamentos antiguos. En el centro y norte de la península, donde la capa vegetal ha dado paso a los planteles de henequén, es muy importante la vigilancia para evitar que la piedra arqueológica sea removida con fines agrícolas y/o triturada para su uso en la construcción moderna, y en todos los casos siempre es necesaria para evitar el saqueo de los edificios antiguos.

Un templo perdido

Juan de la Cruz Briceño vivía en el pueblo de Xpuhil, Campeche, cuando se iniciaron los trabajos encabezados por E. Wyllys Andrews IV en el área Río Bec, y acompañaba a su equipo en la localización de sitios no conocidos o reubicando otros reportados con anterioridad. A partir de esos años se convirtió en elemento imprescindible de cualquier arqueólogo que requiriera adentrarse en la selva.

Una de las expediciones más afortunadas de Juan fue el reencuentro del Templo B del Grupo I de Río Bec. Este edificio —epónimo del estilo arquitectónico así llamado— fue descubierto por R. E. Merwin y Clarence L. Hay en 1913. La precisión de su reporte y lo exhaustivo del registro fotográfico permitió conocer al detalle la arquitectura del edificio, construyéndose inclusive una maqueta, pero éste no pudo ser visitado nuevamente, a pesar de los esfuerzos hechos desde entonces, aunque otros edificios del mismo sitio se incluyeron en el catálogo de la arqueología del sur de Campeche. En 1973 Hugh y Suzanne Johnston, Guillette Griffin y Andy Seufert, con la guía de Juan Briceño, culminaron una búsqueda de dos años con el reencuentro del Templo B.[78] Años después Juan me comentó que cuando él era chiclero solía ir con su familia a los alrededores de esta estructura para que sus hijos jugaran.

El tigre triste de La Muñeca

En algún momento del años 1979 o 1980, el que suscribe fue comisionado por el INAH para llevar a cabo una visita

[77] Cortés, 1984, Kurjack y Repetto, 1992.

[78] Seufert, 1974; Gendrop, 1983.

de inspección al sitio conocido como La Muñeca, en el sur de Campeche, que parecía haber sido saqueado. En esa época se encontraba aislado y su acceso era muy difícil. Me acompañó en ese periplo Juan Francisco Pech Pérez, quien además de magnífico operador de vehículo era cocinero, cazador y, sobre todo, incontinente contador de historias, las más de ellas fantasiosas, pero entretenidas cuando las escuchaba durante nuestros largos viajes por la selva.

Después de casi un día de viaje divisamos los grandes basamentos piramidales del sitio, varios de los cuales se encontraban destruidos por grandes túneles que los atravesaban de lado a lado. Iniciamos el registro fotográfico y la recolección de material cerámico, y fue muy curioso encontrar en uno de dichos saqueos huellas del cubil o guarida de algún felino. Después de un par de horas de trabajo comenzamos a escuchar a lo lejos lo que parecía ser el sonido del motor de un camión maderero. Al principio no le dimos importancia, pero después notamos que el sonido se hacía más intenso y caímos en la cuenta de que en realidad no parecía un motor, sino un ronroneo-gruñido producido seguramente por un gran gato. En un momento dado, tras cruzar miradas de sorpresa y caer en la cuenta de que la única arma con que contábamos era un machete de "media cinta", emprendimos una veloz carrera hacia nuestro vehículo salvando los desniveles del terreno con la agilidad que sólo desencadena el miedo. A salvo en la cabina de nuestro transporte escuchamos claramente cómo el sonido de ronroneo-gruñido rompió durante un buen rato el silencio hasta que, disminuyendo paulatinamente, desapareció. Sobra decir que nos retiramos rápidamente buscando el abrigo del pueblo de Xpuhil. Un tiempo después, Edward Kurjack bautizó a un pequeño sitio de la región como "El Tigre Triste" en honor del desdichado animal que no nos pudo comer.

Conciencia y protección

En octubre de 1968 los campesinos mayas Ignacio Ek Dzul y su hijo Jacobo salieron del pueblo de Francisco Villa a cazar hacia su milpa, la cual se encontraba cerca del paraje Cohunriche. Se separaron para incrementar la posibilidad de cobrar piezas. Transcurridas algunas horas, Jacobo escuchó ruidos extraños en la cima de un mul, que es como llaman los mayas a los montículos prehispánicos. Al acercarse cuidadosamente descubrió a un grupo de personas desenterrando "la cara de piedra de un gigante ataviado con bello tocado".

Ya en compañía de su padre subió la cuesta preguntando a los saqueadores qué estaban haciendo. Los que parecían encabezar la acción explicaron que trataban de extraer los mascarones, ofreciéndoles una suma de dinero para que les ayudaran, y sobre todo, no los denunciaran, pero Ignacio y Jacobo se negaron; avisaron en su pueblo al profesor local Francisco Hernández Martínez, en compañía de quien regresaron al montículo saqueado, de donde ya habían huido los ladrones. Al otro día el profesor fue a la ciudad de Chetumal a dar parte a las autoridades. A la siguiente semana llegó el entonces gobernador de Quintana Roo con el arqueólogo Víctor Segovia Pinto, procediéndose a proteger oficialmente el sitio. Hay que mencionar que la milpa de Ignacio Ek se encontraba al pie del mul, por lo que ya no la pudo sembrar. Sin embargo, fue nombrado por el INAH custodio del sitio, cargo que mantuvo hasta su muerte, cuando fue heredado por su hijo. El montículo saqueado se conoce ahora como Pirámide de Los Mascarones.[79]

Correrías en el Puuc

Una de las regiones mas fértiles del estado de Yucatán es la que se encuentra a un costado de la Sierrita del Puuc, alrededor del actual poblado de Oxkutzcab, en Yucatán. Los huertos de naranja dulce y cítricos en general abundan por toda su extensión, con la consiguiente profusión de canales de riego, que para funcionar por gravedad requieren la nivelación del terreno. Esto aunado al gran número de ruinas arqueológicas que ahí se encuentran hacen necesaria una cercana vigilancia por parte del INAH para evitar al máximo la afectación del patrimonio cultural. Esta labor la realizan desde hace varios lustros Pedro Góngora y Mario Magaña, quienes desde que se les encomendó la custodia de un sitio cada uno, fueron más allá de su labor, reportando a los arqueólogos cualquier trabajo con maquinaria pesada para nivelación que se proyecte en el área. Al principio utilizaban sus bicicletas personales para transportarse a donde fuera necesario; más adelante el INAH les proporcionó otras. Posteriormente el Patronato para la Conservación, Manteni-

[79] Cortés, 1998.

miento y Vigilancia de las Zonas Arqueológicas de la Península de Yucatán A. C., entonces encabezado por la señora Joan Andrews, les donó sendas motocicletas, las cuales desde entonces han sido mantenidas y sustituidas oportunamente por el Instituto Nacional de Antropología e Historia. La gran iniciativa y el sentido común de estos custodios les han permitido vigilar varias decenas de sitios y establecer amplia comunicación tanto con los agricultores de la región como con los arqueólogos del INAH, por lo que su labor es ampliamente reconocida hasta la fecha.

Palas y picos en Chichén Itzá

En el poblado de Oxkutzkab, Yucatán, además de naranjas, se encuentran los albañiles que desde hace muchos años son contratados para llevar a cabo los trabajos de restauración arquitectónica en los sitios arqueológicos de la Península de Yucatán y aún más allá. Su gran habilidad para interpretar los criterios de excavación, consolidación y restauración que establece el arqueólogo en cada proyecto constituye un importante factor para el éxito de los trabajos en que participan. Desde luego que dicha habilidad e ingenio son independientes de su nivel de escolaridad.

En 1991 llevamos a cabo amplios trabajos de liberación y consolidación en la Columnata Oeste, la cual forma parte del Grupo de las Mil Columnas en Chichén Itzá. En esa ocasión, por circunstancias que no vienen al caso, el cabo —especie de jefe o coordinador directo de los jornaleros y albañiles— que trabajaba con nosotros debió retirarse de manera repentina, lo que nos puso en un predicamento debido a que nuestra plantilla de personal entre jornaleros y albañiles ascendía a más de setenta.

Recibimos múltiples sugerencias para sustituir al cabo, entre las que se encontraba la de Felegrino Dzib, miembro de una de las familias de alarifes más reconocidas. Hombre de baja estatura y gran abdomen, Felegrino era un buen albañil, que había trabajado con nosotros durante varias temporadas, pero nunca fue considerado para desempeñarse como jefe. Decidimos probar suerte con este personaje. Durante los primeros días nos dimos cuenta de su capacidad y el gran respeto que sentían hacia él los trabajadores. En una ocasión le pedí que hiciera un inventario de la herramienta mayor para asegurarnos de que estuviera completa. Pude observar cómo se desplazaba entre calas y pozos interrogando a la gente. Finalmente se acercó sentándose frente a mí y sacando de la bolsa derecha del pantalón un montón de pequeñas piedras, las cuales depositó en el suelo indicándome que ésas correspondían al número de palas. Del bolsillo izquierdo sacó otra cantidad que correspondía a los picos. Entonces caí en la cuenta que Felegrino era analfabeta.

ZONA ARQUEOLÓGICA
DE CALAKMUL

AUGUSTUS LE PLONGEON (1825-1908)
CHICHÉN ITZÁ, YUCATÁN

AUGUSTO LE PLONGEON EN CHICHÉN ITZÁ, YUCATÁN, A DONDE LLEGÓ EN 1875 PARA HACER EXPLORACIONES ARQUEOLÓGICAS

TABLERO CON SÍMBOLOS ASTRONÓMICOS, PROCEDENTE DE LA PLATAFORMA DE VENUS

ALFRED PERCIVAL MAUDSLAY (1850-1931)

SERPIENTE EMPLUMADA DE CHICHÉN ITZÁ

ALFRED PERCIVAL MAUDSLAY EN EL INTERIOR DEL EDIFICIO DE LAS MONJAS, CHICHÉN ITZÁ, EN 1889

SYLVANUS G. MORLEY (1883-1948)
INSTITUCIÓN CARNEGIE DE WASHINGTON. EXCAVACIONES EN EL CARACOL, 1927-1937

A LA IZQUIERDA EL MATRIMONIO MORLEY CON ERIC THOMPSON Y SU ESPOSA EN CHICHÉN ITZÁ, 1930

ALTAR CIRCULAR PROCEDENTE DE LAS EXCAVACIONES EN EL CARACOL

JOSÉ EROSA PENICHE
EXCAVACIONES EN EL CASTILLO, 1931-1936

PIRÁMIDE DE KUKULKÁN O EL CASTILLO

CUCHILLO CEREMONIAL
EN PIEDRA SÍLEX

DISCO CON MOSAICOS DE
TURQUESA, CONCHA Y CARACOL

EXCAVACIONES DE ROMÁN PIÑA CHAN EN EL CENOTE SAGRADO DE CHICHÉN ITZÁ EN 1967

RESCATE DE UN FRAGMENTO DE COLUMNA DEL INTERIOR DEL CENOTE SAGRADO. PROYECTO INAH, NATIONAL GEOGRAPHIC SOCIETY Y CLUB DE EXPLORACIONES Y DEPORTES ACUÁTICOS DE MÉXICO, 1967

OBJETOS PROCEDENTES DEL CENOTE SAGRADO DE CHICHÉN ITZÁ. LAMINILLA CIRCULAR PLANA Y LAMINILLA EN FORMA DE MEDIA LUNA EN COBRE DORADO Y ANILLO DE COBRE

CAJETE DE ARCILLA DEL PERIODO CLÁSICO DE CHICHÉN ITZÁ

PETER SCHMIDT
DESCUBRIMIENTOS RECIENTES EN CHICHÉN ITZÁ

CHAC MOOL DESCUBIERTO DURANTE LOS TRABAJOS ENCABEZADOS POR PETER SCHMIDT

ALBERTO RUZ LUIHLLIER (1906-1979)
UXMAL. YUCATÁN

ALBERTO RUZ CON ERIC THOMPSON EN UXMAL. YUCATÁN

PRISIONERO. PROCEDENTE DE LAS EXCAVACIONES EN LA PIRÁMIDE DE EL ADIVINO

PIRÁMIDE DEL ADIVINO
ANTES DE LOS TRABAJOS
DE ALBERTO RUZ

PLACA DE JADE

A356

CÉSAR A. SÁENZ (1916-1998)

PIRÁMIDE DEL ADIVINO DURANTE
LOS TRABAJOS DE CÉSAR A. SÁENZ

LÁPIDA DE TLÁLOC
PROCEDENTE DE LA
PIRÁMIDE DE EL ADIVINO

LA REINA DE UXMAL

VASO DECORADO CON
ROSTRO HUMANO

VASO PLOMIZO CON FIGURA
DE VENADO

MÁSCARA FUNERARIA DE CALAKMUL, CAMPECHE, PROCEDENTE DE LAS EXCAVACIONES DEL PROYECTO ARQUEOLÓGICO DE LA BIOSFERA DE CALAKMUL

BULTO MORTUORIO DEL DIGNATARIO YUKNOM YICH'AK K'AK. DIBUJO DE GRACIELA MARTÍNEZ.

ROMÁN PIÑA CHAN (1920-2001)
JAINA, CAMPECHE

EXCAVACIÓN DE ROMÁN PIÑA CHAN EN LA TRINCHERA 2, JAINA, 1964

FIGURAS DE JAINA

THOMAS WILLIAM FRANCIS GANN (1867-1938)
KINICHNÁ (EL RESBALÓN) Y DZIBANCHÉ, QUINTANA ROO

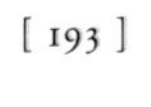

THOMAS GANN AL CENTRO DE LA IMAGEN

OFRENDA DEL TEMPLO DEL BÚHO
EN DZIBANCHÉ, QUINTANA ROO

VASIJA TRÍPODE DE PIEDRA TECALLI E INCENSARIO EFIGIE, PROCEDENTES
DE LAS EXCAVACIONES DEL PROYECTO ESPECIAL EN DZINBANCHÉ,
DIRIGIDO POR ENRIQUE NALDA

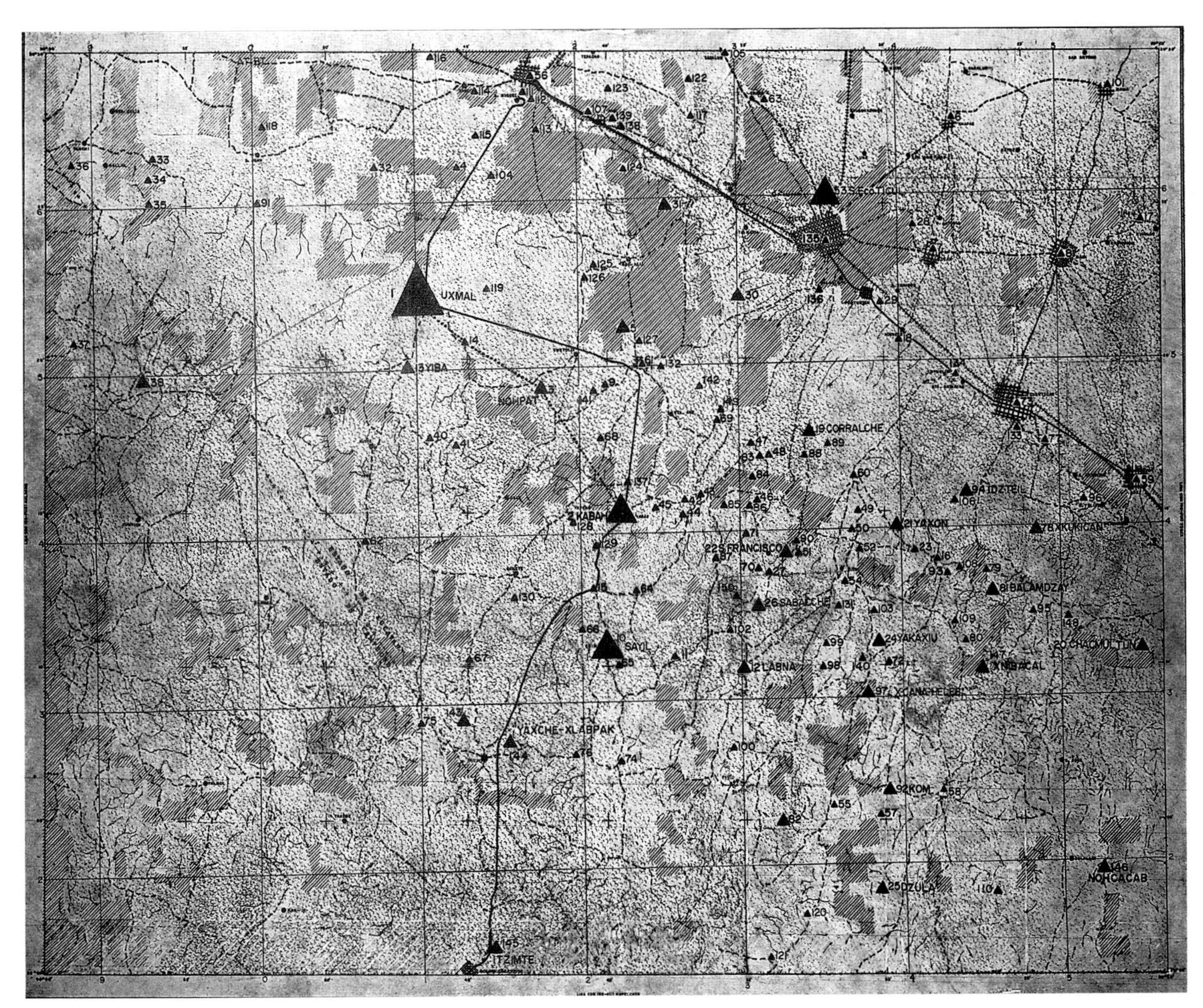

SECCIÓN DEL ATLAS ARQUEOLÓGICO PUBLICADO POR EDUARDO KURJACK Y SILVIA GARZA TARAZONA

EL OCCIDENTE MESOAMERICANO

MARÍA DE LOS ÁNGELES OLAY BARRIENTOS

Muy a pesar de que los símbolos que representan la identidad nacional de nuestros días procedan de las regiones occidentales de México, debemos reconocer que el área no concitó un interés masivo por parte de los arqueólogos locales sino hasta épocas recientes. Tal vez la imagen de charros, mariachis y tequila conducía a asumirla como territorio mestizo en el cual el elemento indígena habría sido borrado como consecuencia de un proceso particularmente brutal de conquista y colonización. En todo caso no puede negarse el hecho de que la entrada de Nuño de Guzmán fue tan cruel como los virus europeos, mismos que provocaron el pertinaz recogimiento de los sobrevivientes hacia inhóspitos recovecos de la Sierra Madre Occidental, adecuados espacios de difícil acceso y fácil protección.

No toda la población indígena de la comarca reaccionó de igual forma, sin embargo. Los avatares desplegados a lo largo del periodo virreinal nos ofrecieron fenómenos que fueron desde el virtual despoblamiento del litoral costero del Pacífico hasta el ejercicio de una utopía en los valles lacustres de Michoacán. La memoria de los pueblos indios de la costa acabó por convertirse en olvido. La de los pueblos asentados en la meseta tarasca logró, de la mano de franciscanos y agustinos, permanecer a través de una religiosidad renovada. Tal vez la permanencia de los indios purépechas a lo largo de la Colonia construyó la idea de que sólo ellos habrían sido los habitantes del amplio Occidente mesoamericano.

El Occidente es una de las áreas que mayor territorio abarca de todas las comarcas mesoamericanas. La delimitación de su espacio ha provocado varias discusiones entre los especialistas. Comúnmente se acepta que está conformado por la totalidad de los estados de Michoacán, Jalisco, Colima y Nayarit así como partes de Sinaloa y Guanajuato. Algunos agregan, incluso, parte de Guerrero.

La historia de los materiales arqueológicos del Occidente es de suyo interesante en virtud de que su belleza plástica fue reconocida y demandada mucho antes de que se tuviera noticias relativas a la identidad de los grupos que los habrían elaborado. Para autores como José Corona Núñez, citado por Daniel Lavine,[1] la temprana dinámica de compraventa ligada a las terracotas depositadas como ofrendas en los recintos funerarios conocidos como tumbas de tiro fue consecuencia del temprano saqueo propiciado durante los trabajos de ampliación de la red ferroviaria efectuados hacia 1928 en los ramales noroccidentales de México. La ausencia de una instancia que velara por la protección de los remanentes arqueológicos llevó a la acelerada expansión de una profesión absolutamente redituable durante las décadas siguientes: la de los "moneros".*

El saqueo masivo de los recintos que constituyeron la tradición funeraria de las tumbas de tiro, ofreció la materia prima de espectaculares colecciones privadas —incluida la de personajes como Diego Rivera— y de renombrados museos extranjeros. Curiosamente nunca se trató de conciliar la idea de una zona marginal con las evidencias palpables de una tradición cultural productora de innumerables obras de arte cotizadas en el mercado negro.

[1] Lavine, 1989.

* Con este nombre se conoce localmente a los saqueadores.

Guasave. Cajetes del tipo negro inciso con filos blancos.
Archivo Técnico de la Coordinación Nacional de Arqueología-INAH

Abordar el análisis de los territorios occidentales de Mesoamérica supone traer a cuento las distintas directrices que confluyeron en la tarea de develar los eventos del pasado. Por un lado, la región se erigió en un tema fundamental en la explicación histórica relativa al desarrollo de los pueblos antiguos del suroeste norteamericano; por el otro, la arqueología institucional mexicana encauzó el impulso cardenista a la investigación de la zona lacustre michoacana eludiendo el hecho de que la misma constituía tan sólo una parte del amplio espectro cultural de todo el Occidente. Si analizamos, a la vez, las discusiones académicas en boga, comprenderemos con mayor claridad los eventos que permitieron sentar las bases de su interpretación histórica.

Con relación a la vertiente norteamericana habría que recordar que hacia la década de los veinte, la Universidad de California tenía al frente de su departamento de Antropología a Alfred Kroeber y en el de Geografía a Carl Sauer.

En razón de las teorías que desarrollaban (la existencia de *áreas culturales*) y de las maneras de enfrentar la problemática que suponía delimitar sus fronteras fue que, como un modo de darle sustento teórico, iniciaron una serie de trabajos en el espacio ocupado entre el suroeste norteamericano y la región noroccidental mexicana.

Los trabajos de lo que se conoce como la escuela norteamericana en el Occidente de México iniciaron en el año de 1930 a través de una prospección arqueológica de tres meses en las costas de Sinaloa y el norte de Nayarit. Es importante señalar que los resultados de las diversas investigaciones que derivaron de aquel primer acercamiento a Mesoamérica fueron puntualmente difundidas, en su mayor parte, en la colección bautizada con el nombre de *Iberoamericana* por la Universidad de California. Inútil es decir que tal colección fue de gran relevancia para el desarrollo de la investigación arqueológica del Occidente de México.

El número inicial de esta serie fue dedicado a la definición de la cultura Aztatlán.[2] La información y los materiales recabados por Carl Sauer y Donald Brand fueron particularmente impactantes. Las cerámicas que encontraron resultaron ser tan refinadas como lo eran las cerámicas policromas de la mixteca poblana. Los sitios arqueológicos, conservados entonces del saqueo y de presiones demográficas importantes, daban cuenta de una evidente complejidad cultural.

Los trabajos derivados de esta primera intervención en las costas de Sinaloa contaron, posteriormente, con la colabo-

[2] Sauer y Brand, 1932.

ración de dos grandes arqueólogos: Gordon Ekholm e Isabel Kelly. Esta última había iniciado sus estudios de antropología en la Universidad de California en 1922, a la edad de 16 años. A los 21 había logrado su maestría y a los 26 su doctorado. Su impresionante currículum a tan corta edad no le había significado, sin embargo, el camino de las oportunidades. Señala Patricia Knobloch en sus notas biográficas sobre Kelly[3] que la razón pudo haber sido la animosidad que hacia ella sentía Alfred Kroeber, por lo cual ésta buscó el apoyo de Carl Sauer. El vínculo profesional y afectivo que ambos establecieron desde entonces fue sumamente benéfico y enriquecedor para las disciplinas en que ambos trabajaron: la geografía, la historia y la antropología.

La primera incursión de Isabel Kelly en México fue en el año de 1935, durante los trabajos de campo efectuados en Culiacán y Chametla. Mientras elaboraba el informe respectivo se dio tiempo de visitar por primera ocasión y por espacio de dos meses los territorios costeros de Colima y norte de Michoacán. Las responsabilidades adquiridas con el proyecto dirigido por Sauer y Alfred Kroeber en Sinaloa, sin embargo, pospusieron unos años el interés por estudiar a fondo sus abundantes remanentes arqueológicos. Una vez que hubo concluido su estudio sobre Chametla,[4] pudo Kelly llevar a cabo el reconocimiento arqueológico de la costa nayarita, el cual le permitió cerrar una empresa que había emprendido cuatro años antes: la exploración de la costa occidental de México.

[3] Knobloch, 1989.
[4] Kelly, 1938.

En el XXVII Congreso Internacional de Americanistas realizado en la Ciudad de México en ese año, Kelly presentó una ponencia sobre las observaciones que había llevado a cabo a través de sus viajes y reconocimientos. En ella enunció algunos postulados sobre los que fundamentará su posterior y famoso trabajo en el que establecerá las provincias cerámicas del noroccidente.[5] Fue entonces cuando Kelly reporta el hallazgo de una vasija "naranja delgado" característica de Teotihuacan III asociada con materiales propios de una tumba de tiro, de los cuales resultaron ser evidentemente contemporáneos.

Durante el tiempo que Kelly estuvo reconociendo la costa del Pacífico o explorando en las inmediaciones de Culiacán,[6] llevó a cabo una relación epistolar con su tutor. Carl Sauer, en sus afanes por rastrear la historia de los lugares que había reconocido, no sólo había aprendido el español sino, incluso, también a paleografiar el castellano antiguo con el que habían sido escritas las primeras noticias y relaciones que describían los pueblos, paisajes y pobladores puestos bajo la égida de los monarcas españoles. Sus constantes viajes por el territorio mexicano le habían despertado la curiosidad de abordar, desde la perspectiva histórica-geográfica, el desarrollo cultural de diversos lugares. El ensayo efectuado sobre las fuentes históricas con relación a las entradas españolas hacia el suroeste norteamericano le había significado una herramienta insuperable.[7] Fue siguiendo esta metodo-

[5] Kelly, 1989.
[6] Kelly, 1945b.
[7] Sauer, 1934, 1935.

Isabel Kelly (1906-1982)

Carl Sauer (1889-1975)

logía como Carl Sauer pudo llevar a cabo su interpretación histórica-geográfica sobre Colima, la misma que, según el autor, tenía el solo mérito de demostrar la desaparición del ochenta por ciento de la población indígena como consecuencia de la conquista española.[8]

Hacia finales de 1939, Isabel Kelly se desligó laboralmente de la Universidad de California, pues decidió radicar definitivamente en México. Sus exploraciones futuras las llevaría a cabo a través del financiamiento de fundaciones e institutos norteamericanos dedicados al apoyo de la investigación científica. Siguiendo este esquema fue que los siguientes dos años los dedicó Kelly al estudio de la región de Autlán, Tuxcacuesco y Zapotitlán y, eventualmente, a las tumbas de El Manchón, en Colima.[9] Su trabajo propiamente arqueológico consistió en un reconocimiento exhaustivo de área así como en la exploración de sitios relevantes que permitieran obtener estratigrafías susceptibles de sustentar una secuencia cronológica confiable. En cuanto al espíritu de la obra, Kelly no puede negar la cruz de su parroquia pues, a partir del detallado esbozo del clima y las características topográficas de la región, encuentra la razón relativa a la existencia de la flora y la fauna que predominaron y que determinaron las formas de su aprovechamiento por los grupos humanos que la habitaron. Éstas, las formas de aprovechamiento, fueron rastreadas a través de los datos ofrecidos por las fuentes documentales del siglo XVI y su contrastación con su referencia contemporánea. Kelly no sólo reconstruyó la cartografía antigua y el esplendor demográfico que la conquista española deprimió; también logró utilizarla como la guía cultural que permitía su enlace con el pasado. La madurez que muestran las obras en las que plasmó sus resultados[10] llevaron a Pedro Armillas a declarar que "las concienzudas y sistemáticas investigaciones de Isabel Kelly han establecido los fundamentos de la arqueología del Noroeste y Occidente de Mesoamérica".

Todavía en esta etapa Kelly llevó a cabo trabajos de excavación arqueológica en la región de Apatzingán, Michoacán, como parte de las vertientes de investigación derivadas del reconocimiento realizado en la cuenca del Tepalcatepec por John Goggin. En todo caso, baste recordar que Sauer mismo, a partir de la lectura de las fuentes etnohistóricas, habría planteado la hipótesis de que la región no podía ser considerada propiamente como purépecha. Las exploraciones de Kelly permitieron confirmar esa presunción.[11]

Por el tiempo en que se realiza la célebre IV Mesa Redonda de la Sociedad Mexicana de Antropología —la primera dedicada al Occidente de México—[12] Kelly batallaba con los financiamientos de sus investigaciones. La Segunda Guerra Mundial había propiciado que los estímulos a la cultura fueran restringidos o, eventualmente, anulados. Fue por esas épocas cuando no tuvo más remedio que trabajar como empleada en la Biblioteca Benjamín Franklin, de donde fue rescatada por George Foster, quien le ofreció trabajo en el Institute of Social Anthropology de la Smithsonian Institution. Su labor como antropóloga social fue lo suficientemente amplia como para necesitar un espacio mayor al presente para señalar sus logros y aportaciones. En todo caso, no puede dejar de señalarse que la primera etapa arqueológica de Isabel Kelly en la Mesoamérica occidental sembró buena parte de las semillas de planteamientos e hipótesis que fueron determinantes para el desarrollo de estudios posteriores. No fueron sin embargo las únicas ni las más importantes. Kelly volvió a Colima hacia 1966, dispuesta a dar por terminados los retos que su juventud no le permitió concluir.

Con relación a la vertiente relativa al surgimiento y desenvolvimiento de las investigaciones arqueológicas por parte de los arqueólogos nacionales, debemos señalar que el avance fue más bien disparejo. Como lo señalamos al inicio del escrito, podemos vislumbrar un claro fenómeno: los tarascos son, sin duda, el pueblo que ha recibido mayor atención por parte de los investigadores interesados en el Occidente. Los motivos son evidentes. La región lacustre michoacana muestra elementos de estudio comparados a los de otras regiones de Mesoamérica: arquitectura monumental, existencia de fuentes históricas y permanencia física de conglomerados indígenas. A despecho de la gran cantidad de literatura que el tema ha producido, sin embargo, todavía no se tiene claro su origen. Su incógnita radica en la particularidad de su lengua —a la que algunos relacionan con troncos sudamericanos— y que, por otro

[8] Sauer, 1948.
[9] Kelly 1978.
[10] Kelly 1945a, 1949.
[11] Kelly, 1947.
[12] Sociedad Mexicana de Antropología, 1948.

lado, presenta evidencias de tener una profunda raíz en el tiempo. En este sentido y a ojos vistos que las particularidades culturales de los tarascos son típicamente mesoamericanas, se ha pensado en que esa lengua es un rasgo que podría conducirnos a la antigua tradición occidental.

No puede dejarse fuera, por otro lado, el que la sociedad michoacana produjo personajes culturales de primer orden que permitieron sentar las bases de una historia regional desde las primeras décadas del siglo XIX y que culminaron con la fundación del Museo Michoacano el año de 1886. La labor de Nicolás León se inscribe en la fecunda tradición de hombres sabios que lo mismo hablaban latín y francés que náhuatl o purépecha, que habiendo estudiado medicina o jurisprudencia terminaban por involucrarse en la comprensión de las genealogías de los antiguos gobernantes indígenas o en su aritmética. El ánimo de difundir los logros de los pueblos prehispánicos llevó a don Nicolás a editar los renombrados *Anales del Museo Michoacano*, cuyo contenido periódico debió multiplicar sus afanes pues los estudiosos sobre el pasado michoacano eran un tanto escasos.

Fue Nicolás León el primero en llevar a cabo una descripción acuciosa sobre las yácatas de Tzintzuntzan, en indagar referencias en cuanto a su significado, en bordar sobre el calendario de los tarascos y en trabajar sobre documentos del siglo XVI con relación al pasado prehispánico. Sus conocimientos sobre anatomía humana le permitieron, a la vez, llevar a cabo un espléndido análisis sobre el sistema dentario de los antiguos tarascos. Su ánimo indagatorio le habría llevado no sólo a aprender el purépecha sino incluso analizar su estructura gramatical. Estando la Meseta Tarasca tan cercana a la capital michoacana, León tuvo a la mano la posibilidad de llevar a cabo observaciones de orden etnográfico como la de describir y analizar las formas matrimoniales entre los pueblos localizados en las riberas del Lago de Pátzcuaro. Sus análisis sobre toponimias tarascas y su correlación con el paisaje que sus ojos le devolvían permitieron, a su vez, que llevara a cabo observaciones analíticas sobre la fauna y la flora locales.

A más de construir un foro desde el cual difundir tópicos inéditos de investigación y de impulsar la edición de obras fundamentales para la historia de la región —como la *Americana Thebaida* de fray Matías de Escobar y el *Arte y diccionario tarascos* de fray Juan Bautista Lagunas— Nicolás León se dio tiempo de trabajar en el renombrado Museo Nacional

Archivo Técnico de la Coordinación Nacional de Arqueología-INAH

Basamentos piramidales conocidos como Yácatas, Tzintzuntzan, Michoacán.

en la Ciudad de México, en el cual, a pesar de haber recibido el nombramiento inicial de "ayudante naturalista", al poco tiempo pudo desplegar sus dotes de investigador. Fue a iniciativa suya que se procedió a ordenar los materiales y fotografías existentes en el acervo museográfico a partir de una clasificación previa de grupos indígenas por familias lingüísticas. Desde el Museo Nacional llevó a cabo exploraciones hacia otras regiones del país sobre cuyos tópicos escribió en el *Boletín* y en los *Anales* del museo. Su labor como docente daba cuenta del asombroso espectro temático que llegó a dominar: historia, etnografía, lingüística y antropología física.

Fue a través de esta última vertiente como don Nicolás pudo seducir a un joven médico en las artes impredecibles de la investigación. Relata León Ferrer la tarde aquella en la cual la familia Rubín recibía, como otras ocasiones, la visita del amigo Nicolás León acompañado del director de la sección de antropología física de la Smithsonian Institution, Alex Hrdlicks. Al calor de la plática, el joven Daniel Rubín de la Borbolla recibió la inesperada oferta de integrarse como becario a los cursos de Antropometría en Washington. Sus conocimientos sobre anatomía y fisiología le dieron las bases suficientes como para extender su preparación en Cambridge bajo las órdenes de Alfred Haddon.

Como buen hijo de su tiempo, Rubín de la Borbolla fue transitando de sus labores como antropólogo físico hacia las tareas de la arqueología, la etnohistoria, la museografía y, finalmente, las artes populares a través de su relación laboral con el Museo Nacional. Fue Rubín de la Borbolla el encargado de analizar los restos óseos recuperados en las primeras temporadas de exploración efectuadas en Tzintzuntzan. Como se sabe, la primera temporada se llevó a cabo en el año de 1930 bajo las órdenes de Alfonso Caso y Eduardo Noguera. La segunda se efectuó entre 1937 y 1938 bajo la dirección de Caso y Jorge Acosta. La tercera (1940) fue dejada en manos del propio Rubín de la Borbolla, estableciéndose de hecho su capacidad de decisión en tareas propias de la exploración arqueológica.

Los resultados de la tercera temporada fueron particularmente importantes en virtud de que se rescató información relativa a la existencia de subestructuras en el interior de las yácatas. El riguroso control estratigráfico y sus materiales asociados permitieron, de esta manera, establecer las diferencias existentes entre las vajillas utilizadas en tiempos distintos. Gracias a estos resultados fue como Rubín continuó al frente de las exploraciones durante la cuarta (1942), la quinta (1943-1944) y la sexta (1946) temporadas. Sus tareas en esos años estuvieron encaminadas hacia la realización de los levantamientos topográficos que permitieron delimitar la extensión de tan importante asentamiento prehispánico. Los reconocimientos efectuados en sus inmediaciones le dieron, además, la posibilidad de llevar a cabo exploraciones en otras áreas a fin de tener materiales comparativos. Los entierros, las ofrendas, la liberación de escalinatas, muros de contención y su posterior restauración y consolidación fueron acaso las tareas que permitieron dejar al descubierto parte de la magnificencia que los españoles se encargaron de saquear y destruir. A pesar de que las renombradas yácatas tuvieron una séptima temporada (1956), la misma fue encaminada a la sola limpieza y someros trabajos de mantenimiento, efectuados bajo las órdenes de Rafael Orellana.

A lo largo de las temporadas de exploración en Tzintzuntzan, Rubín de la Borbolla contó con el apoyo de estudiantes que, años más tarde, llegaron a realizar brillantes carreras, entre quienes podemos mencionar a Hugo Moedano, Muriel Porter y Román Piña Chan. Fue precisamente este último el encargado de llevar a cabo lo que constituyó la octava temporada de exploración (1962-1964), acaso la más larga de cuantas se hubieran efectuado antes. El tiempo invertido tuvo que ver con el hecho de que sus acciones se encontraron encaminadas hacia la liberación de la gran plataforma, principalmente su perfil oeste, así como a la delimitación de la escalera de acceso a partir de su desplante inicial. El espléndido equipo con el que trabajó Piña integró a Doris Heyden, Marcia Castro Leal, Héctor Gálvez y Ariel Valencia, entre otros. Fue Piña, también, el encargado de llevar a cabo las dos últimas temporadas de campo en el sitio, la novena (1968) y la décima (1977-1978).

Las preguntas que irrumpen sin cesar en el proceso de una exploración arqueológica fue lo que llevó a Rubín de la Borbolla a interesarse en una de las artes purépechas: la metalurgia. Para Rubín resultaba absolutamente intrigante el que las fuentes del siglo XVI hablaran de manera recurrente de la abundancia de objetos de oro cuyo fulgor despertó la avaricia de más de un conquistador. El hecho de que durante las exploraciones arqueológicas no aparecieran sino objetos metálicos de cobre le llevaron a plantearse en dónde estaba el error. A través del estudio de aleaciones y técnicas orfebres fue como Rubín esclareció el misterio. Los tarascos utilizaban objetos de cobre a los cuales se le habría aplicado un baño producto de una aleación que les otorgaba una apariencia "dorada". Al paso del tiempo, los fulgores iban decayendo y los objetos volvían a tener el aspecto opaco de su materia básica. Es de hacerse notar que recientes estudios relativos a la utilización de diversos elementos y aleaciones han permitido dilucidar con mayor certeza sus respectivos componentes y proporciones.

En las andanzas mediante las cuales Nicolás León buscaba objetos para el Museo Michoacano, tuvo la oportunidad de explorar (en 1888) el sitio de San Antonio Carupo, municipio de Penjamillo, mismo que presentaba una arquitectura de orden ceremonial. El dato es interesante en virtud de que se trata de la primera exploración efectuada en la región localizada en la cuenca del río Lerma, esto es, en el noroeste de Michoacán. Ese espacio resultó ser particularmente singular en cuanto a las noticias que ha revelado sobre el pasado de los pueblos que le habitaron.

Si bien la exploración del sitio Los Gatos —en las inmediaciones de Jacona— llevadas a cabo por Francisco Plancarte y Navarrete hacia 1889 y por Eduardo Noguera en 1931 habrían dejado en claro que se trataba de un asentamiento de filiación purépecha, los trabajos efectuados por Noguera en la localidad de El Opeño significaron un evento de primer orden. Según relata Arturo Oliveros, los lugareños habían padecido la muerte de varias de sus reses a causa de un brote de fiebre aftosa y, buscando un lugar alejado en donde enterrar sus restos y evitar la contaminación, encontraron una suerte de fosas excavadas en el tepetate. Los objetos que rescataron de una de estas "fosas" pudieron ser observados de manera fortuita por Noguera. El que los objetos analizados mostraran analogías con culturas "extrañas a la región" llevó a don Eduardo a reconocer primero el lugar del descubrimiento y proceder, posteriormente, a su exploración. La misma dejó en claro que se trataba de una serie de tumbas en las cuales se habría depositado a individuos asociados con ofrendas cuya "clase y calidad" guardaban una acusada analogía con productos de la cultura arcaica.[13]

[13] Noguera, 1942.

Debemos traer a cuento, en este espacio, que los investigadores en esa etapa carecían de las bondades de los fechamientos absolutos, esto es, no se habían desarrollado aún los procedimientos físico-químicos mediante los cuales se puede conocer con certeza la antigüedad de un contexto. Los fechamientos que se estilaban eran los relativos, es decir, mediante el procedimiento de comparar rasgos materiales de distinto orden entre sí.

Las tumbas de El Opeño exploradas en ese entonces por Noguera consistieron en cinco recintos excavados en el tepetate, a cuya cámara se accedía por medio de un pasillo. Las bóvedas, de planta ovalada, contenía banquetas también labradas en el tepetate, sobre las cuales se habrían depositado los enterramientos y sus ofrendas. El descubrimiento sembró inquietudes en Noguera, pues aparte de descubrir la evidente similitud de estos recintos funerarios con los existentes en Sudamérica, no dejó de señalar que "desde épocas muy remotas hubo olas o mareas culturales que, procedentes de las regiones de la costa del Pacífico dieron nacimiento o nuevos impulsos a las civilizaciones que se desarrollaron en el Valle de México".

No deja de ser interesante mencionar que Noguera había vislumbrado con anterioridad la idea de que las civilizaciones establecidas en el Bajío habían tenido un verdadero impacto en el desarrollo cultural del Valle de México. Esta percepción habría surgido a partir de las exploraciones efectuadas en el interior de la Pirámide del Sol:

> ...podemos decir que hubo una relación, por no decir identidad entre la cultura encontrada bajo la Pirámide del Sol con la que floreció en Michoacán, Jalisco, Guanajuato ... futuras exploraciones tanto en el Centro de México como en esa región podrán ofrecer nuevos datos para demostrar que se trata sólo de la modalidad de una única cultura que tuvo un tronco común.[14]

Habría que señalar el hecho de que Eduardo Noguera fue un arqueólogo excepcional en el sentido de la ubicuidad de sus andanzas y exploraciones. El que hubiera llevado a cabo algunos trabajos en el sitio de La Quemada en Zacatecas hacia 1926 en una etapa en donde los remanentes

[14] Noguera, 1935.

arqueológicos del norte y occidente concitaban escasas pasiones, le ofreció una clara evidencia del potencial de interpretaciones que el estudio de estas regiones planteaban.

Fue precisamente el año de 1926 cuando fueron realizadas las primeras exploraciones en Chupícuaro, Guanajuato, bajo las órdenes de Ramón Mena. Si bien es cierto que una primera interpretación designó a sus materiales como tarascos —como señalamos al principio del escrito, una manía que se extendía a casi todos los objetos recuperados en el Occidente—, un análisis más exhaustivo dio cuenta de su enorme parecido con los recuperados en Cuicuilco, en el Valle de México. Apasionado irredento de los secretos guardados en acabados, formas y barros de las cerámicas antiguas, Noguera emprendía exploraciones en todo aquel lugar sospechoso de contener indicios que llevara al camino de las respuestas. Siguiendo pistas fue que estudió al sitio de La Gloria, en Guanajuato, lugar en el percibió la existencia de un desarrollo cultural distinto al tarasco. En este tenor, los trabajos de Carlos Margain ofrecieron elementos que daban cuenta de un complejo cultural no sólo distinto al tarasco, sino incluso a lo Chupícuaro. La filiación parecía estar más cercana a los tiestos recuperados en La Quemada.[15] Se hacía evidente, pues, la existencia de una región en cuyo espacio convivían tradiciones culturales distintas. El *quid* del asunto radicaba en reconocer los tiempos en que se sucedieron, esto es, si las tradiciones fueron tempranas, tardías o contemporáneas entre sí.

Habida cuenta de la importancia que suponía recuperar información relativa a su ocurrencia y desarrollo, el sitio de Chupícuaro fue explorado de manera intensiva cuando el gobierno federal informó que sus vestigios quedarían bajo las aguas de la presa Solís, próxima a construirse sobre el curso del río Lerma, en las inmediaciones de la población de Acámbaro. Los trabajos del rescate arqueológico se ini-

[15] Margain, 1944.

Reprografía: Jorge Pérez de Lara

Vista de la sala de las columnas, La Quemada, Zacatecas.

ciaron hacia el año de 1945 con la participación de un grupo diverso de arqueólogos. La descripción de las formas de enterramiento y sus ofrendas asociadas fueron descritas a través de los trabajos de Daniel Rubín de la Borbolla, Elma Estrada Balmori, Román Piña Chan y Muriel Porter.[16] La obra de ésta última puede ser considerada como una síntesis de los hallazgos y sus interpretaciones. El impacto que la cultura Chupícuaro tuvo en el desarrollo de diversas tradiciones del Occidente llevó a Otto Schöndube[17] a definirla como una de sus raíces fundamentales. La otra raíz, acaso la más conocida, nos lleva al complejo funerario designado como "tradición de tumbas de tiro".

La cultura que desarrolló esta singular expresión funeraria incluyó, entre sus habitantes, a alfareros que alcanzaron un asombroso nivel de excelencia y sensibilidad creadora. Sus obras, depositadas como ofrendas a los habitantes que en su eterno descanso descendían al nicho labrado en las entrañas de la tierra, se convirtieron, como no hemos dejado de lamentarlo, en codiciadas mercancías destinadas al lucro y a la especulación del mercado negro de antigüedades y obras de arte.

La tradición de las tumbas de tiro es una vasta expresión cultural que se desarrolló, fundamentalmente, en territorios que hoy día forman parte de Colima, Jalisco y Nayarit. Las tumbas son recintos subterráneos que constan de un tiro o pozo vertical que se excavaba hasta la profundidad que le permitiera la dureza y consistencia del subsuelo. Generalmente se buscaban lugares propicios que permitieran la perdurabilidad de la cámara de modo que no sufriera desplomes o deslaves. Una vez que el tiro cruzaba las capas del suelo que garantizaban la estabilidad de la bóveda, ésta comenzaba a ser socavada. Los tiro podían conducir así a una, dos e incluso tres cámaras. Acaso la tumba más espectacular reportada hasta ahora sea la de El Arenal, en Jalisco la cual muestra un tiro de 16 metros de profundidad que accede a tres cámaras perfectamente excavadas en el subsuelo.[18]

No puede dejar de mencionarse, en este apartado, la labor del arqueólogo michoacano José Corona Núñez. Su niñez, transcurrida a lo largo del periodo armado de la Revolución, le habría llevado a involucrarse en las tareas magisteriales de las renombradas Misiones Culturales, llegando a ser, incluso, director de las Escuelas Primarias Federales. Fue a través de una beca de El Colegio de México que realizó sus estudios como arqueólogo en las Escuela Nacional de Antropología (1941-1946) lugar donde conoció a Donald Brand, mismo que lo invitó a colaborar con él en diversas investigaciones que realizaba en Michoacán. En una región azotada por los saqueos y el desdén hacia las expresiones materiales de los pueblos prehispánicos, Corona Núñez se erigió en un convencido de la labor pedagógica de los museos, razón que lo llevó a fundar, a finales de los años cuarenta, los de Tepic y Colima así como a consolidar el Museo de Antropología de Guadalajara. Fue hacia 1953 cuando el INAH lo nombró —durante un periodo de casi ocho años— jefe de las Zonas Arqueológicas del Occidente y Noroeste de México. A despecho de su ubicuidad y de su incansable labor en Colima, Jalisco, Nayarit y Zacatecas, la falta de apoyo y de continuidad en sus acciones, lo llevaron a la larga a dejar un puesto de tan ostentoso título y dificultoso ejercicio.

A pesar de los múltiples intentos realizados para poner coto a las depredaciones —a la tumba de El Arenal llegó apenas unas horas después de haber sido saqueada—, la labor de Corona en este periodo es poco conocida y valorada. Fue después de haber sido catedrático de la Universidad Veracruzana cuando logró fundar —junto con otros notables michoacanos— la Escuela de Historia de la Universidad Michoacana de San Nicolás de Hidalgo, lugar en el que llevó a cabo diversos trabajos relativos a la religión y los mitos tarascos.[19]

No sabemos a ciencia cierta cuándo inició el saqueo de tumbas. Ya el mismo Carl Lumholtz en su célebre *México desconocido*[20] menciona la existencia de personajes dedicados específicamente a comprar y vender los objetos obtenidos en las tumbas a partir de una sistemática búsqueda de panteones. Como se sabe, el viajero danés llevó a cabo un largo reconocimiento de cinco años a través de las sierras de Sonora, Chihuahua, Durango, Nayarit, Jalisco y Michoacán en periodos repartidos entre 1890 a 1898. Fueron sus magníficos registros fotográficos los primeros en reproducir el impacto visual de las terracotas policromas de Ixtlán

[16] Porter, 1956.
[17] Schöndube, 1980.
[18] Corona Núñez, 1955.
[19] Sánchez, 1995.
[20] Lumholtz, 1981.

Archivo Técnico de la Coordinación Nacional de Arqueología-INAH

Vista de la escalera NE. Época II, Nayarit.

Parte reconstruida y consolidada del monumento de la Época II, Nayarit.

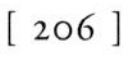

del Río y la belleza plástica de las figuras chinescas del somontano nayarita.

La presentación en sociedad de las espléndidas ofrendas de las tumbas tuvo lugar en el mismo Palacio de Bellas Artes de la Ciudad de México. Como una actividad paralela al desarrollo de la IV Mesa Redonda de la Sociedad Mexicana de Antropología dedicada al Occidente de México en el año de 1946, Diego Rivera tuvo a bien exhibir su maravillosa colección. No obstante, cuando se tuvo que plasmar alguna información relativa al origen de las piezas y la filiación de los grupos que las habían elaborado, la incógnita se hizo presente.

Paul Kirchoff[21] percibió la existencia de rasgos típicos de algunas culturas sudamericanas, entre los que mencionó la presencia de posanucas, escudos rectangulares, macanas, hondas y camisas sin taparrabos, así como una notable ausencia de sandalias, maxtlatls, huipiles y quechquémetls. Si a ello se agregaba el hecho de que dichos materiales procedían de contextos funerarios en mucho similares a los existentes en Colombia y Ecuador, la relación entre ambas regiones quedaba por demás clara. Las preguntas a las que tales evidencias conducían se encauzaron, obviamente, a las "formas y tiempos" como se habrían llevado a cabo estos préstamos culturales.

Fue la década de los cincuenta un periodo en el cual las tesis difusionistas tuvieron una suerte de suelo fértil donde desplegarse. Como se sabe, diversas instituciones de México y Estados Unidos habrían llevado a cabo en Michoacán, a partir de una década anterior, lo que se conoció como Proyecto Tarasco,[22] mismo que habría permitido el desarrollo de obras de primer orden a través del trabajo de antropólogos tan reconocidos como Gonzalo Aguirre Beltrán, Ralph Beals, Donald Brand, George Foster, Dan Stanislavski y Robert West, entre otros. De este impulso habría resultado la obra *Coalcoman and Motines del Oro: an exdistrito of Michoacán, México* de Donald Brand[23] cuya inicial recapitulación relativa a los primeros reconocimientos costeros efectuados por los españoles en la Mar del Sur en aquella afanosa búsqueda de la ruta al Oriente sembró en Brand la idea de reconstruir las formas mediante las cuales un lugar y sus habitantes establecen múltiples posibilidades de contactos culturales. Las huellas dejadas por las relaciones establecidas entre pueblos relativamente alejados entre sí eran apreciables en sus rasgos culturales ¿Cómo establecer entonces la dinámica de su difusión?

Esta corriente, el *difusionismo*, habría planteado la posibilidad de que las regiones nucleares de América —Mesoamérica y la zona andina— habrían tenido contactos culturales desde tempranas épocas correspondientes al Formativo. A partir de estas premisas —que involucraban a casi todos los países con litorales en la costa del Pacífico, de México a Perú—

[21] Kirchoff, 1946.

[22] Beals, 1940.

[23] Brand, 1960.

diversas instituciones académicas de Estados Unidos y Latinoamérica se comprometieron a la realización de una serie de reconocimientos y exploraciones arqueológicas a lo largo de la costa pacífica. El denominado Proyecto A quedó a cargo de Clement Meighan y H.B. Nicholsonx.[24] Los reconocimientos en el área mesoamericana se centraron en tres regiones. La primera se localizó de la desembocadura del río Santiago en Nayarit, hasta la bahía de Yelapa en la costa alegre de Jalisco. La segunda, de la bahía de Chamela, Jalisco, a la desembocadura del río Marabasco en Colima. La tercera abarcaba la Costa Chica y la Costa Grande de Guerrero.

Es prudente señalar, en este sentido, que las exploraciones no fueron extensivas y que las temporadas de campo fueron en realidad muy breves. Su exploración, sin embargo, permitió no sólo la recuperación de materiales controlados estratigráficamente sino, además, la obtención de los primeros fechamientos absolutos. El Proyecto A permitió la ubicación temporal de numerosos rasgos que caracterizan al Occidente, estableciendo con ello, las bases de futuras investigaciones. Entre lo más sobresaliente estuvo el haber fechado la primera tumba de tiro. El relato de cómo ocurrió dibuja muy bien el escenario a enfrentar por un arqueólogo en un campo colmado de "moneros".

Nuestro arqueólogo, llamado Stanley Long, se encontraba a cargo de una investigación del Proyecto A desarrollado en las tierras altas de Jalisco denominado Proyecto de la Cuenca de la Magdalena (Etzatlán). Su objetivo concreto era encontrar una tumba de tiro sin saquear. Para su fortuna, Long tuvo conocimiento del hallazgo de una tumba en la hacienda de San Sebastián, muy cerca de El Arenal. Las ofrendas de la tumba contuvieron 18 figuras antropomorfas, 33 vasijas y variados artefactos. Según información rastreada por Lavine, la colección fue comprada por Milton Heifetz, quien, posteriormente, la ofreció a Los Angeles

[24] Nicholson, 1961; Nicholson y Meighan, 1970.

Archivo Técnico de la Coordinación Nacional de Arqueología-INAH

Tumba de El Arenal Etzatlán, Jalisco. Informe de José Corona Núñez, 1955.

County Museum of Natural History. Long pudo reconstruir las características del hallazgo gracias a que los moneros le ofrecieron información y la recuperación de materiales no comercializables —como los entierros—. A partir de entrevistas a los saqueadores y al rastreo de lo que quedaba de sus depredaciones, Long pudo llevar a cabo la primera tipología de las figuras huecas modeladas en barro. El contenido de la tumba de San Sebastián se pudo fechar a través de tres muestras de caracoles. El registro cronológico lo ubicó entre el 100 a.C. y el 400 a.C. Se concluyó entonces que la tumba fue utilizada a lo largo de 600 años.[25]

El Proyecto A realizó, también, una exploración intensiva en el rancho de Morett, sobre la margen izquierda del río Marabasco en Colima. La obtención de 11 entierros y una abundante muestra de materiales diversos permitió la elaboración de una monografía. En la misma encontramos lo que es, acaso, el sitio con mayores fechamientos absolutos de todos cuantos se han explorado en el Occidente: 16 series de radiocarbón y 115 fechas obtenidas por hidratación de obsidiana.[26]

Debemos tomar en cuenta, de cualquier modo, que el Proyecto A buscaba confirmar la existencia de algún tipo de contacto entre Sudamérica y Mesoamérica en un periodo sumamente temprano y que esto supondría la búsqueda de fechas que oscilaran entre el 1200 y el 800 a.C. Podría pensarse que los objetivos centrales del Proyecto A pasaron al olvido una vez que se concluyó su ciclo hacia el año de 1970. Esto no fue así. Como lo habíamos señalado en párrafos anteriores, la doctora Isabel Kelly regresó a Colima hacia 1966 con el ánimo de ordenar, de una vez por todas, su secuencia cronológica. Sus datos no sufrirían el aislamiento al que estuvieron condenados sus primeros intentos pues nuevas exploraciones e investigaciones habían proporcionado ya un abundante material comparativo. Los fechamientos absolutos, por otro lado, serían determinantes en su nuevo intento.

Fue así que sin desearlo explícitamente o sin plantearlo como una prioridad de su investigación la doctora Kelly logró encontrar las evidencias tan afanosamente buscadas por el equipo del Proyecto A: los materiales culturales equiparables al Preclásico mesoamericano, el buscado Formativo del Occidente en Colima. La presentación del material Capacha —nombre con el que Kelly bautizó a la nueva fase— se efectuó en una reunión científica en la Ciudad de México en 1970.[27]

El conjunto de materiales que caracterizaron a lo Capacha procedió, en su mayor parte, de contextos funerarios sumamente sencillos. No existió asociación alguna con tumbas de tiro ni con restos de zonas habitacionales, mas, de cualquier modo, la presencia de metates y sus respectivas manos, así como sus elaboradas formas cerámicas, dejaron en claro que se trataba de grupos sedentarios que habrían alcanzado una suerte de dominio sobre su medio así como desarrollado artes como la alfarería y la lapidaria. Asimismo, la constante recurrencia de una misma *idea* en la elaboración de vasijas —esbeltas, acinturadas y con una decoración consistente en una suerte de sol emitiendo sus rayos— otorgó los indicios de una serie de elementos recurrentes que formaban parte de un imaginario colectivo producto de una cohesión social.

Los fechamientos que sustentaron la antigüedad de la fase establecieron su ocurrencia entre 1750 y 1450 a.C,[28] no obstante, buena parte de los estudiosos manejan una fecha que ronda entre el 1500 y el 1200 a.C. No puede dejar de señalarse que sus datos fueron seriamente cuestionados por diversos investigadores a causa de la dificultad de enlazar esta tradición a otras similares en Jalisco y Sinaloa pero que, sin embargo, no presentaron una temporalidad tan antigua.

Un elemento que vendría a reforzar con solidez sus contextos analizados fue la nueva temporada de campo realizada en El Opeño. Los trabajos de 1969 permitieron a Arturo Oliveros, asesorado por un Eduardo Noguera ya muy maduro, la exploración de dos tumbas de socavón con un acceso a base de escalinatas muy similares a las exploradas hacia 1938. Estas tumbas, con todo y que no son parecidas a las posteriormente conocidas como de tiro, han sido consideradas de cualquier modo como su antecedente más remoto. Su interior contuvo extraordinarias ofrendas asociadas a restos humanos que presentaron, en su mayor parte, evidencias de deformación craneana del tipo tubular erecta. Las vasijas depositadas mostraron

[25] Long, 1966.

[26] Meighan, 1972.

[27] Kelly, 1970.

[28] Kelly, y 15 de su monografía. 1980.

tipos muy semejantes a los característicos Capacha. Las figurillas de barro recuperadas fueron de una calidad fuera de lo común. Algunas portan implementos que posiblemente fueran utilizados en el juego de pelota como rodilleras y un instrumento que cumplía la función de una pequeña raqueta. Un pectoral de piedra que semeja el caparacho de una tortuga muestra el diseño conocido como Cruz de San Andrés.[29] Fue por esta vía como los fechamientos relativos efectuados a través de la mera comparación de materiales así como los obsolutos realizados por el proyecto de investigación, otorgaron a Kelly los elementos necesarios para reforzar la antigüedad de lo Capacha.[30]

A fin de no extendernos en exceso, baste comentar que los rasgos descritos como típicos del Occidente para sus etapas tempranas, los cuales incluyen tanto al complejo Capacha y las tumbas de El Opeño hasta la posterior expansión de la tradición de Tumbas de Tiro, han sido considerados como un desarrollo poco mesoamericano a causa de contener un rostro cercano a tradiciones sudamericanas; en este sentido, pues, no debe echarse en saco roto la dilucidación de las remotas olas o mareas culturales procedentes de la zona del Pacífico a las cuales Eduardo Noguera concede el nacimiento o el nuevo impulso de las civilizaciones que se desarrollaron en el Valle de México. Sucesos, por cierto, desplegados en aquellos siglos fundamentales que constituyeron el largo periodo conocido como Arcaico o Formativo.

Si esclarecer el proceso que permite el tránsito de rasgos culturales a través de un ámbito particularmente difícil de aprehender como es el de las rutas marítimas —en este caso el Océano Pacífico— ha sido complicado, el asunto del cómo definir la frontera mesoamericana en sus linderos norteños constituyó un verdadero laboratorio de planteamientos teóricos y metodológicos. Hacia el inicio de los años sesenta Pedro Armillas impulsó un proyecto relativo al esclarecimiento de la frontera septentrional de Mesoamérica. Los reconocimientos y exploraciones contaron con la labor de personajes como Román Piña Chan, quien coordinó una serie de trabajos en el sur de Zacatecas, el oriente de Jalisco[31] y en lugares de Guanajuato y San Luis Potosí, tareas en las que participaron de manera activa Beatriz Braniff y Ana María Crespo, mismas que intentaron dilucidar la índole de las tradiciones cerámicas desarrolladas en el espacio comprendido entre la Cuenca de México y el Valle de Malpaso (La Quemada), es decir, el Bajío.

A causa de su ubicación geográfica, el Bajío se erigió en una suerte de cruce de caminos al que arribaron creaciones culturales del Occidente, del Noroeste, del Norte y del Noreste. A la vez, su cercanía con los altiplanos y valles centrales lo colocaron en una posición única pues las influencias que pudieran desarrollarse a partir del fortalecimiento de grupos diversos, encontraban en este espacio una suerte de filtro que impregnaba los rasgos novedosos con una suerte de sello particular.

La índole de las influencias, sin embargo, marcaron la existencia de una suerte de dos tendencias. Los territorios que se extienden hacia el noreste del Bajío, las regiones de Río Verde (San Luis Potosí), la Sierra de Tamaulipas y la Sierra Gorda de Querétaro muestran afinidades con las tradiciones culturales del Golfo de México (la Huasteca, El Tajín) y, por ende, con Teotihuacan. El área que se despliega del Altiplano potosino hacia el Occidente y el Norte, sin embargo, manifiesta una adscripción cultural distinta, la cual encuentra sus lejanas raíces en la tradición Occidental o Pacífica.[32]

El eje sobre el cual se ha manejado la constante movilidad de la línea imaginaria que separa a los grupos agrícolas y sedentarios de los cazadores y recolectores nómadas ha sido el constante cambio climático expresado en una variabilidad constante de la precipitación pluvial, misma que tendría repercusiones directas en los pueblos campesinos practicantes de una agricultura de temporal. Es bueno señalar, con relación a este problema, que cada vez se acepta más el hecho de que no puede hablarse de manera tajante de pueblos "sedentarios" y "nómadas" toda vez que la región impuso a sus pobladores el desarrollo de estrategias de sobrevivencia que incluía prácticas tanto productivas como de apropiación.[33]

La síntesis de los eventos que se sucedieron en el noroeste de Mesoamérica requeriría de un espacio mayor al de este escrito. En buena medida tiene que ver con las características del desarrollo cultural alcanzado por ciertas regiones

[29] Oliveros, 1970.

[30] Si bien las fechas obtenidas hacia 1970 indicaban la ocurrencia de la cultura de El Opeño entre el 800 y el 1200 a.C., la tercera temporada de exploración, efectuada por el propio Arturo Oliveros en la década de los noventa, ofreció otros fechamientos que convalidaron dicha temporalidad.

[31] Piña Chan y Tayor, 1976.

[32] Braniff, 1992.

[33] Armillas, 1964.

como Etzatlán, Jalisco, asiento de la renombrada *Tradición Teuchitlán*, misma que ha sido paulatinamente conocida a través de reconocimientos sistemáticos de área destinados a evaluar su evolución espacial y su capacidad de mantenimiento demográfico a través de la tecnología indígena.[34] Su expresión material más conocida relativa a su arquitectura: los *guchimontones* —plataformas de planta circular que forman espacios (plazas y patios) circulares— dan indicios de una región unificada a partir de centros rectores, mismos que estarían definidos por las circunstancias económicas y políticas derivadas de una organización social sólidamente estructurada. A la riqueza de esta región debió haber contribuido, según Phil Weigand, el dominio del comercio de materiales exóticos tales como la turquesa, el ópalo o las conchas de la costa, así como la cercanía y explotación del recurso tecnológico por excelencia: la obsidiana.

A la par, el desarrollo de la cultura Aztatlán —aquélla definida por Sauer y Brand— parece mostrarnos el reflejo de un pueblo que alcanzó sofisticaciones derivadas de una evidente riqueza material muy probablemente ligada al comercio del metal o, incluso, a las propias artes del conocimiento técnico de su elaboración

De cualquier modo, la necesidad de conocer de manera más puntual el desarrollo de pueblos establecidos en valles localizados en altiplanos (Teuchitlán) o planicies costeras (Aztatlán) tendría que ser matizada por los eventos sucedidos en regiones aledañas a ellas y en las cuales se manifestaron culturas edificadas a través de las necesidades de pueblos obligados a convivir o malvivir con grupos nómadas inclinados a efectuar periódicas incursiones bélicas destinadas a obtener el botín de la riqueza generada por los grupos sedentarios (sin duda, el caso de los grupos localizados en la región de Chalchihuites).

[34] Weigand, 1985 y 1993.

A partir de la década de los sesenta la manera de abordar el estudio de los remanentes arqueológicos enfrentó una realidad manifiesta: la explosión demográfica del país y los planes desarrollistas procedentes del Estado. Los cambios en la fisonomía de regiones enteras amenazaron, de manera evidente, los vestigios arqueológicos de prácticamente todo el país. Es claro que las formas de abordar su estudio se transformaron de manera sustancial.

Acaso el proyecto que daría la pauta en cuanto a cómo abordar la nueva realidad fue el Salvamento Arqueológico efectuado en la Presa Adolfo López Mateos (1963-1967), localizada en la confluencia del río de Las Balsas y el Tepalcatepec: el Infiernillo. La organización del trabajo de campo y de gabinete a través de equipos completos de especialistas permitió, a la par de una recolección sistemática de información y procesamiento de datos, el argumento idóneo a la profesionalización de la arqueología. Las siguientes décadas, por tanto, dan cuenta de un espectacular aumento en las labores de los arqueólogos.

La transformación en las condiciones de trabajo, la irrupción de la tecnología, la burocratización del quehacer académico y la proliferación de instituciones dedicadas a la investigación dan cuenta de una nueva forma de abordar los problemas. Con todo, en la profesión conviven, de manera inevitable, el impulso primario surgido de la curiosidad y el ánimo de indagar las causas que moldearon nuestra realidad. Carl Sauer tenía razón, los paisajes se transforman pero guardan en su interior la carga histórica que los grupos humanos han ido moldeando a través del tiempo: "de toda la tierra, de toda la existencia humana construimos una ciencia retrospectiva que de esta experiencia adquiere el saber para mirar el futuro".[35]

[35] Sauer, 1991.

ESTRUCTURAS PIRAMIDALES 1 Y 2.
IHUATZIO, MICHOACÁN

TÚNEL QUE COMUNICA EL POZO
CON LA CÁMARA I.EL ARENAL

TUMBA DE TIRO

JOROBADO SEDENTE

VASIJA ARILLO

ISABEL KELLY (1906-1982)
EL OPEÑO Y CAPACHA

ISABEL KELLY TRABAJANDO EN GUASAVE, SINALOA, CA. 1939

ENTIERRO ENCONTRADO EN UNA
LOCALIDAD DE QUINTERO

OLLA CON DOS CUERPOS
PROCEDENTE DE
CAPACHA, COLIMA

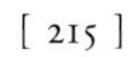

FIGURILLAS PROCEDENTES
DE EL OPEÑO

MURIEL PORTER
CHUPÍCUARO, MICHOACÁN

EXCAVACIÓN DEL CONJUNTO 14
EN CHUPÍCUARO, DIRIGIDA POR
MURIEL PORTER

COPA

CAJETE POLICROMADO

RELACIÓN DE LAS
COSAS DE MICHOACÁN

ESCULTURA ANTROPOMORFA

CAJETE POLOCROMADO

VASIJA JARRA

GORDON EKHOLM (1909-1987)
GUASAVE, SINALOA

CAJETE POLICROMADO

CAJETE TRÍPODE
POLICROMADO

CAJETE TRÍPODE
CON DECORACIÓN INCISA

VASO TRÍPODE
POLICROMADO

CAJETE
POLICROMADO

CLEMENT W. MEIGHAN (1925-1997)
AMAPA, NAYARIT

VISTA DE LAS EXCAVACIONES EN AMAPA

PIEDRAS CORTADAS ASOCIADAS CON EL CEMENTERIO EN AMAPA

CAJETE CON DECORACIÓN EXTERIOR

LADO OESTE DEL MONTÍCULO 1, 1956

OFRENDA LOCALIZADA
EN EL MONTÍCULO 3, 1956

PLANO DEL COMPLEJO
GUACHIMONTÓN EN TEUCHTITLÁN

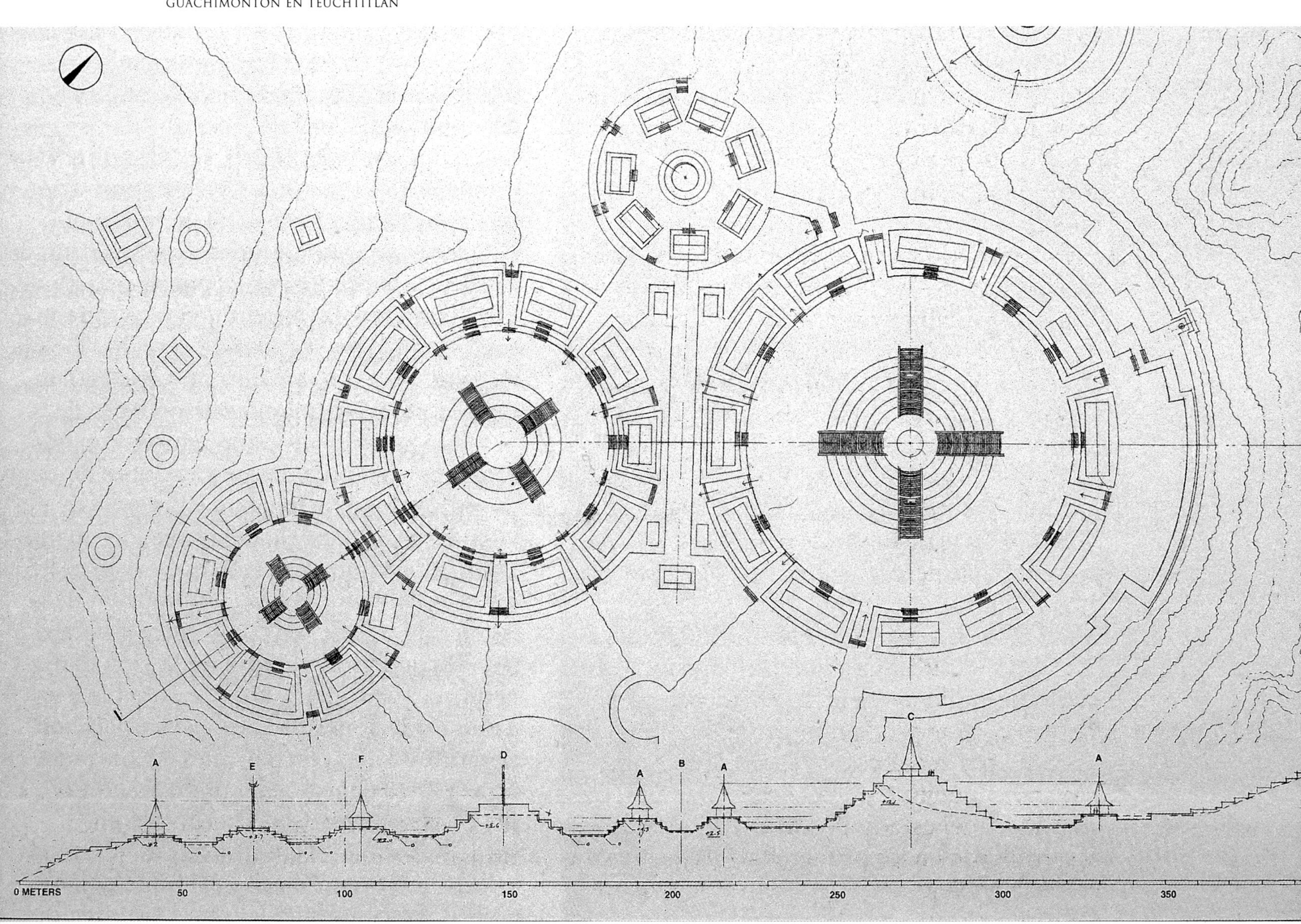

VISTA DEL SUR DE LAS RUINAS DE COATL CAMATLI, CERCA DE LA QUEMADA

PIRÁMIDE VOTIVA DE LA QUEMADA, ZACATECAS. CORRESPONDE A LOS TRABAJOS EFECTUADOS POR JOSÉ CORONA NÚÑEZ

PRECURSORES Y PROTAGONISTAS DEL PRECLÁSICO EN LA CUENCA DE MÉXICO

MARI CARMEN SERRA PUCHE*

Este trabajo busca ser un recorrido por el tiempo y el espacio; un viaje que puede ser posible gracias a la labor y dedicación de extraordinarios hombres interesados en estudiar el pasado. Es así que, en caminos paralelos, conoceremos por un lado a viajeros, cronistas, historiadores, investigadores, protagonistas de la investigación arqueológica en un periodo que abarca desde finales del siglo XIX hasta nuestros días, estudiosos intrigados, atraídos y apasionados por "los antepasados de los aztecas", "las culturas más antiguas", "arcaicas", "preclásicas", por el llamado periodo Formativo.

Y con ellos, también nos acercaremos al modo de vida de la gente que hace miles de años nos precedió al ocupar parte del territorio que hoy es México. De acuerdo a lo que se ha podido saber, como lo veremos más adelante, esos hombres se preocuparon e ingeniaron en satisfacer las mismas necesidades básicas que actualmente seguimos resolviendo a través de la vida en sociedad.

En este recorrido paralelo encontraremos que todos estos personajes del pasado son cercanos y lejanos a la vez, de tal forma que podemos reconocer en ellos los rasgos básicos de nuestro carácter y proceder actual, ya sea como modernos investigadores y arqueólogos o sencillamente en la cotidianidad de un país con una rica diversidad cultural.

La investigación arqueológica antes y ahora no puede deslindarse del contorno social y político en el que está inmersa. La información en este artículo se organizó cronológicamente; reseñas, comentarios, experiencias, hipótesis y conclusiones reflejan el sentir de la época, el momento histórico y social de investigadores que conoceremos mediante los pasajes más significativos de sus obras.

En la historia de la arqueología mexicana el estudio de los grupos humanos anteriores a las culturas clásicas del territorio mesoamericano se remonta a 1886, cuando se descubren figurillas que parecen más "primitivas" o "arcaicas". Estos descubrimientos no pueden ser explicados aisladamente, por lo que siempre se asocian a lo teotihuacano o lo azteca. Es así que estos elementos arqueológicos se explicaron de acuerdo con la secuencia cronológica vigente en su momento de análisis, con términos como arcaico, cultura de los cerros, culturas medias y más tarde como periodo Preclásico.

COLECCIONISTAS DE "CABECITAS"

El primero en escribir sobre objetos correspondientes a este periodo fue el padre Francisco Plancarte y Navarrete, quien publicó en 1911 su obra *Tamoanchan*, donde relata:

> Del 1886 al 1890, como profesor y Vice-Rector del Colegio clerical, residía yo en S. Joaquín Cacalco, pueblecillo a muy corta distancia al sudoeste de Tacuba en la carretera que de México conduce a S. Bartolo Naucalpan, primer pueblo del Estado de México que se encuentra por este rumbo.
>
> De Atoto, lugar un poco más apartado de los que yo comúnmente frecuentaba en mis paseos vespertinos: ameno y fértil por su abundancia de agua, me llevaron una vez algunas cabecitas que llamaron fuertemente mi atención, por su hechura y

* Con la colaboración de Karina R. Durand Velasco-UNAM.

Cabecitas a las que se refiere el padre Francisco Plancarte en su obra Temoanchan.

su tipo enteramente distinto del de las cabecitas que solíamos encontrar de hechura y tipo naua, tan conocido y abundante en el Valle de México y muchos otros lugares en donde por conquista o influencias comerciales, dejó esa raza marcados vestigios de su presencia.

El encontrar, pues, tipos de otra raza o de otra tribu de la misma, distintos de los que conocíamos como pertenecientes a las tribus que habían habitado y dominado esos lugares, me pareció cosa muy importante para la historia antigua de México; sobre todo, si se podía probar que esos objetos se encontraban en capas del terreno, inferiores a las que contenían los de tipo de la tribu azteca o tribus nauas conocidas ... A principios de 1900 hube de cambiar mi residencia al Estado de Morelos, y grande fue mi sorpresa al volverme a encontrar con ese mismo tipo de figurillas en Xochitepec, pueblo a pocos kilómetros de Cuernavaca. Comencé a hacer pesquisas por todas partes y en once años lo hallé abundantemente representado, además del mencionado pueblo de Xochitepec, en Cuernavaca, Tepostlán, Amacusac, Jojutla, Yautepec, Tepalcingo, Jonacatepec, Zacualpan, Tetela del Volcán, Hueyapan, Tlalltizapán; en resumen, en todo el Estado de Morelos.[1]

Estratigrafía y cronología, la primera vez

El problema de las culturas más antiguas empezó a interesar a los estudiosos y en 1913 Franz Boas demostró que las figurillas a las que hizo referencia Plancarte estaban asociadas a tipos cerámicos específicos, mientras que Gamio, por el mismo año, encontró que no sólo esto era cierto sino que la cultura a la que pertenecían se encontraba por debajo de la teotihuacana y azteca. Gamio menciona:

> Durante el año 1909 hice un reconocimiento en las regiones que comprende la Municipalidad de Azcapotzalco, Distrito Federal, México y pude identificar el carácter prehispánico de los vestigios que ahí se encuentran, los cuales consisten en depósitos de cerámica contenidos en los terrenos sedimentarios de la llanura y en montículos artificiales que ocultan en su interior restos de estructuras arquitectónicas. Entre los ejemplares extraídos de tales depósitos se contaban diversas representaciones de forma humana de barro y fragmentos de la cerámica posteriormente filiada como de tipo arcaico ... Aunque, como ya dije, el tipo de los cerros había quedado inicialmente identificado por el doctor Boas, este señor me encomendó la investigación de su antigüedad con respecto a la de los otros dos, azteca y teotihuacano, que aparecen en el Valle. Cumpliendo tal recomendación efectúe la excavación de San Miguel Amantla, Azcapotzaclco, y pude comprobar que en ese lugar se encontraban tres estratificaciones geológico-culturales superpuestas por orden de antigüedad, siendo la primera o superficial correspondiente al tipo azteca, la segunda al teotihuacano y la tercera o más profunda al "arcaico" que entonces denominé "de los cerros", siguiendo al doctor Boas.[2]

Como el mismo Gamio lo menciona, la excavación hecha en San Miguel Amantla, Azcapotzalco, fue considerada de tipo metodológico; era la única excavación hasta entonces realizada en los valles centrales que se llevaba a cabo con el

[1] Plancarte, 1911: 5-8.
[2] Gamio, 1920: 127.

Vista general de las Canteras de Copilco.

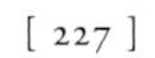

método estratigráfico, y se llega a la conclusión de que la cultura arcaica era la más antigua ya que apareció en los estratos más profundos.

Gamio, después de llevar a cabo las exploraciones antes mencionadas, inició excavaciones en el Pedregal de San Ángel, bajo su dirección, con la participación del ingeniero José Reygadas Vértiz y de Gabriel Gamio, su hermano.

> En el mes de agosto de 1917, el personal de la Dirección de Estudios Arqueológicos y Etnográficos —hoy Dirección de Antropología— procedió a hacer un reconocimiento metódico de todas las canteras que estaban en explotación, hasta conocer en cuál de ellas era más frecuente la presencia de cerámica fragmentada y otros vestigios, resultando que en el lugar donde se notaba más abundancia, era en la Cantera de Copilco, colindante con la Colonia del Carmen en la población de San Ángel... Desde el punto de vista geológico pueden distinguirse en las canteras de Copilco tres capas claramente diferenciadas:
>
> A. Capa de lava volcánica.
> B. Terreno de estructura blanda en el que aparecen los vestigios arqueológicos y restos humanos.
> C. Terreno de estructura compacta en el que fueron excavados los sepulcros cilíndricos.[3]

Según el célebre arqueólogo, los descubrimientos de sepulcros, pavimentos e hileras de piedras, así como objetos de barro y piedra permitieron concluir que:

> La civilización de esos pobladores es la que se denominó en primer término "de los cerros" por el doctor Franz Boas, después de "montaña" por el autor de estas líneas y por último "arcaico", por diversos americanistas como Spinden, Tozzer, Nutall, etcétera. Se justifica tal afirmación por la identidad que existe entre la cerámica arcaica hallada en diversos lugares del Valle de México y la que se encontró en el Pedregal.[4]

Gamio no puede evitar la tentación en la que caemos la mayoría de los arqueólogos al tratar de enmarcar en un cuadro cronológico de periodificación los descubrimientos. Así inventamos términos que con el avance de la ciencia y con la aparición de nuevos descubrimientos resultan, de pronto, obsoletos. En sus conclusiones finales sobre los hallazgos arqueológicos del Pedregal dice:

> Para terminar, nos permitimos hacer una atenta proposición a los americanistas que dediquen en lo sucesivo su atención al interesante problema que entraña el conocimiento de la cultura arcaica: Por lo expuesto en las líneas anteriores puede notarse que reina alguna confusión con respecto a las denominaciones que ha recibido y sigue recibiendo la cultura "arcaica", de "cerro" o de "montaña". Sugerimos que siendo debajo de la lava del Pedregal de San Ángel el primer sitio, y hasta hoy el único, en donde se han encontrado vestigios de la citada cultura, enteramente aislados e independientes de los de otras culturas, se denomine en adelante a la cultura discutida, "Cultura Sub-Pedregalense", denominación distintiva y justificada.

[3] *Ibid.*, p. 132.

[4] *Ibid.*, p. 141.

Además, creo que, dada su antigüedad, deben ser considerados los vestigios del Pedregal como términos de comparación para el estudio y la clasificación de vestigios del mismo tipo que se encuentren en otras regiones cuya antigüedad, no puede ser establecida con la certidumbre con que se ha conseguido hacerlo con los del Pedregal.[5]

Excavaciones en Cuicuilco.

A continuación Byron Cummings da a conocer Cuicuilco como el edificio más antiguo de Mesoamérica, mientras que Gamio ya supone "que las culturas de América Prehispánica eran probablemente ramas de una cultura madre primitiva, la cual había llegado a diferenciarse en varios aspectos y alcanzar diversos grados de desarrollo, de acuerdo con su medio climático y geográfico", suposición que ahora cobra mayor fuerza, puesto que hay evidencias que apuntan hacia el establecimiento de un periodo formativo común del núcleo americano.

Cummings excavaba en Cuicuilco entre 1922 y 1925, gracias a un convenio para el intercambio de técnicas y métodos de excavación con la Dirección de Antropología de México y La Universidad de Arizona donde Cummings era investigador. Su primera publicación en 1923 la realiza en la revista *Ethnos*, donde describe a las culturas del periodo Arcaico como portadoras de un avanzado desarrollo de las instituciones sociopolíticas, por el enorme esfuerzo que significó la construcción de la pirámide de Cuiculco.

En 1933 publica su monografía *Cuicuilco and the archaic culture of México*, donde describe ampliamente la cultura material del horizonte arcaico. Cummings hace referencia constantemente a la relación entre las culturas ancestrales y la naturaleza:

> El indígena americano vivía en estrecho contacto con la naturaleza sin importar su pertenencia a cualquier tribu. Observaban los movimientos del sol, la luna y las estrellas. Conocían el implacable poder de los vientos y los rayos y tormentas que traían consigo. Su vida transcurría a la intemperie y cada montaña, cada árbol y cada mazorca de maíz que cultivaban les hablaban en un lenguaje que ellos comprendían.[6]

Excavaciones en Cuicuilco.

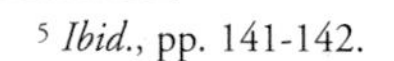

[5] *Ibid.*, pp. 141-142.
[6] Cummings, 1993: 18-20.

También relata las distintas erupciones que dieron origen a la creación de la Cuenca de México y los distintos momentos de ocupación y abandono del sitio de Cuicuilco.

> Mas esta temporada de bendiciones no estaba destinada a perdurar. El Viejo Ajusco seguía inquieto y, finalmente, luego de que muchas generaciones llegaron y se fueron, Xitli —la válvula de escape sobre su lado norte— vomitó fuego y piedra sobre los valles a sus faldas. Todo lo viviente y todo lo inflamable fue absorbido por el fuego, ennegrecido o reducido a cenizas.[7]

Las descripciones de la arquitectura monumental y de sus hallazgos van siempre acompañadas de un énfasis en la relación con el entorno y su eje conductor en el dios del fuego.

> Una generación siguió a otra. Este viejo templo conífero se alzó hacia el azul eterno e intentó izar a los hijos de sus constructores más cerca del cielo y más cerca de una verdadera comprensión de los fenómenos de la naturaleza. A menudo, el Dios del Fuego interfería en el transcurrir de aquellos días, trastocando el equilibrio del Valle de México; y Cuicuilco parece haber recibido su parte de sismos y fuego bautismal. Aparecieron grietas y muchos bloques inmensos quedaron descolocados en las orillas de la terraza y sobre el muro exterior. Posteriormente, algún poderoso cacique asumió la reparación de los daños y saciar la ira de los dioses con la ampliación del templo.[8]

Cummings aplicó las técnicas de excavación más apropiadas de la época, pero sus inferencias fueron más allá de los resultados que entonces se podían haber obtenido; menciona que necesita hacer más exploraciones y sobre todo tratar de excavar las "casas" de los habitantes de Cuicuilco para comprender mejor sus avances tecnológicos.

> Indudablemente, esta gente de Cuicuilco ejerció un papel de liderazgo en la era arcaica de México. Construyeron este gran templo, el único de este periodo que se ha descubierto, pero otros montículos de los alrededores probablemente contengan estructuras que realizaron con sus manos. Sus principales implementos fueron las rudimentarias piedras para amartillar y para pulir, así como los cuchillos y raspadores de obsidiana rudamente labrados. Su habilidad con la cerámica contradice su aparente falta de habilidad en el trabajo de la piedra. Sin embargo, quizá no hemos aún encontrado lo mejor de sus implementos para la labranza de piedras y las ruinas de sus hogares, que deben existir en alguna parte bajo la limitante y negra capa de lava; sin embargo, queda por descubrir una cultura aún más amplia y simétrica.[9]

Finalmente concluye que Cuicuilco es el templo más antiguo del continente americano y definitivamente lo considera como el antecedente de Teotihuacan.

> Cuicuilco significó un lugar para el canto y la danza. Aquí los hombres y las mujeres se reunían para rendir tributo a los grandes espíritus quienes, según ellos, controlaban sus vidas y sus destinos. Aquí danzaron y cantaron en honor de sus dioses y para beneficio de los suyos, aparentemente a lo largo de muchos siglos. Cuicuilco sobresale como un monumento al empeño religioso, al poder organizado y a la perseverancia de los primeros habitantes del Valle de México. Es un gran templo que registra la devoción por sus dioses y el sometimiento a la voluntad de sus grandes líderes. Muestra el comienzo de esa arquitectura que se desarrollaría en las pirámides y altares de Teotihuacan. Ciertamente, proporciona evidencias de ser el templo más antiguo que se haya descubierto en el continente americano.[10]

Entre 1955 y 1960 se hacen trabajos más especializados en Cuicuilco con el apoyo de la National Geographic Society; R. F. Heizer y J. Bennyhoff llevan a cabo nuevas excavaciones, reafirmando la cronología del sitio.

Descubrimientos posteriores permitieron concluir que existieron otras construcciones de tipo religioso anteriores a Cuicuilco:

> En el sitio denominado Cerro del Tepalcate se construyó el templo más antiguo hasta ahora conocido y desde el cual se contemplaba toda la Cuenca. En la construcción se utilizaron

[7] *Ibid.*, pp. 9-10.
[8] *Ibid.*, p. 28.
[9] *Ibid.*, pp. 40-42.
[10] *Ibid.*, pp. 55-56.

Byron Cummings, con el dios viejo del fuego.

adobe, lajas cortadas irregularmente, piedras sin trabajar, troncos y paja. El templo estaba asentado sobre una plataforma con piso pulimentado, las paredes eran de bajareque, con revestimiento de lodo pintado de rojo, el techo era de paja y a dos aguas. Es muy parecido a las que representan en las maquetas de barro prehispánicas del occidente en México.[11]

Vaillant, ¿Cuáles son los objetivos de la arqueología?

De 1927 a 1935 G. C. Vaillant emprendió una serie de excavaciones estratigráficas metódicas en las orillas noroccidentales del antiguo Lago de Texcoco. Vaillant inició sus trabajos basándose en los análisis y compilaciones efectuadas anteriormente como ya mencionamos por Franz Boas en 1911, Gamio en 1920, Clarence Hay y Cummings en 1923 y sobre todo por los recorridos hechos por Kroelser en 1925 analizando el material superficial de El Arbolillo.

> Los magníficos trabajos de Vaillant en el Valle de México establecieron ciertos conocimientos básicos sobre las culturas preclásicas: por medio de extensas excavaciones en Zacatenco, El Arbolillo y Ticomán, y de cuidadosos estudios de la cerámica, los utensilios y las figurillas, se estableció una minuciosa tipología de las figurillas, de las formas de las vasijas, de los barros y la decoración, y lo que es más importante, se fijó una secuencia cronológica con tres épocas básicas:
>
> 1. Inferior (Zacatenco I), el periodo formativo, el más antiguo que se conoce hasta la fecha.

[11] Piña Chan, 1955: 64-65.

2. Medio (Zacatenco II), el periodo de florecimiento de la cultura preclásica, al que corresponde el sitio que nos ocupa, Tlatilco.
3. Superior (Zacatenco III, o como se le conoce mejor: Ticomán) una cultura del mismo nivel pero totalmente distinta que substituye a las anteriores, con señales de un origen distinto y con una marcada decadencia.[12]

El material recolectado en Zacatenco (Vaillant, 1930), en Ticomán (Vaillant, 1931) y en El Arbolillo (Vaillant, 1935), antecedente de la civilización teotihuacana, no constituía de ninguna manera, en la opinión de Vaillant, la primera manifestación de la vida aldeana en la Cuenca de México —tal como iban a inferirlo las exégesis arqueológicas ulteriores—, sino un conjunto cultural intermedio, al cual dio Vaillant el nombre de "culturas medias".

Por razones de espacio no podemos profundizar mucho en los trabajos que realizó G. C. Vaillant, sin embargo consideramos importante hacer hincapié en que son fundamentales no sólo para conocer la periodificación y cronología de la cerámica formativa, sino que contienen riquísima información que presenta su visión sobre lo que es la arqueología, cuál es su función, cómo debe aplicarse la metodología e inclusive cómo deben de publicarse los resultados.

> A menudo, la estratigrafía de los tipos de cerámica es considerada una ciencia debido a la cantidad de restos de cerámica hallados entre los escombros y su susceptibilidad a un tratamiento matemático. Se considera vulgarmente que se trata de algo fácil de hallar y que, de ser hallado, se explica por sí solo. Tales concepciones están muy distorsionadas. Comparativamente, existen pocos lugares donde uno pueda extraer por inducción alguna tipografía de la estratigrafía de cerámica. Generalmente, la estratigrafía funciona de manera deductiva a partir del conocimiento de diferentes tipos, adquirido ya sea por sitios de un determinado periodo o por la comparación absoluta de estilos. Más aún, el suelo requiere de mucho estudio para interpretar el sedimento de los restos. Además, hay varios tipos de estratigrafía de variable valor.[13]

[12] Covarrubias, 1950: 152.
[13] Vaillant, 1930: 12.

Con seguridad puede afirmarse que los trabajos de Vaillant sobre Zacatenco (1929-1930), Ticomán (1930), El Arbolillo (1931) y Gualupita (1932) son monografías impecables que deben servir de ejemplo, donde se describe detalladamente la forma en que se excavó, los hallazgos localizados, explicando el contexto y los análisis tipológicos de cerámica, lítica, así como otros materiales.

Vaillant comenta:

> La arqueología tiene dos principales metas, la reconstrucción de la vida de la gente en el pretérito y el acomodo de estas formas de vida dentro de un desarrollo histórico. Sin embargo, no siempre es posible encontrar sitios adecuados para llevar a cabo ambos propósitos de manera simultánea, ni tampoco son iguales los problemas técnicos involucrados. El enfatizar el aspecto formal de la arquelogía conlleva un bagaje informativo que puede transmitirse a personas sin adiestramiento técnico, mientras que la comunicación de los pasos reales de una secuencia histórica por medio de la variación en la cultura material demanda a menudo una participación técnica dentro de la investigación que rebasa el interés profesional en general.[14]

Con Vaillant, a través de su detallado trabajo y extraordinaria intuición, podemos realizar verdaderamente un viaje al pasado, hace varios milenios ya, en la Cuenca de México:

> El sitio arquelógico se encuentra en la margen occidental de Ticomán, sobre una península rocosa y empinada que se proyecta hacia el lago desde los cerros, que en ese punto conforman las faldas de una pequeña montaña llamada El Chiquihuite por su forma de cesto. Una mirada al mapa muestra el valor del sitio arqueológico de Ticomán como lugar habitado. El lago, ahora casi completamente drenado, salvo al noreste, rodeaba enteramente a la península.
>
> Las ventajas de tal situación son bastante obvias. En primer lugar, el lago proporcionaba pescados y patos y las milpas, ya barbechadas, producían ricas cosechas. Los enemigos que se aproximaran por tierra tendrían que ascender los cerros de la tierra firme antes de descender por el pronunciado desfi-

[14] *Ibid.*, p. 9.

ladero hacia el istmo, que era lo suficientemente largo como para prevenir alguna enfilada sobre el asentamiento. El enemigo que se acercara por el agua no podría atacar a Ticomán por la retaguardia debido a la elevación del desfiladero.

Si el enemigo inmediato de los ticomanos hubiese sido humano, la mayor concentración se hallaría en la cresta del cerro. Pero en el invierno soplan fuertes vientos del noroeste y tal factor quizá explique que hayamos encontrado la mayor cantidad de restos humanos sobe la ladera oriental donde hay protección contra esos vientos. La evidencia tangible de tal ocupación consistió en restos de cerámica y pedacería de muros.[15]

Los olmecas, arqueología frente a historia del arte

En los años cincuenta se inicia una nueva discusión sobre las "culturas arcaicas", término acuñado por H. J. Spinden (1928), como resultado de las magníficas secuencias cronológicas de Vaillant, resumidas en el conjunto Zacatenco-Copilco primero, seguido del Ticomán-Cuicuilco, que representa la conclusión de las trayectorias culturales del Formativo en la Cuenca de México. Esta discusión versa sobre los vestigios "olmeca", ya que en el sitio de Tlatilco, Miguel Covarrubias inicia las primeras excavaciones oficiales acompañado por H. Moedano en la primera temporada en 1943 y luego por Rubín de la Borbolla en la segunda temporada, de 1947 a 1949.

Covarrubias describió Tlatilco de la siguiente manera:

> No hay en el Valle de México mejor fuente para encontrar objetos arqueológicos que los grandes agujeros de las ladrilleras alrededor de la ciudad, donde los tabiqueros tienen constantemente que separar los tepalcates, fragmentos de vasijas y de figurillas antiguas, del barro con que hacen el ladrillo. A veces encuentran un entierro prehispánico con ofrendas de vasijas enteras, figurillas completas y hasta pequeños objetos de jade, y los venden a los coleccionistas que acostumbran visitar las ladrilleras en busca de antigüedades. Una de estas ladrilleras era excepcionalmente rica, no sólo en los tepalcates de costumbre, sino también en objetos extraños y figurillas extraordinarias, de una calidad artística sin precedente, intactas y aún con la pintura roja, amarilla y blanca con que se les decoró antes de enterrarlas con los muertos. Esta ladrillera tenía un nombre indígena sorprendentemente apropiado: Tlatilco, que quiere decir en náhuatl "Donde hay cosas ocultas" (de *tlatia:* esconder u ocultar).[16]
>
> Tocó, al que esto escribe, la suerte de que se le confiara la dirección de las exploraciones en Tlatilco por el Instituto Nacional de Antropología e Historia, primero, durante una corta temporada en 1942, con la ayuda de Hugo Moedano, cuando se hicieron solamente trincheras estratigráficas para establecer la posición cronológica del lugar. Exploraciones más extensas se llevaron a cabo más tarde (1947-1949), bajo los auspicios de la Viking Fund, compartiendo la dirección de los trabajos con el doctor Daniel R. de la Borbolla, director del Museo Nacional de Antropología, con la valiosa colaboración del geólogo Helmut de Terra y de los jóvenes arqueólogos y antropólogos físicos Arturo Romano, Eduardo Parellón, Román Piña Chan y Johana F. de Sáenz. Se han explorado hasta la fecha más de doscientos entierros, algunos riquísimos en ofrendas, que han producido un valiosísimo acervo de nuevos datos, muchos ejemplares del arte preclásico, así como figurillas y cerámica de estilo "olmeca" in situ, estableciendo sin lugar a dudas la contemporaneidad de las sorprendentes culturas Zacatenco y "Olmeca"...
>
> Por fantástica que la teoría parezca, toda la evidencia parece indicar que Tlatilco era una comunidad típica de cultura Zacatenco que se convirtió con el tiempo en una colonia "olmeca". No sólo en las figurillas se puede apreciar este contraste; la cerámica encontrada allí muestra una interesante mezcla de elementos y de estilos: por un lado está la cerámica simple con decoración geométrica elemental, pintada o incisa, con formas derivadas de técnicas esencialmente cerámicas (ollas y cajetes esféricos con fondos redondos, bordes reforzados, silueta compuesta, etcétera). Por otro lado están las formas complejas importadas al Valle de México, con técnicas de decoración más elaboradas (modelado, tallado antes de la cocción, estampados con mecedora (rockerstamp), champlevé, laca, etcétera), y con motivos más evolucionados (dibujos curvilíneos abstractos, combinados con cruces y formas angulares, manos estilizadas, partes de caras

[15] Vaillant, 1930: 220-221.

[16] Covarrubias, 1950: 153.

Sistemas de trincheras en Zacatenco.

"olmecas", etcétera). Esta cerámica es intrusiva en el complejo Zacatenco en sus formas y decoración, con rasgos tan típicamente "olmecas".[17]

El gran mesoamericanista, doctor Román Piña Chan, inicia sus estudios sobre el periodo Preclásico en la década de los años cincuenta. Su libro *Las culturas preclásicas del Valle de México,* sintetiza el panorama de todo el conocimiento que en ese momento se tenía de esa época ancestral. También vaticina un futuro importante para la arqueología de la Cuenca de México. En su monografía sobre *Tlatilco,* se resumen sus excavaciones en el sitio y pueden distinguirse avances interesantes en las técnicas de excavación y en el análisis de artefactos.

La principal finalidad de la Arqueología debe ser el estudio de la cultura; la reconstrucción del pasado histórico del hombre o la integración histórico-cultural de los grupos desaparecidos, tal como nos lo revelan los restos materiales extraídos de la tierra, mediante técnicas y un método científico que nos aproxime a la realidad.

Teniendo en cuenta esto y considerando que el sitio Preclásico de Tlatilco era una verdadera promesa para el conocimiento y resolución de numerosos problemas que aún existían en torno a los primeros grupos sedentarios de la Cuenca de México, se integró el llamado "Proyecto Tlatilco", el cual inició sus investigaciones en el año de 1947, pero continuó sus exploraciones en los años de 1949, 1959 y 1955... En arqueología, fundamentalmente se excava para obtener conocimiento. Los objetos materiales encontrados, suministran las únicas fuentes para la reconstrucción histórico-cultural del grupo que los produjo, y en estas circunstancias, la excavación debe ser llevada cuidadosa y sistemáticamente, con objeto de no perder ningún dato o evidencia que ayude a dicha reconstrucción

Sin embargo, como la técnica arqueológica de excavación se está constantemente improvisando, no podríamos decir que las realizadas en Tlatilco fueron las mejores, pero sí que éstas se llevaron con un plan y un orden previsto, utilizando las experiencias de muchos años y muchos investigadores.[18]

Piña Chan describe las técnicas de excavación:

[17] *Ibid.*, pp. 160-161.

[18] Piña Chan, 1958: 11, 17-18.

Excavación en cubos.

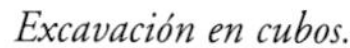

En términos generales las excavaciones practicadas en Tlatilco durante las tres temporadas de trabajo se pueden agrupar de la siguiente manera: pozos y trincheras estratigráficas; calas de entierros y formaciones tronco-cónicas.

La finalidad básica de estas excavaciones fue la de obtener una secuela de los depósitos culturales del sitio, una cronología local y evidencias para interrelacionar Tlatilco con otros sitios de la Cuenca de México y fuera de ella... En la exploración de entierros y ofrendas se siguió el sistema de calas... Puesto que cada cala contenía por lo regular varios entierros, colocados a distintos niveles, se procuraba limpiarlos cuidadosamente, se les dejaba por medio de un banco a un nivel más alto que el que presentaban y se delimitaban convenientemente para determinar si eran aislados o si estaban asociados entre sí —múltiples—.[19]

Otra aportación fundamental de este estudioso la constituyeron sus acuciosos estudios de la cerámica de Tlatilco, lo que le permitió, junto con los trabajos que había realizado George Vaillant, crear una tipología cerámica que hasta la fecha sigue siendo utilizada.

La cerámica funeraria de Tlatilco acusa los mismos tipos que se registraron en los pozos estratigráficos, así como las mismas formas que pudieron reconocerse en la tiestería; sólo que en el estudio tipomorfológico se simplificó la clasificación, por medio del agrupamiento de las formas en doce clases principales: cajetes, botellones, ollas, vasos, platos, tecomates, jarras, cucharas, embudos, guajes, canastas y tornillos.

Dentro de estas doce formas principales ocurren todos los tipos cerámicos encontrados en la estratigrafía; pero en el aspecto funerario las vasijas corresponden fundamentalmente a Tlatilco Transicional y Superior, cuya correspondencia cae en el Preclásico Medio.[20]

Puesto que estratigráficamente los tipos cerámicos pueden ser conectados entre sí y mostrar una evolución lógica en sus desarrollos —salvo los tipos intrusivos— se postula la existencia de una tradición cerámica común en la Cuenca de México, durante el Horizonte Preclásico, misma que, a través del tiempo, va mostrando cambios internos en su tipología, pero siempre guardando una unidad congruente evolutiva.

Dentro de esta tradición cerámica, y como era de esperarse, ocurren en determinadas épocas ciertos tipos que funcionan como marcadores cronológicos, y de esta manera podemos dividir al Horizonte Preclásico en tres periodos principales, mismos que los he llamado: Inferior, Medio y Superior.[21]

Piña Chan resume de manera brillante el desarrollo de las culturas preclásicas en los Altiplanos Centrales de la siguiente forma:

Estos tres periodos que se distinguen por complejos culturales específicos, podrían denominarse con los nombres de Forma-

[19] *Ibid.*, pp. 18, 19 y 22.

[20] *Ibid.*, pp. 91-92.

[21] *Ibid.*, p. 111.

tivo, Pre-urbano y Proto-urbano o Urbano propiamente dicho; pero he preferido seguirlos designando con los términos Inferior, Medio y Superior, para no complicar más las denominaciones. En última instancia el Preclásico indica una temporalidad u horizonte que antecede a las culturas Clásicas, a pesar de cualquier término que se le dé a sus fases.

También, y desde el punto de vista cronológico, estos tres periodos pueden colocarse de 1700 a 1100 a.C.; de 1100 a 600 a.C. y de 600 a 100 a.C., respectivamente; situándose Tlatilco de 1450 a 600 años a.C., sucediendo la penetración olmeca, alrededor de 1000 a.C.[22]

Tlatilco en los años sesenta

El maestro Arturo Romano excavó con una gran especialización y maestría numerosos enterramientos humanos en Tlatilco.

> Llevó a cabo dos largas temporadas, la primera de 1947 hasta 1951 y la segunda de 1962 hasta 1969. Este sitio es uno de los más ricos en enterramientos humanos del Preclásico mesoamericano, aunque desde luego no era solamente un cementerio, sino una aldea habitada. Fue particularmente importante para Romano, ya que el lugar está hoy dentro de la zona urbana, lo que permitía trabajar con regularidad a lo largo del año; contaba con un campamento cómodo en el que había todo lo necesario para su buen funcionamiento y permitía emplearlo como sitio de enseñanza para los arqueólogos y antropólogos físicos en formación. Ahí se perfeccionó la técnica de excavación de enterramientos humanos, gracias al trabajo conjunto de varias disciplinas; se afinaron las técnicas de registro gráfico, sobre todo por medio de la fotografía; y se experimentaron técnicas para la consolidación, conservación y levantamiento de los materiales encontrados. Tlatilco se convirtió así en el laboratorio de campo de varias generaciones de alumnos del maestro Romano, quienes ahí aprendieron las técnicas básicas y el oficio de este aspecto de nuestra profesión.[23]

[22] *Ibid.*, p. 120.

[23] Vargas, 1998: 785.

En 1968 un grupo de alumnos excavamos como parte de nuestra práctica de campo un conjunto de entierros que actualmente se exhiben en el Museo Nacional de Antropología; más tarde, dos de estos alumnos, Roberto García Moll y Lorenzo Ochoa, continuaron la excavación de Tlatilco, incluso aplicando nuevas técnicas logrando recuperar algunos pisos habitacionales y una plataforma de tierra.

Tlapacoya

El centro arqueológico de Tlapacoya fue muy importante para el conocimiento del Formativo y también, incluso, para las épocas que precedieron a ese periodo en la Cuenca de México. Este sitio fue excavado por primera vez en 1955, por Beatriz Barba de Piña Chan.

> Aquella exploración, dirigida por Román Piña Chan, formaba parte de un proyecto más ambicioso, cuyos objetivos eran localizar y excavar sitios del periodo Formativo o Preclásico de la cuenca de México … En la exploración de Tlapacoya, tanto Beatriz Barba como Román Piña Chan se abocaron a la comprensión del sitio en su conjunto. Por una parte, su estudio comprendió la excavación de la plataforma que fue erigida en piedra a finales del Formativo y en la que se distinguieron tres etapas de construcción. La estructura arquitectónica albergaba, además, tres tumbas con ofrendas de un total aproximado de 150 vasijas… Por otro lado, se tendieron y excavaron trincheras que evidenciaron la presencia de una serie de unidades habitacionales y entierros que se distribuían a lo largo de la ribera del antiguo lago.[24]
>
> Sin duda, aquellos primeros trabajos desarrollados por Beatriz Barba en Tlapacoya la sitúan como una de las pioneras en la excavación de unidades habitacionales. En el sitio localizó estructuras que describe como "ringleras de piedra unidas con lodo, cerradas (que señalan) construcciones en forma de cuartos". Menciona también pisos de estuco muy rudimentarios, pero en los que ya se aplica la cal… Las habitaciones —continúa la autora— se construyen en las partes altas del asentamiento para protegerse de las inundaciones y salvar el

[24] Serra, 1997: 133-134.

Beatriz Barba de Piña Chan, Arturo Romano, Paul Rivet, E. Dávalos y Román Piña Chan.

declive natural del terreno, terraceado con hileras de piedras unidas con lodo.[25]

Beatriz Barba describió con detalle la forma en que se excavaron los restos habitacionales.

Explica las superposiciones encontradas y la delimitación de los cuartos. Asimismo, identifica los materiales y el sistema técnico empleados en la construcción de las unidades durante los periodos tempranos: las paredes de la casa, nos refiere como ejemplo, estaban elaboradas con paja recubierta de lodo. También registra la ubicación de los hogares, que considera indicadores de la actividad en las viviendas, todos colocados cerca de las construcciones, y, en dos casos, dentro de los cuadrángulos limitados por piedras... El estudio realizado por Barba deja en claro que en Tlapacoya coexistían dos mecanismos distintos de enterramiento. El primero pertenecía al rango social más bajo. Por regla general, la inhumación de los cuerpos representaba un gasto mínimo de energía, ya que simplemente eran colocados en fosas excavadas en la tierra, acompañados por una ofrenda. Entre los individuos enterrados según este patrón, debemos resaltar el caso de dos adultos masculinos acompañados de un número considerable de ofrendas, sobre los cuales Beatriz Barba (1980) especula que se trataba de artesanos profesionales debido a las características de los objetos asociados.

El segundo mecanismo de enterramiento está representado por tres tumbas, probablemente pertenecientes a miembros de la clase sacerdotal o de la clase gobernante. La especial autoridad de este rango social se manifiesta por la presencia de ricas ofrendas —que incluyen vasijas de diversas formas, figu-

[25] Serra, 1986: 176-178.

rillas y artefactos de concha, serpentina y jade, entre otros—, por la construcción misma de las tumbas, por la manera en que fueron depositados los cuerpos y por la ubicación exclusiva del entierro dentro del basamento piramidal del sitio ... Del universo de análisis realizados acerca del sitio de Tlapacoya, es innegable que el presentado por Barba constituyó en su momento una de las mejores aportaciones a la comprensión de la dinámica social de las comunidades aldeanas. No obstante el contexto de limitado desarrollo técnico y conceptual en el que la maestra Barba elaboró su trabajo hace casi 40 años, supo rebasar el ámbito de una simple monografía arqueológica y nos proveyó de interpretaciones sobre organización social, tecnología, división de clases, religión y muchos otros aspectos que hoy siguen vigentes.[26]

La llamada pirámide tiene una tendencia manifiesta hacia la expresión majestuosa en lucha con la pobreza de la tecnología. Se estructuró en función de una idea religiosa congregando a los sacerdotes, a sus servidores y a los artesanos. Descansó económicamente sobre una periferia campesina que la abastecía. Hay un principio de urbanismo en su disposición, que no llega a alcanzar el desarrollo y la planificación que caracterizan a las urbes clásicas.[27]

Durante los años sesenta y setenta se llevaron a cabo otras excavaciones en Tlapacoya. Así por ejemplo, con motivo de la construcción de la autopista México-Puebla, se extrajeron materiales arqueológicos al sureste del cerro de Tlapacoya.

Una parte de éstos fue analizada por Muriel Porter (1967) en el Museo del Indio Americano de Nueva York, y otra fue donada al Museo Universitario de Ciencias y Artes de la Universidad Nacional Autónoma de México. Las figurillas de esta última colección fueron analizadas por Rosa Reyna (1971).

En 1967, Tolstoy y Paradis excavaron tres pozos de sondeo y establecieron la denominada fase Ayotla, para entonces el material más antiguo encontrado en Tlapacoya, y concluyeron que ese periodo mostraba evidencias de la presencia olmeca en el altiplano.[28]

[26] Serra, 1997: 134-137.

[27] Barba, 1980: 179-180.

[28] Serra, 1997: 133.

En la década de los sesenta, bajo la dirección del profesor José Luis Lorenzo, y a través del entonces Departamento de Prehistoria del INAH, se realizaron excavaciones arqueológicas sistemáticas. Las investigaciones interdisciplinarias de ese entonces permitieron "establecer una firme secuencia estratigráfica de las formaciones geológicas del Pleistoceno final y la estratigrafía de un yacimiento de la etapa cerámica y, por lo tanto, obtener, mediante una investigación interdisciplinaria, una perspectiva ininterrumpida de los cambios culturales y bioclimáticos.[29]

Christine Niederberger, en 1976, aportó datos nuevos al conocimiento de Tlapacoya con la evidencia de etapas precerámicas que se remontaban al año 5500 a.C., y ubicó a la fase Ayotla entre los años 1250 y 1000 antes de nuestra era.

Recientemente se dio un paso decisivo hacia la aclaración de la secuencia cultural postpleistocénica y formativa temprana en la Cuenca de México.

Las nuevas excavaciones desarrolladas en Tlapacoya entregaron los primeros documentos que permitieron:

a) Impugnar el concepto de atraso y marginalidad culturales de la cuenca de México.
b) Impugnar asimismo la localización tardía e intrusiva de los niveles "olmecas" en el periodo Zacatenco.
c) Registrar, por otra parte, niveles culturales pre y protocerámicos todavía no conocidos.

En lo que atañe al problema de la localización de los niveles "olmecas" en la secuencia de la cuenca, nuestro estudio recibió el apoyo de las primeras reevaluaciones formuladas por Tolstoy y Paradis como consecuencia de un sondeo efectuado en Tlapacoya (Ayotla) ...

Ahora bien, nuestro hallazgo en Tlapacoya-Zohapilco de niveles formativos pre"olmecas", es decir, situado debajo del conjunto cultural Ixtapaluca atribuido todavía en 1970 al Preclásico inferior, acentúa aún más la debilidad de la terminología tradicional.[30]

[29] Niederberger, 1976: 33, citada en Serra, 1997: 134.

[30] *Ibid.*, p. 20.

En el estudio de Zohapilco, zona de ocupaciones humanas durante cinco milenios antes de nuestra era, Niederberger llevó a cabo investigaciones de acuerdo

> a una nueva orientación de la arqueología mesoamericanista, que se distingue por:
> *a*) Un hincapié en la prueba de hipótesis de trabajo por medio de los datos arqueológicos de campo, en oposición a las generalizaciones prematuras.
> *b*) Una atención especial prestada a los problemas metodológicos.
> *c*) Y, finalmente, a través de un análisis interdisciplinario, un examen detenido del contexto paleoecológico, considerado como factor importante en el entendimiento de los sistemas de articulación tecnoeconómica de las sociedades estudiadas.[31]

Los años setenta y ochenta, redescubrimiento de la Cuenca de México

A finales de los años sesenta un grupo de arqueólogos norteamericanos dirigidos por el doctor William T. Sanders se dedicó a recorrer a pie, extensamente (a lo largo y a lo ancho) la Cuenca de México. Esta forma de hacer arqueología sin excavar resultó novedosa e ilustrativa. Se trataba de conocer el patrón de asentamiento de los pobladores de la Cuenca de México desde los primeros agricultores hasta la gran Tenochtitlán. Este trabajo produjo resultados muy importantes que permitieron conocer no sólo la distribución de los sitios arqueológicos en cada periodo, sino que también se redescubrieron sitios arqueológicos que después fueron excavados y que permitieron entender las formas de vida de sus habitantes con relación a su entorno ecológico.

Una importante aportación a la secuencia cronológica del periodo Formativo del proyecto de los mapas de patrón de asentamiento del equipo de Sanders, principalmente en Texcoco y en el Sur de la Cuenca de México, fueron los recorridos llevados a cabo por Jeffrey Parsons señalando nuevos sitios; dos de ellos, situados en las orillas del antiguo lago de Chalco-Xochimilco, pocos kilómetros al oeste de Tlapacoya, que fueron objeto de excavaciones preliminares por Tolstoy.[32]

> Igualmente valiosa fue la localización de 2 sitios de esta época, por el mismo Parsons, en la región de Amecameca, situados a mayor altitud (2 600 m) que el conjunto de los yacimientos arqueológicos contemporáneos, agrupados a orillas del antiguo lago de Chalco-Xochimilco. El sitio de Coapexco dio, hasta ahora, unas estructuras y un material arqueológico relacionado con la fase Iztapaluca-Ayotla y posiblemente, con el complejo Nevada... En Texcoco, Parsons sugiere, como Sanders, una dicotomía jerárquica entre los asentamientos riparios, de naturaleza campesina, y los sitios de la elite, localizados en las laderas y dotados de estructuras cívico-ceremoniales. Por otra parte, en el área texcocana se delimitaron 4 agrupaciones demográficas, las cuales pueden haber constituido entidades sociopolíticas que competían entre sí, tanto para controlar el territorio como para obtener acceso a los recursos estratégicos locales.[33]

Entre finales de los años setenta y los ochenta, a pesar de la enorme destrucción que ha sufrido la Cuenca de México por el caótico crecimiento de la Ciudad de México, así como los asentamientos irregulares en las zonas conurbadas, se hicieron algunas excavaciones en sitios clave, principalmente del sur de la Cuenca de México.

Uno de estos sitios fue Terremote-Tlaltenco. Gracias a los recorridos de superficie llevados a cabo por William Sanders y sus discípulos, principalmente Jeffrey Parsons en la Cuenca de México, el estudio de esta región tuvo un nuevo enfoque.

> Aquellos que de una u otra forma fuimos influidos y alentados por las enseñanzas de Sanders y tuvimos la oportunidad de caminar con él y su equipo al sur de la Cuenca de México, hemos continuado trabajando bajo esas mismas perspectivas; por ello, en 1976 iniciamos un proyecto que titulamos: "El hombre y sus recursos en el sur de la Cuenca de México durante el periodo Formativo", con la idea fundamental de realizar un rescate de asentimientos ubicados en el

[31] *Idem.*

[32] *Idem.*

[33] *Ibid.*, pp. 19-20.

Cortesía de Mari Carmen Serra Puche

Terremote-Tlaltenco.

lago, la ribera y la sierra, buscando contemplar un panorama más amplio.

El trabajo de superficie fue la base para la elección de los sitios que excavamos, de los cuales obtuvimos información abundante sobre la explotación de recursos y la vocación de los asentamientos durante el periodo Formativo.

El trabajo realizado tanto en el sitio lacustre de Terremote-Tlaltenco y en Temamatla, asentamiento ribereño, nos llevó a entender algunos aspectos de cómo funcionaba durante el Formativo Terminal este sistema de sitios especializados.[34]

Más allá de los Valles Centrales

Puebla-Tlaxcala

Los trabajos arqueológicos en la región de Puebla-Tlaxcala se remontan hacia 1883, cuando Hubert Bancroft publica un estudio titulado *The Native Roces* en el que menciona el sitio de Xochitécatl como parte de una serie de fortificaciones que cubren el monte. En 1939, el sitio de Xochitécatl se incluye en el *Atlas Arqueológico de la República Mexicana.*

El primer reporte arqueológico sobre la región es producto de un recorrido que realizó Pedro Armillas y que publicó en la *Revista Mexicana de Estudios Antropológicos,* en 1946. El autor visitó tres sitios con arquitectura monumental dentro de la región que él denominó como Sur-Oeste de Tlaxcala, los cuales relacionó también con la presencia de los olmeca-xicalanca en dicha región. Los sitios visitados fueron Mixco, Cacaxtla, Xochitécatl y sus alrededores.

> Armillas menciona los pequeños montículos que aún podemos observar al norte del Cerro Xochitécatl y habla de una gran cantidad de material cerámico "...en las inmediaciones de Atoyatenco y en el ya mencionado Tenanyecac Viejo hay extensos campos de tiestería. Se me informó de que en el pueblo de Atoyatenco aparecen entierros al excavar los cimientos de las casas" ... Al describir la parte superior del Xochitécatl,

[34] Serra, 1996: 161.

menciona los grandes montículos dispuestos alrededor de un espacio central, es de especial interés la interpretación que hace sobre la cerámica que encontró en el sitio: "...entre la de superficie identificable de Xochitécatl se encuentra material arcaico y Choluteca (Choluteca III), también recogí una figurilla Mazapan; esto sugiere una ocupación antigua y reocupación posterior, o una larga ocupación" ... En los años sesenta, la Fundación Alemana para la Investigación Científica (FAIC) realizó varias exploraciones arqueológicas que formaron parte de lo que en la siguiente década sería el Proyecto Arqueológico Puebla Tlaxcala (PAPT) ... El objetivo central de este proyecto fue "...llegar a conocer en todo lo posible el desarrollo cultural del área de estudio, desde sus orígenes hasta el arribo de los conquistadores españoles, y tratar de observar la interinfluencia del hombre y el medio a través del tiempo en dicha región".[35]

Dentro de los trabajos de la FAIC, el arqueológo alemán Bodo Spranz realizó excavaciones en Xochitécatl, con ello afectó lo que ahora conocemos como Pirámide de las Flores y el Basamento de los Volcanes. Al abrir un pozo en la parte más alta de la Pirámide de la Flores, a una profundidad de un metro, detectó un piso de estuco asociado con materiales posclásicos

> ...los cuales no se pudieron analizar y clasificar bien porque el material de esta capa estaba muy mezclado por los saqueos anteriores, debajo del piso había una capa de piedras grandes y de tepetate. A una profundidad de 3.5 m seguía otra capa de piedras ... Este corte lo hemos profundizado hasta 4 metros. Los tepalcates de estas capas debajo del piso, no se analizaron, pero hay unos del preclásico superior.

Más adelante reconoce que "la mayoría de los hallazgos superficiales en la base del cerro son del preclásico".[36]

Las investigaciones de Bodo Spranz en Xochitécatl lo condujeron al estudio del sitio de Totimehuacán en el estado de Puebla. Este sitio presentaba entonces por lo menos ocho montículos, de los cuales el de mayor tamaño, conocido como Tepalcayo 1, mostraba una increíble similitud con Xochitécatl. En Tepalcayo 1, Spranz descubrió, según sus textos, un sistema de túneles que conducían a una cámara en la que encontró un enorme recipiente elaborado en basalto tallado. Los materiales cerámicos de Totimehuacán exhibían también una importante semejanza con los de Xochitécatl.[37]

> Posteriormente, durante el recorrido realizado por quienes integraban el PAPT en el sitio de Tlalancaleca, se descubriría otra tina de piedra, por desgracia fuera de su lugar original, así como los fragmentos de una más; innumerables petrograbados o fragmentos de esculturas dispersas en el sitio fueron descritos por el arqueólogo Ángel García Cook, quien los ubica pertenecientes al periodo Preclásico Tardío.[38]

En 1992 el gobierno de la República inició un gran programa de apoyo a la investigación arqueológica: los Proyectos Especiales de Arqueología 1992-1994, que conjugaron tareas y objetivos diversos en catorce zonas arqueológicas del país. El Proyecto Xochitécatl fue parte de ese programa; su dirección estuvo a cargo de la doctora Mari Carmen Serra Puche.

> El planteamiento del proyecto tuvo los siguientes objetivos generales: La comprensión de la dinámica cultural del sitio prehispánico, en relación con su entorno natural y social.
>
> La recuperación de los vestigios de la actividad humana.
>
> La reconstrucción de los modos de vida y patrones de conducta cotidiana durante las diversas fases ocupacionales prehispánicas que se encuentran representadas en Xochitécatl.
>
> El estricto conocimiento del sitio arqueológico en los aspectos como el patrón de asentamiento, su extensión, sistemas constructivos y cronología.
>
> El conocimiento del proceso histórico evolutivo, el cual abarca desde el momento en que se escoge un volcán extinto como sede del centro ceremonial en el periodo Formativo hasta su abandono a finales del periodo Epiclásico.
>
> La explicación del porqué de la elección de este lugar, en cuanto a su relación con los asentamientos del mismo periodo existentes en el Valle de Puebla-Tlaxcala, como Tlalancaleca y Totimehuacan, sitios contemporáneos muy similares, así como

[35] Serra, 1998: 27.

[36] Spranz, 1970: 37, citado en Serra, 1998: 28.

[37] *Idem.*

[38] *Ibid.*, p. 29.

la ubicación de Xochitécatl dentro del panorama general de Mesoamérica ... Su primer desarrollo data del periodo Formativo, así que fue uno de los primeros centros ceremoniales de dimensiones monumentales, y posteriormente, durante el Epiclásico junto con Cacaxtla, formó parte de uno de los asentamientos más importantes del periodo.[39]

De acuerdo con las características de la evidencia arqueológica, el Formativo en Xochitécatl ha sido dividido en los siguientes periodos y momentos locales: Inicio de la edificación (de 750 a.C. a 350 a.C.), la Primera Edificación (de 350 a.C. a 100 d.C.), y el Primer Abandono (alrededor de 100 d.C.). Los nombres de estas divisiones son aún provisionales e intentan describir la dinámica de ocupación identificada en el sitio. La cronología concuerda con otras publicadas para la región ... Sin duda, el establecimiento de las rutas de intercambio responde a una forma de vida que superó el esquema aldeano, debido a procesos de nucleación de la población en torno a determinados sitios, en donde surgen las primeras estructuras públicas como funciones religiosas. Es a ese tipo de asentamiento al que se ha denominado tradicionalmente "centro ceremonial", dado el tipo de arquitectura que presenta; es importante resaltar que la función de esos centros trascendía el aspecto meramente religioso, por lo que se describen mejor bajo el término de capitales regionales, propuesto por Niederberger ... En el periodo comprendido entre los años 350 a.C. y 100 de nuestra era, Xochitécatl experimenta un rápido crecimiento demográfico que se manifiesta tanto en una jerarquización compleja de los sitios a nivel regional como en la actividad constructiva, expresada en la creación de espacios arquitectónicos cada vez más complejos.[40]

Es en este momento cuando se coloca en la Pirámide de Las Flores una primera tina monolítica, al pie de una amplia escalinata realizada con bloques rectangulares de piedra, algunos de los cuales son metates trípodes reutilizados. El empleo de este tipo de elementos continuará en Xochitécatl hasta el momento del primer abandono del sitio, de ello es prueba la instalación de una segunda tina durante la última renovación de la fachada principal de la Pirámide de las Flores, la cual se encontraría en uso al momento de ser abandonado el sitio por primera vez.[41]

Al inicio de nuestra era, entre los años 100 a.C. y 100 d.C., Xochitécatl vive un momento de desarrollo pleno, las actividades trascienden el ceremonialismo religioso y se insertan en las esferas de la influencia económica y política de la región.[42]

...en Xochitécatl-Cacaxtla se da un fenómeno peculiar; el sitio experimenta una fuerte ocupación durante el periodo Formativo, es abandonado al transcurrir el Clásico y se regresa a él en época epiclásica, momento en que vuelve a adquirir un poder político importante.[43]

Morelos

Desde que el padre Plancarte menciona en 1911 que el Estado de Morelos fue un centro desde donde se difundió la civilización por todas las regiones de México y Centroamérica, y un lugar considerado por los antiguos como el Paraíso terrenal,[44] se han realizado muchos trabajos arqueológicos en Morelos; sin embargo, aquí mencionamos solamente los trabajos realizados en Chalcatzingo por el equipo de David Grove en los años setenta-ochenta cuya principal aportación fue el establecimiento de la cronología del Valle de Morelos, con fines comparativos con otras áreas de Mesoamérica. Estableció las fases Amate desde 1500 a.C., La Barranca 1100 a.C. y la Cantera 700-500 a.C. donde se da el apogeo de Chalcatzingo. Uno de los elementos más significativos del sitio en esta fase son las esculturas monumentales representando a los jefes y temas históricos.

En las montañas alrededor del sitio existen una serie de bajo relieves que representan escenas míticas de un puro estilo olmeca, lo que señala la significativa relación con la Costa del Golfo.

El sitio arqueológico de Chalcatzingo, Morelos, es conocido por sus bajorrelieves desde los años treinta, cuando por pri-

[39] Serra, 1998: 11-12.
[40] *Ibid.*, pp. 48, 50-51.
[41] *Ibid.*, p. 52.
[42] *Ibid.*, pp. 55-56.
[43] *Ibid.*, pp. 135.
[44] Plancarte, 1911: 191.

El equipo de excavación en Xochitécatl.

mera vez tuvieron noticia de su existencia las autoridades del INAH. El sitio fue visitado por Eulalia Guzmán en 1934, pero las investigaciones arqueológicas empezaron sólo en 1952 bajo la dirección de Román Piña Chan, quien excavó once pozos estratigráficos en las terrazas de las laderas del cerro.

El proyecto Chalcatzingo comenzó en 1972, como un proyecto de investigación conjunta de la Universidad de Illinois y el Centro Regional de Morelos-Guerrero del INAH, representado por Jorge Angulo y Raúl Arana. Este proyecto tenía por objetivo llegar a obtener una visión sincrónica del sitio en el periodo Formativo y de sus interacciones a nivel local, regional, y extra-regional. Otro objetivo consistió en esclarecer la posición de Chalcatzingo dentro de la secuencia cronológica del periodo Formativo en el Centro de México.[45]

Las excavaciones en Chalcatzingo se llevaron a cabo fundamentalmente durante tres temporadas entre 1972-1974. Se acompañó esta investigación con reconocimientos a niveles local y regional… La investigación fue diseñada para obtener información básica del sitio, tal como, cuál fue la extensión total, cuáles sus periodos culturales mayores, así como qué distribución básica tuvieron los rasgos culturales correspondientes al Formativo Medio. Se pensó que fueran secundarias, y en última cuenta derivativas de los datos pertenecientes al sitio mismo, las consideraciones acerca del papel que tuvo Chalcatzingo en el juego de intercambio regional, y la naturaleza de sus contactos con la cultura Olmeca de la Costa del Golfo. Se buscó aclarar la cronología del periodo Formativo Mexicano Central, mediante el uso de los datos provenientes del Chalcatzingo.[46]

El patrón residencial, durante el periodo Formativo, parece haber sido “disperso”, contándose sólo una habitación principal por terraza… Si las terrazas también eran utilizadas para la agricultura, una hectárea de tierra pudo haber mantenido a una familia de cinco personas. Es probable que aprovisionamientos adicionales de alimentos hayan podido ser adquiridos por medio de intercambios o de tributo, inclusive perros, cuyos restos abundan en los basureros de Chalcatzingo.[47]

[45] Grove, 1987: 5.
[46] *Ibid.*, p. 55.
[47] *Ibid.*, p. 433.

Comentario final

Hasta aquí esta panorámica que recorre brevemente la historia de hombres y mujeres que han vivido, descubierto, disfrutado, trabajado y se han apasionado por la Cuenca de México, en la llamada Mesoamérica nuclear. Sin embargo, el rostro de esta Cuenca se ha transformado radicalmente para perder la frescura de sus rasgos; aquel vasto paisaje ha dado paso a paulatinas escenas de degradación, y bajo milenios de escombro, en las que fueran tierras promisorias, quedan los restos de ancestrales civilizaciones, precursoras y protagonistas en la Cuenca de México.

Pero también hablamos aquí de otros protagonistas, otros pioneros a quienes rendimos un sencillo homenaje en este trabajo, recopilando algunas de sus impresiones, hipótesis, conclusiones, anecdóticas imágenes que forman parte ya de la historia de la arqueología mexicana.

Con ellos conocimos, a través de varias generaciones de investigadores, maestros, discípulos y alumnos, que los objetos y elementos arqueológicos, así como sus patrones de distribución, en mucho reflejan las formas de uso del espacio y el tiempo en el seno de una sociedad, no sin dejar de considerar cada una en su particularidad. Con esta premisa, hoy podemos comprobar que parte del tejido de nuestra vida cotidiana tiene sus raíces más profundas en las costumbres que pudieron tener las primeras comunidades aldeanas, que habitaron aquí, hace más de dos mil años.

Y con estos estudiosos también, hemos descubierto que el quehacer arqueológico es una tarea fascinante que alimenta nuestra memoria e identidad, conllevando diversas emociones, tales como la paradoja de antecedernos en el tiempo; comprender la forma de vida de los hombres que nos precedieron permite conocer y dar respuesta a problemas tan actuales como el equilibro entre el hombre, la cultura y la naturaleza o incluso eventos universales como la invención, adaptación o el surgimiento de nuevas ideologías y tecnologías.

> *…Fue ayer, y es lo mismo que si dijéramos fue hace mil años, el tiempo no es una cuerda que se pueda medir nudo a nudo, el tiempo es una superficie oblicua y ondulante que sólo la memoria es capaz de hacer mover y aproximar.*
>
> José Saramago

MANUEL GAMIO (1883-1960)
AZCAPOTZALCO

MANUEL GAMIO

FIGURAS DE CERÁMICA
DE AZCAPOZALCO

GEORGE C. VAILLANT (1901-1945)
ZACATENCO-TICOMÁN

EXCAVACIONES DE VAILLANT EN ZACATENCO-TICOMÁN. TRINCHERA C, EXTENSIÓN NORTE, 25 DE ENERO DE 1929, ESQUELETO 10

GEORGE C. VAILLANT

VASIJAS DE ZACATENCO-TICOMÁN

BYRON CUMMINGS (1860-1954)
CUICUILCO

BYRON CUMMINGS CON EL DIOS HUEHUETÉOTL

HUEHUETÉOTL PROCEDENTE DE CUICUILCO, D. F. PRIMERA REPRESENTACIÓN DESCUBIERTA HASTA EL DÍA DE HOY

EXCAVACIÓN DE BYRON CUMMINGS EN LA PIRÁMIDE DE CUICUILCO, D.F., ENTRE 1922 Y 1925

VASIJA CON AGARRADERAS DE COPILCO Y VASIJAS DE CUICUILCO

ROMÁN PIÑA CHAN (1920-2001)
TLAPACOYA

ROMÁN PIÑA CHAN

ALGUNOS OBJETOS QUE FORMAN PARTE DE LA OFRENDA DEL ENTIERRO 3 DE TLAPACOYA

COPA ESTUCADA DE TLAPACOYA

EDUARDO PAREYÓN (1921-2000)
CERRO DEL TEPALCATE

EDUARDO PAREYÓN

ROMÁN PIÑA CHAN (1920-2001)
TLATILCO

EXCAVACIÓN POR MEDIO DE CUBOS ALTERNOS, PROPUESTA POR ROMÁN PIÑA CHAN. EN ESTOS TRABAJOS PARTICIPÓ EL ANTROPÓLOGO FÍSICO ARTURO ROMANO

CHRISTINE NIEDERBERGER
ZOHAPILCO-TLAPACOYA

PLATO CON DISEÑO DE PECES
DE ZOHAPILCO-TLAPACOYA

CHRISTINE NIEDERBERGER

BABY FACE (CARA DE NIÑO)
DE TLAPACOYA

EXCAVACIONES EN TERREMOTE-TLATENCO, ENCABEZADAS POR MARI CARMEN SERRA PUCHE

AGUJAS Y PUNZONES ENCONTRADOS EN LA EXCAVACIÓN TERREMOTE-TLATENCO

TEOTIHUACAN

EDUARDO MATOS MOCTEZUMA

Relatan antiguos mitos nahuas cómo fue Teotihuacan el lugar que escogieron los dioses para crear el Quinto Sol. Después de varios intentos infructuosos para formar al hombre y dotarlo de alimento, los dioses se reunieron en Teotihuacan y en él hicieron surgir el Sol que alumbraría a la tierra. Fue un dios enfermo, Nanahuatzin, quien se arrojó a la hoguera divina de Teotihuacan para que sucediera el portento y se convirtiera en Sol. Correspondió a Quetzalcóatl ir al Mictlan, noveno nivel del inframundo, a buscar los huesos de los antepasados para darles vida. Así, por el artilugio de los mitos, los grupos nahuas establecen en la antigua ciudad de Teotihuacan el comienzo del nuevo Sol, de una nueva era para el hombre.

Resulta de suma importancia que los pueblos nahuas hayan escogido a Teotihuacan para convertirla en ciudad de dioses. Aunque la ciudad había sido incendiada y abandonada hacia el año 700 d.C., sus vestigios aún se encontraban por aquí y por allá y sus edificios estaban cubiertos de tierra y vegetación. Pese a esto, las grandes pirámides y la monumental Calle de los Muertos se dibujaba en el paisaje. Al desconocer quiénes la construyeron, los pueblos posteriores que llegan al lugar lo asignan a los dioses. Por lo tanto, es ahí donde debe ocurrir el surgimiento del Sol que alumbrará a la tierra y dará vida al hombre. Pero ¿quiénes habían construido Teotihuacan? Los informantes de Sahagún responden:

> Enseguida se pusieron en movimiento, todos se pusieron en movimiento: los niñitos, los viejos, las mujercitas, las ancianas. Muy lentamente, muy despacio se fueron, allí vinieron a reunirse en Teotihuacan. Allí se dieron las órdenes, allí se estableció el señorío. Los que se hicieron señores fueron los sabios, los conocedores de las cosas ocultas, los poseedores de la tradición. Luego se establecieron allí los principados...Y toda la gente hizo allí adoratorios, al Sol y a la Luna, después hicieron muchos adoratorios menores...[1]

No tenemos duda de que los aztecas, dada la importancia que representa Teotihuacan por lo antes dicho, llevan a cabo excavaciones en el lugar para conocer la obra de los dioses. Así lo demuestran alrededor de cuarenta piezas arqueológicas de factura teotihuacana encontradas en las excavaciones del Templo Mayor de los aztecas o mexicas, además de esculturas dentro del más puro estilo mexica que copian deidades teotihuacanas, como la del dios Huehuetéotl. A esto hay que agregar edificios en que se conserva el orden arquitectónico teotihuacano de talud y tablero, y qué decir de la distribución de la ciudad azteca que recuerda la división en cuatro cuadrantes de la misma, marcada por las grandes calzadas orientadas conforme a los rumbos del universo.

La Colonia

Muchas son las referencias que del lugar leemos en diversas fuentes del siglo XVI.

Una de las más antiguas pictografías que conocemos muestra, aunque de manera esquemática, la Calle de los Muertos,

[1] *Códice Matritense*, fol. 195 r.

Carlos de Sigüenza y Góngora

la Pirámide del Sol y de la Luna y otros adoratorios. Se trata del Mapa de Teccistlán, Acoman Teotihuacan y Tepechpan de 1580, en la que se lee: "Oráculo de Montezuma", quizá haciendo alusión a las peregrinaciones que los aztecas realizaban cada determinado tiempo a la vieja ciudad.

La importancia del lugar queda de manifiesto en lo antes relatado. Hoy sabemos, gracias a la arqueología, que su presencia llegó hasta los confines de Mesoamérica. El interés en Teotihuacan llevó a los sabios, desde tempranas épocas, a tratar de penetrar en los arcanos de la "Ciudad de los Dioses".

Uno de los primeros trabajos arqueológicos de que tenemos noticias es, sin lugar a dudas, el que emprende don Carlos de Sigüenza y Góngora (1645-1700) en Teotihuacan. No se conoce ningún documento elaborado por el sabio sobre estos trabajos, ya que al parecer se perdieron, lo que se ha prestado a especulaciones respecto a si lo realizó sobre la Pirámide de la Luna o en la del Sol. Lo anterior queda despejado por don Lorenzo Boturini, quien en su libro *Idea de una nueva historia general de la América septentrional*, publicado en 1746, relata que él mandó hacer un plano de la Pirámide del Sol (que tampoco se conoce) y menciona los trabajos de Sigüenza. Dice así Boturini:

> Era este cerro en la antigüedad perfectamente cuadrado, encalado y hermoso, y se subía a su cumbre por unas gradas, que hoy no se descubren, por haberse llenado de sus propias ruinas, y de la tierra que le arrojan los vientos, sobre la cual han nacido árboles, y abrojos. No obstante estuve yo en él, y le hice por curiosidad medir, y, si no me engaño, es de doscientas varas de alto. Asimismo mandé sacarlo en mapa, que tengo en mi archivo, y rodeándole ví, que el célebre don Carlos de Sigüenza y Góngora había intentado taladrarle, pero halló resistencia. Sábese que está en el centro vacío...[2]

Estamos, pues, ante el primer intento de aclarar algo acerca de este edificio, para lo cual se recurre a la excavación. Es por eso que el doctor Ignacio Bernal, en su *Historia de la arqueología en México*, ha dicho de estos trabajos: "Lleva a cabo la primera excavación francamente arqueológica, en la que trata de utilizar un monumento para esclarecer algún problema histórico."[3]

Amigo del sabio Sigüenza que nos deja sus impresiones de viaje fue Juan Francisco Gemelli Carreri. En su libro *Giro del Mondo* editado en Nápoles en 1700, dedica algunas páginas a describir monumentos, entre ellos Teotihuacan. Citamos un párrafo en que hace alusión al sabio y asienta que aquélla se trata de una ciudad, además de hacer referencia a grutas naturales y artificiales, tema que hoy en día ha despertado el interés de algunos estudiosos:

> Ningún historiador de los indios ha sabido investigar el tiempo de la erección de las pirámides, pero don Carlos de Sigüenza las considera antiquísimas y en poco posteriores al diluvio. Sí es cosa cierta que allí donde ellas están hubo anteriormente una gran ciudad, como se advierte por las extensas ruinas alrededor, y por las grutas, tanto naturales como artificiales, y por la cantidad de montecillos que se cree que fueron hechos en honor de los ídolos.[4]

[2] Boturini, 1746.
[3] Bernal, 1979.
[4] Gemelli, 1976.

Teotihuacán

ó la

Ciudad Sagrada de los Tolteca.

POR

Leopoldo Batres.

Inspector General y Conservador de los Monumentos Arqueológicos
de la República Mexicana.

IMPRENTA DE HULL.
MEXICO, D. F.
1906.

Interior del libro Teotihuacan o la Ciudad Sagrada de los Tolteca, *escrito por Leopoldo Batres en 1906.*

A raíz de la expulsión de los jesuitas en 1767 por órdenes de Carlos III de España, Francisco Javier Clavijero va a escribir *Historia antigua de México*, publicada en Italia en 1780. En ella trata de contradecir las difamaciones que los enemigos de España hacían de América. En lo que toca a Teotihuacan, repite lo que algunos cronistas decían del lugar acerca de las grandes pirámides y de la existencia de ídolos en la parte alta de ellas recubiertos de oro, a pesar de que en Teotihuacan nunca se trabajó dicho metal:

> Estos vastos edificios, que sirvieron de modelo a los templos de aquel reino, sostenían dos santuarios consagrados el uno al Sol y el otro a la Luna, representados en dos ídolos de enorme grandeza, hechos de piedra y cubiertos de oro. El del Sol tenía una gran concavidad en el pecho y en ella la imagen de aquel planeta, de oro finísimo. Del metal se aprovecharon los conquistadores y los ídolos fueron desbaratados por orden del primer obispo de México...[5]

Hacia 1803 llega a la Nueva España quien sería el último de los sabios ilustrados: el barón Alejandro von Humboldt. Entre las muchas cosas que despiertan su interés están los vestigios arqueológicos. Sus relatos son interesantes, y en lo que concierne a Teotihuacan habla de las dimensiones de las pirámides mayores y de la manera en que están construidas, con tezontle y una capa de cal que las recubre. Las compara con las de Egipto y Babilonia y piensa que los toltecas fueron sus constructores.

El siglo xix

Después de la Independencia de México, la esposa del primer embajador de España acreditado en el país es la marquesa Calderón de la Barca. Persona culta, dejó unas cartas que se publicaron bajo el título de *La vida en México*, en que habla de sus experiencias durante su estancia de dos años en el país, entre 1839 y 1941. Visita Teotihuacan y menciona que aún pueden verse gran cantidad de figurillas de barro y puntas de obsidiana, si bien repite las ideas acerca de los ídolos de la parte alta recubiertos de oro que se llevaron los españoles y la destrucción practicada por el primer obispo de México. Una breve presentación de su libro la hace el historiador William Prescott.

Uno de los planos más antiguos de Teotihuacan se le debe a Brantz Mayer, quien lo publica en 1844. Se ve el conjunto de la Ciudadela, el río San Juan, la Pirámide del Sol y la de la Luna, así como una parte de la Calle de los Muertos. Sin embargo, será hasta 1864 cuando se haga por primera vez el levantamiento con aparatos de precisión por parte de la Comisión Científica de Pachuca, bajo la dirección del ingeniero Ramón Almaraz. Este trabajo es acompañado por excavaciones y descripciones de algunos monumentos, y no deja de lamentarse Almaraz por la destrucción que los vecinos hacen de algunos de ellos para usar la piedra.

En 1885 se publica el libro *Les anciennes villes du Noveau Monde* de Désiré Charnay. En él hace referencia a Teotihuacan y expone un plano, dibujos y fotografías del lugar. Practica excavaciones en el lado oeste de la Calle de los Muertos y en otro sitio de la ciudad. Hay que resaltar la utilización de la cámara fotográfica como parte de las técnicas que se incorporan a la arqueología, lo que proporciona una mayor precisión en las características de los monumentos.

En estos años postreros del siglo xix va a hacer su aparición en el mundo de la arqueología don Leopoldo Batres. Dentro del ámbito del gobierno porfirista, se van a dar tres aciertos significativos: primero, la creación en 1885 del cargo de inspector y conservador de Monumentos Arqueológicos de la República que recae en Batres; en segundo lugar, la promulgación de la Ley sobre Monumentos Arqueológicos en 1897, y, en tercer lugar y que atañe de cerca a Teotihuacan, la expropiación, en 1907, de los terrenos de la zona arqueológica para su protección. No dudamos que en todos ellos tuviera algo —o mucho— que ver la mano de don Leopoldo. Las excavaciones de Batres en Teotihuacan podemos dividirlas en dos partes: las que realiza en el Templo de la Agricultura hacia 1884-1886, con el hallazgo de magníficas pinturas que desgraciadamente ya no existen, pero que conocemos por dibujos de las mismas, y los trabajos que emprendió en la Pirámide del Sol en 1905-1910, con motivo de las celebraciones que el porfiriato llevaría a cabo para la conmemoración del centenario de la Independencia. En la gran plataforma que rodea la Pirámide del Sol, Batres excava en su lado suroeste lo que llamó Casa de los Sacerdotes. En cuanto a la Pirámide

[5] Clavijero, 1780.

La Calle de los Muertos y la Pirámide del Sol, a principios del siglo XX.

del Sol, hay que destacar la localización de entierros infantiles en cada esquina del edificio, entre otras cosas más. Don Porfirio Díaz en persona visitó los trabajos de excavación en abril de 1906. Se ha imputado a Batres el haber utilizado dinamita para aligerar los trabajos del monumento, hecho que, hasta la fecha, no se ha podido comprobar. Lo que sí parece ser verdad es la reconstrucción, o invención, según Bastien, del cuarto cuerpo de la pirámide. En efecto, Bastien estudió acuciosamente los trabajos realizados en esa construcción, análisis que le sirvió como tesis de arqueología de la Escuela Nacional de Antropología. Otra labor de Batres fue la construcción del Museo de Sitio, en donde se exhibían objetos diversos. Las obras se inauguraron en 1910 y fueron visitadas por los asistentes al Congreso Internacional de Americanistas, celebrado en México ese mismo año.

En 1895, don Antonio García Cubas emprende excavaciones en la Pirámide de la Luna y encuentra túneles que considera de la misma época del edificio. También excava en el lado oriente de la Calle de los Muertos, en donde reporta que encontró un "animal raro" pintado en un muro, al que le sirven de fondo "fajas oblicuas irregulares, pintadas de azul, rojo y verde". Acerca de esto he comentado que dicho mural nos recuerda aquel que se encontró gracias al Proyecto Teotihuacan 1963-1964, que representaba un enorme puma en color ocre con bandas oblicuas como fondo y que puede verse en la Calle de los Muertos.

De ese mismo año de 1895 contamos con una perspectiva estupenda de William Holmes, que muestra Teotihuacan de norte a sur con los montículos tal como aparecían en aquel momento. También hay que destacar el óleo pintado por José María Velasco en 1887 desde la Pirámide de la Luna y que nos ilustra sobre el particular. Finalmente, el siglo XIX se cierra con la publicación, por parte de don Antonio Peñafiel, de su monografía *Teotihuacan*.

Ya hemos hecho referencia a los trabajos emprendidos por Batres en Teotihuacan. Lo que resulta interesante es el interés que la ciudad despierta en investigadores extranjeros. Prueba de ello son las ponencias presentadas en diversos congresos de americanistas, como la de Wardle Newell en el celebrado en Nueva York en 1902 con el título "Certain clay figures of Teotihuacan", o la de Stanbury Hagar en el congreso en México en 1910 y que Manuel Gamio considera puramente imaginativa. En 1912 el Congreso de Americanistas se realiza en Londres y allí se presentan diversas ponencias, como la de Madame Barnett sobre cabecitas teotihuacanas y las de Franz Boas y Eduard Seler, que hablan de los aportes de la Escuela Internacional de Arqueología y Etnología Americanas, de la que fueron directores; el primero habla de las investigaciones de la Escuela en el Valle de México y Seler trata la similitud de diseños de frescos teotihuacanos con algunas cerámicas mexicanas. Corresponde a este último publicar su monografía *La cultura de Teotihuacan* en 1915, que el doctor Ignacio Bernal considera junto con otras obras de este estudioso auténticos ensayos culturales basados fundamentalmente en la interpretación de piezas arqueológicas.

En 1917 se crea, por parte del Congreso de la Unión, el Departamento de Arqueología y Etnografía como dependencia de la Secretaría de Agricultura y Fomento, que cambiará su nombre al de Dirección de Antropología en 1919. Su impulsor fue don Manuel Gamio, quien fue alumno de la Escuela Internacional y realizó estudios en la Universidad de Columbia. Gamio contó con el apoyo del entonces secretario de Agricultuta, Pastor Rouix, hombre inteligente que lo ayudó en todo momento. Será a partir de ese año de 1917 cuando se emprendan los trabajos de investigación integral que, bajo la coordinación de Gamio, se publicaron en 1922 bajo el título de *La población del Valle de Teotihuacan*. Fue ése el primer trabajo concebido de manera integral que comprendía estudios tanto de la época prehispánica como de la colonial y la moderna. Gamio reunió a un buen número de especialistas en diferentes ramas, como arqueólogos, lingüistas, antropólogos físicos, folcloristas, minerólogos, biólogos, geólogos, arquitectos, artistas, etc., para estudiar los diferentes momentos durante los que se había desarrollado Teotihuacan. La elección de esta región obedeció a la división que el mismo Gamio había hecho del país en once zonas con características similares cada una de ellas. Así tenemos: 1) México, Hidalgo, Puebla y Tlaxcala, de la que era representativa el Valle de Teotihuacan; 2) Oaxaca y Guerrero; 3) Chiapas; 4) Yucatán y Quintana Roo; 5) Tabasco y Campeche; 6) Veracruz y Tamaulipas; 7) Jalisco y Michoacán; 8) Querétaro y Guanajuato; 9) Chihuahua y Coahuila; 10) Sonora y Sinaloa, y 11) Baja California.

El programa se emprendió a partir de dos vertientes: población y territorio en el momento del estudio. En este caso, tenemos la existencia de dos grupos, indios y mestizos, con sus diferencias socio-culturales, en donde los primeros presentan un atraso mayor que los segundos. Es importante señalar que el programa estaba dirigido a lograr mejoras substanciales en la población actual del valle, a la luz del conocimiento de su historia y el proceso de desarrollo por el que pasó desde la época prehispánica hasta el momento del estudio. Con estos trabajos se dio paso al nacimiento de la antropología en México.

En relación con la arqueología, los trabajos de Gamio se encaminaron a la Ciudadela, en donde se excavó este enorme conjunto que, según trabajos posteriores, fue el centro de la antigua ciudad en un momento determinado. Destacan las excavaciones en el Templo de Quetzalcóatl o de las Serpientes Emplumadas, en donde se encontraron en buen estado de conservación las esculturas que conforman su fachada principal y restos de pilotes de madera que sirvieron para la construcción del edificio que lo cubrió posteriormente. También se emprendieron excavaciones en la Calle de los Muertos, cerca del río San Juan.

No podemos dejar de mencionar a quienes colaboraron con Gamio en los trabajos arqueológicos de tan importante obra. La primera parte del estudio se inicia con la "Introducción, síntesis y conclusiones", que le sirvió a don Manuel de tesis doctoral en la Universidad de Columbia. La segunda parte la dedica a la población prehispánica, empezando con el estudio de cráneos depositados en el Museo Nacional, los excavados en la Ciudadela y otros más encontrados por Alex Hrdlicka en Teotihuacan. Continúa con el artículo de Roque Ceballos Novelo acerca de las manifestaciones intelectuales de cultura, que abarca desde la etimología del nombre "Teotihuacan" hasta los mitos, creencias, conocimientos empíricos y otros aspectos. Se estudian los

Excavaciones de principios del siglo XX.

edificios viendo tanto su distribución como sus sistemas de construcción, decoración, superposición de estructuras, etcétera. Algunos de los planos fueron elaborados por el arquitecto Ignacio Marquina, a quien se debe una perspectiva de la ciudad antigua. De la escultura tenemos los análisis de Ezequiel Ordóñez en cuanto a la materia prima en que fueron trabajadas y los de Hermann Beyer en la interpretación de ellas. El mismo Gamio investiga la escultura menor y Moisés Herrera realiza la interpretación de la fauna y flora representada. Gamio practica 16 pozos estratigráficos y en el informe que presenta el ingeniero Reygadas Vértiz se incluyen los diagramas con las proporciones de material de cada pozo. Un error evidente fue considerar a la cerámica teotihuacana como contemporánea de la azteca. Beyer incluye un artículo sobre las relaciones entre lo teotihuacano y lo azteca en el que, correctamente, considera al primero como anterior al segundo. La parte prehispánica concluye con un estudio firmado por Ceballos Novelo y Beyer en el que tratan lo referente a la población posteotihuacana.

Se atribuye a Gamio, hacia 1920, la apertura de un túnel que va de oriente a poniente en la parte media del primer cuerpo de la Pirámide del Sol, que después sirvió para que el doctor Alfred Kroeber realizara excavaciones en su interior, en donde obtuvo material cerámico del Preclásico. En 1933, don Eduardo Noguera, con la colaboración de José Pérez, abre un nuevo túnel de poniente a oriente que atraviesa el edificio adosado en la fachada principal de la pirámide y penetra en el núcleo de la misma hasta llegar a 116.50 m, es decir, casi la mitad del monumento, con un ancho de 1.20 m, a partir de la base de donde se desplanta el edificio. Con esto se comprueba que no se aprovechó alguna eminencia natural para hacer la pirámide, sino que ésta se levantó desde la base con rellenos de adobes.

En la década de los años treinta se van a emprender diversos trabajos, entre los que podemos mencionar aquéllos de George Vaillant con el fin de encontrar relación entre la cultura teotihuacana o tolteca y la preclásica de Zacatenco y Ticomán. Para ello excava al poniente de la Pirámide de la Luna y en otros sitios, a la vez que realiza investigaciones de los restos encontrados en el pueblo de San Francisco Mazapa, ubicado al oriente de Teotihuacan. Por su parte, el doctor Sigvald Linné, del Museo Etnográfico de Estocolmo, practica excavaciones en el sitio de Xolalpan, cuyos resultados publica en 1934, y más tarde lo hará en Tlamimilolpa, en donde encuentra un verdadero conjunto habitacional que nos recuerda al que más recientemente excavó Rubén Cabrera en La Ventilla bajo los auspicios del Proyecto Especial 1992-1994, bajo mi coordinación.

En los años siguientes vamos a contar con trabajos interesantes como los desarrollados por don Alfonso Caso en Tepantitla, en donde encuentra patios con corredores que muestran pintura mural de gran relevancia. Destacan los del Tlalocan, en donde se pueden apreciar escenas de la vida cotidiana con personajes que juegan, platican, nadan en las aguas de una corriente que nace de un manantial, cazan mariposas, etc. De la corriente de agua vemos que se forman canales y lo que parecen ser sistemas agrícolas como las chinampas, en donde crecen plantas como maíz, frijol, calabaza y otros. He sostenido que se trata de una escena rural, a diferencia de otra que es la continuación del mismo mural y en la que vemos una escena urbana, pues hay estructuras arquitectónicas y personajes que juegan a la pelota con marcadores en ambos extremos. Una diferencia fundamental entre ambas partes del mural es que los personajes de la primera están ataviados solamente con un taparrabos y descalzos, en tanto que los jugadores de la escena urbana están vestidos de mejor manera, con faldillas, adornos y cacles. Ambos murales tienen en su parte alta la representación de una deidad relacionada con el agua y las semillas. Otro mural que está en el cuarto contiguo a éste muestra sacerdotes ricamente ataviados en un ritual agrícola, pues van arrojando semillas a la tierra, mientras que el tocado representa lo que parece ser un cocodrilo, animal que se asocia con la tierra.

También en la década de los años cuarenta tenemos las excavaciones de Pedro Armillas en el Grupo Viking, realizadas al lado oriente de la Calle de los Muertos. Se trata de un conjunto de habitaciones que, entre otras cosas, tenían pisos recubiertos de mica, lo que les daba un aspecto particular. Los trabajos fueron patrocinados por la Fundación Viking, de ahí el nombre con el que se le conoce. El trabajo de Armillas ayudó al conocimiento de la cronología de Teotihuacan.

Los años cincuenta se inician con un estudio de Carlos Margáin, que le servirá de tesis para la Escuela Nacional de Antropología; titulado *El funcionalismo arquitectónico en el México prehispánico*, se refiere al barrio teotihuacano de Atetelco, en donde se encuentra todo un conjunto con restos de pinturas. La reconstrucción de los edificios no resultó, a juicio mío, muy feliz. Otros trabajos fueron los de Laurette Sejourné, quien inició sus excavaciones en conjuntos departamentales como Tetitla, con lo que se conoció la complejidad de estos conjuntos y la riqueza mural con que estaban decorados. En 1963 continuó sus trabajos.

Con el fin de precisar la cronología del lugar, el doctor Robert Eliot Smith realiza, en 1962, un túnel en el cuarto cuerpo de la Pirámide del Sol, dando a conocer sus resultados en *A ceramic sequence from the Pyramid of the Sun, Teotihuacan, Mexico*. Contó con la colaboración de Florencia Müller, y para el análisis tipológico con dos jóvenes estudiantes de la ENAH: Pablo López y Eduardo Matos.

Un estudio interesante fue el realizado por René Millon sobre la irrigación en Teotihuacan y la importancia de las técnicas agrícolas en una población tan amplia como la teotihuacana. Pero será en los años sesenta cuando emprenda una serie de recorridos para definir con mayor precisión la antigua ciudad, de donde surge el Teotihuacan Mapping Project. En efecto, Millon y su equipo dividen el área en grandes cuadrados de 500 metros por lado y les asignan una clave. Con apoyo de fotografía aérea, se van a realizar recorridos sistemáticos de superficie y un plano a escala de 1:2000 que nos muestra los alcances y dimensiones de la ciudad. Se trata del plano mejor elaborado hasta el momento y en el se basan todos quienes investigan en Teotihuacan. Lo anterior es acompañado de estudios para definir la cronología de la ciudad, su crecimiento y la densidad de población, trabajos en los que intervienen un buen número de colaboradores. Cabe destacar el estudio de James Bennyhoff sobre la cerámica y el de Bruce Drewitt, que trata de la planeación de la ciudad, así como el de Clara Millon, quien analiza la pintura mural y, desde luego, las publicaciones del mismo René Millon, entre las que destacaremos una que resulta de consulta obligatoria: *Urbanization of Teotihuacan, México*, en dos volúmenes, siendo el segundo en donde concentra los mapas de la ciudad. De todos estos trabajos de campo y gabinete resulta el siguiente cuadro que da una idea aproximada de los tres vectores estudiados: cronología, crecimiento de la ciudad y población aproximada:

Fase	Cronología	Tamaño de la ciudad	Población
Metepec	650-750 d.C.	20 km²	70 000
Xolalpan	450-650 d.C.	20 km²	85 000
Tlamimilolpa	250-450 d.C.	22 km²	65 000
Miccaotli	150-250 d.C.	22.5 km²	45 000
Tzacualli	1-150 d.C.	17 km²	30 000
Patlachique	100-0 a.C.	4 km²	5 000

Otro proyecto importante desarrollado casi al mismo tiempo que el anterior es el de la Universidad de Pennsylvania dirigido por el doctor William Sanders. Con su grupo de colaboradores establece el Teotihuacan Valley Project, encaminado a realizar estudios ecológicos basados en los patrones de asentamiento. Las relaciones entre el medio ambiente y la población se van a establecer a través del análisis de áreas simbióticas. Estos trabajos sentaron las bases para extenderlos al Valle de México, como lo demuestra el estudio del doctor Parsons en la región de Texcoco. Algunas excavaciones se realizaron en pequeños asentamientos, entre ellas las del sitio TC8, ubicada a cinco kilómetros al oeste de la Pirámide del Sol, de cuyos hallazgos ha dicho Sanders:

> Un resultado sorprendente de las excavaciones desde el punto de vista de la imagen usual de la sociedad clásica mesoamericana fue la clara indicación de un significativo aspecto militarista de la villa. Puntas de proyectil en obsidiana eran comunes y funcionaban probablemente como puntas de lanza.[6]

Estos hallazgos empezaban a sentar las bases para dar una visión diferente de Teotihuacan de la que hasta ese momento se tenía. Se había hablado de la vieja ciudad como de una teocracia imperante. Ahora empezaban a asomarse rasgos de que el militarismo había jugado un papel mucho más preponderante de lo que se pensaba, como se confirmaría con trabajos posteriores.

Otro importante proyecto, ahora a cargo del INAH, se realizó entre 1962 y 1964. Bajo la dirección de Ignacio Bernal, se emprendieron trabajos a lo largo de la Calle de los Muertos, la Plaza de la Luna, la Plaza del Sol, La Ventilla y Tetitla. Se descubrieron gran cantidad de murales asociados a la arquitectura, restos de habitaciones a lo largo de la Calle, y en el ángulo suroeste de la Plaza de la Luna se excavó el Palacio de las Mariposas, a cargo de don Jorge R. Acosta, de quien fui ayudante. Debajo de este palacio se encontró el de los Caracoles Emplumados, que me correspondió excavar ya que don Jorge tenía que estar en la Ciudad de México por razones administrativas. La Pirámide de la Luna, en su fachada principal, fue excavada y reconstruida por Ponciano Salazar, en tanto que la Calle de los Muertos fue explorada por varios arqueólogos como Héctor Gálvez, Agustín Delgado, Braulio García, Robert Chadwick (quien excavó la Plaza de la Pirámide del Sol), Eduardo Contreras, Alfonso Cuevas y Eduardo Matos. Román Piña Chan encabezó trabajos en La Ventilla con la colaboración de Juan Vidarte, encontrando entierros con ofrendas debajo de los pisos de las habitaciones. Florencia Müller tuvo a su cargo los estudios cerámicos, y muchos de los excelentes dibujos de piezas y arquitectura se debieron a un gran artista especializado en lo prehispánico, Abel Mendoza. Un grupo de restauradores, bajo las órdenes de Manuel Gaytán, realizó la restauración de murales y en el caso de la reconstrucción del Palacio de las Mariposas a cargo de Jorge Acosta, la ayuda de Tomás Zurián fue invaluable.

Algunos de los resultados de las investigaciones realizadas en los tres proyectos anteriores fueron presentados en la XI Mesa Redonda de la Sociedad Mexicana de Antropología, dedicada a Teotihuacan, celebrada en el entonces recién inaugurado Museo Nacional de Antropología en Chapultepec.

En los años siguientes Teotihuacan siguió aportando una rica información. El mismo Jorge Acosta excavó, a principios de los años setenta, debajo de la Pirámide del Sol una cueva de 102 metros de largo que culmina en una especie de trébol que nos recuerda la imagen de Chicomóztoc. Quedan restos de muros de estuco y, según parece, hubo una corriente de agua. No cabe duda de la importancia del hallazgo, pues es evidente que la construcción de la Pirámide del Sol

[6] Sanders, 1966.

Teotihuacan.

en ese lugar tuvo relación con la cueva. El estudio de Doris Heyden acerca del significado de la cueva es esclarecedor en este sentido.

En 1973 se publicó la primera recopilación de los murales teotihuacanos por parte de Arthur Miller. Más tarde, la doctora Esther Pasztory realiza sus investigaciones iconográficas de las expresiones pictóricas, especialmente las de Tláloc. Pero sin lugar a dudas, el más completo trabajo que reúne la pintura mural es el que recientemente ha emprendido Beatriz de la Fuente con un grupo de colaboradores. La publicación de *La pintura mural prehispánica de México* es muestra de ello.

Foto: Ignacio Guevara

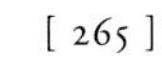

Entre 1980 y 1982 se llevaron a cabo, primero bajo la coordinación de Eduardo Contreras y después de Rubén Cabrera, quien le dio un nuevo enfoque, los trabajos del Proyecto Arqueológico Teotihuacan. Los trabajos se centraron en la parte norte de la Ciudadela, en donde se encontraron evidencias importantes, entre ellas, la de un taller de cerámica con gran cantidad de moldes para la elaboración de piezas. También se excavaron los conjuntos habitacionales a ambos lados del Templo de Quetzalcóatl. Particularmente interesantes resultaron las exploraciones del Complejo Oeste de la Calle de los Muertos, en donde nuevas estructuras arquitectónicas vinieron a sumarse a las ya abundantes que se conocen a lo largo de esta calle. La participación de jóvenes arqueólogos fue decisiva; entre otros, se contó con la colaboración de Noel Morelos, quien con su tesis obtuvo uno de los premios anuales del INAH.

El doctor Michael Spence se ha dedicado al estudio de la obsidiana desde 1967. Bien sabemos la relevancia que esta materia prima tuvo en el México prehispánico, de ahí que su análisis sea de primordial importancia. Los yacimientos de obsidiana, tanto del Cerro de las Navajas como el de Otumba, indican la necesidad de un control de su producción por parte del Estado teotihuacano. Estos temas son abordados por Spence, quien en 1981 publicó *Obsidian production and the State in Teotihuacan.*

Entre los estudios cerámicos efectuados tenemos los de Evelyn Rattray, quien desde 1973 se dedica a ellos. Sin embargo, es en los años ochenta y como miembro del Instituto de Investigaciones Antropológicas de la UNAM cuando se interesa en la cerámica anaranjada delgada y también en el barrio de los comerciantes, temas de los que tenemos varias publicaciones. Ya que hablamos de esta institución, cabe destacar una investigación que ha dado resultados acerca de la paleobotánica y la dieta del teotihuacano. Nos referimos a la que realiza la doctora Emily Mc Clung desde hace varios años. Sus primeras publicaciones sobre el tema parten de 1977 y han continuado hasta la fecha. Aunque en los murales tenemos la representación de diversas plantas comestibles, los estudios de la doctora Mc Clung han definido que, además de una dieta alimenticia animal, podemos incluir los siguientes productos: maíz, frijol, ayocote, tomate, calabaza, chile, aguacate, verdolaga, amaranto, huazontle, y epazote. Entre los frutos tenemos tuna, capulín, tejocote, zapote blanco y ciruelo.

Más recientemente, la doctora Linda Manzanilla ha emprendido diversos trabajos en Teotihuacan bajo el patrocinio de esa misma institución. Tenemos las excavaciones en Oztoyahualco, en donde pudo analizar la distribución interna de un conjunto habitacional, y sus trabajos en las cuevas del lado oriente de la Pirámide del Sol, en donde encontró entierros y una rica información sobre la utilización de estas cavidades, tanto en el momento de Teotihuacan como en sociedades posteriores.

Hacia 1989, Rubén Cabrera, George Cowgill y Saburo Sugiyama llevan a cabo trabajos en el Templo de Quetzalcóatl en la Ciudadela. Encuentran grupos de entierros humanos en el tepetate de 1, 2, 4, 9 y 18 personas con las manos atadas a la espalda y en ocasiones con collares que imitan mandíbulas. Hay grupos de entierros femeninos y masculinos. Lo interesante es que los conjuntos están distribuidos de una manera específica alrededor del templo y han sido relacionados con prácticas agrícolas y calendáricas. Un verdadero túmulo mortuorio de alrededor de veinte esqueletos fue encontrado en el centro del edificio. Lo interesante de estos hallazgos estriba en que vienen a reforzar la idea de un fuerte militarismo en Teotihuacan y la posible práctica del sacrificio humano.

Entre 1992 y 1994 se puso en marcha el Proyecto Especial Teotihuacan del Instituto Nacional de Antropología e Historia. Entre los trabajos desarrollados, se pudo continuar con el de las excavaciones del Templo de Quetzalcóatl y de nuevos conjuntos de entierros, además de excavar el edificio en su parte posterior. Sin embargo, el proyecto se planteaba seis programas tanto de índole administrativa como de investigación. Los programas fueron los siguientes: 1) Mantenimiento de la zona arqueológica; 2) Trabajos de adaptación y excavaciones en el Templo de Quetzalcóatl; 3) Construcción de un nuevo museo; 4) Creación del Centro de Estudios Teotihuacanos; 5) Excavaciones en la Pirámide del Sol y la Plaza 5, y trabajos de rescate arqueológico en distintos puntos de la ciudad; y 6) Reubicación de vendedores ambulantes y establecidos fuera de la zona central.

De las excavaciones realizadas, cabe destacar las de rescate arqueológico que encargué al arqueólogo Rubén Cabrera, dada su experiencia de muchos años en la zona. Sobresalen las de La Ventilla, en donde durante 1992 y mediados de 1994 se obtuvieron datos importantes para el conocimiento de Teotihuacan: conjuntos habitacionales con grandes patios y cuartos decorados con murales que muestran superposiciones de ocupación y restos pictóricos como los encontrados en el piso de un patio de estos conjuntos, donde se ven una serie de glifos dispuestos de manera especial. En contraste con estos conjuntos "ricos", separados por calles entre sí, tenemos hacia el norte y a poca distancia un conjunto habitacional popular en donde se encontraron alrededor de trescientos entierros, la mayoría flexionados, tanto de adultos como de infantes. Por los vestigios encontrados, se supone que era un lugar de habitación de artesanos dedicados a la elaboración de distintos materiales de cerámica y piedra.

En la Pirámide del Sol se excavó el primer cuerpo tanto en su lado norte como oriente, habiéndose localizado un canal que rodea a la pirámide. También se encontraron restos de habitaciones de una ocupación posterior a la caída de Teotihuacan, entre ellas un temazcal o baño de vapor. Se pudo excavar, tanto por su lado externo como interno, la gran plataforma que rodea la pirámide. Se detectaron por lo menos dos ampliaciones de la misma correspondientes a la época teotihuacana y una posterior construida de piedra burda sin recubrimiento de estuco, hecha varios años después de abandonado el sitio. En la parte superior de la plataforma había habitaciones del momento de apogeo de la ciudad. Lo interesante de esta plataforma es que, al parecer, sirvió como delimitador entre un espacio de gran sacralidad como lo era la Pirámide del Sol y la parte externa de la misma, pues hay que recordar que este edificio fungió, según creo, como centro de la ciudad antes de que lo fuera la Ciudadela.

Los becarios del Centro de Estudios Teotihuacanos, provenientes de diversos países, se dedicaron a la excavación de la Plaza 5, al poniente de la Pirámide de la Luna. Se pudo delimitar la plaza y se respetó el principio de no reconstrucción de los edificios. Actualmente, algunos de estos becarios imparten cursos de Mesoamérica en sus lugares de origen.

Tanto Rubén Cabrera como Saburo Sugiyama han continuado con sus proyectos de excavar el interior de los principales edificios. Es así como iniciaron trabajos por medio de túneles en la Pirámide de la Luna, en donde encontraron elementos rituales como figuras, restos de felino, entierros humanos, etc. Los estudios aún continúan y habrán de arrojar nuevas luces sobre la función de estos monumentos.

El último trabajo que apenas se inicia en Teotihuacan es el que coordinan Linda Manzanilla (Instituto de Investigaciones Antropológicas, UNAM) y Leonardo López Luján (Instituto Nacional de Antropología e Historia) con la colaboración de la Universidad de Harvard. El objetivo de la investigación es tratar de comprobar si el conjunto de Xalla, ubicado al norte de la Pirámide del Sol, fue la sede del gobierno teotihuacano. Unido a esto, se pretende conocer quiénes fueron los moradores del conjunto, su identidad étnica y social y su forma de vida, así como saber la manera en que utilizaban el poder y la riqueza. Los primeros resultados ya están a la vista y habrá que esperar las próximas temporadas de campo para llegar a conocer más datos del lugar.

Todos los trabajos aquí mencionados han aportado, en poco o en mucho, datos para la arqueología de Teotihuacan. Vemos un cambio evidente de enfoque a partir de los trabajos de don Manuel Gamio, con los que se inician los proyectos integrales con la participación de diversos especialistas, lo que dará pie al inicio de la concepción integral de la antropología. También en los años sesenta se va a dar otra directriz, con la presencia de nuevas inquietudes que se plantean en al ámbito de la arqueología. Nuevas técnicas y una visión más integral del estudio del pasado dan paso a una rica y variada información que, sin lugar a dudas, han hecho cambiar la idea que se tenía de la vieja Ciudad de los Dioses.

Cholula y el área poblano-tlaxcalteca

Al mismo tiempo que Teotihuacan se desarrolla en el Valle de México, en el área poblano-tlaxcalteca surge la ciudad de Cholula. Con una enorme antigüedad, Cholula se establece en un lugar clave que es paso obligado para la Costa del Golfo y Oaxaca, de donde recibe influencias. Con una presencia importante en el Preclásico, en el Clásico se va a convertir en una ciudad de grandes dimensiones que debió tener el control regional con fuerte influencia teotihuacana, como lo demuestran los trabajos realizados desde 1931 por Emilio Cuevas, Ignacio Herrera y Marino Gómez, y poco después por el arquitecto Ignacio Marquina y los estudios de Eduardo Noguera. En 1966 comenzó el Proyecto Cholula, bajo la coordinación del arquitecto Miguel Messmacher, que tenía un planteamiento regional e integral y en el que participaban

Pirámide de Cholula; ilustración tomada del Atlas de las Antigüedades Mexicanas *de Guillermo Dupaix.*

arqueólogos, lingüistas, etnohistoriadores, antropólogos sociales, etcétera. El Proyecto vio frustrados sus esfuerzos, ya que la corriente tradicional de la arqueología mexicana, encabezada por Alfonso Caso, puso fin a estos trabajos para dar paso a la arqueología con tendencias a la reconstrucción monumental.

La importancia de la región quedó de manifiesto gracias a diversos trabajos, entre los que hay que destacar los del doctor Melvin Fowler en Amalucan, que detectó con fotografía aérea posibles canales de riego relacionados con estructuras del preclásico superior. Sin embargo, se deben a la Fundación Alemana para la Investigación Científica los recorridos de superficie que llevan a cabo los doctores Peter Tschohl y Herbert Nickel, quienes publican un catálogo a partir de 1972, y las excavaciones como las realizadas por Bodo Spranz en Totemihuacan (1965-1966) y Xochitécatl. Bajo la coordinación de Ángel García Cook y sus colaboradores se amplían los estudios y se establece la cronología del área, además de conocerse más detalladamente las características de la región. Muchas fueron las publicaciones en las que se informaba de los avances de las investigaciones en la región poblano-tlaxcalteca en lo que a arqueología se refiere, sin olvidar que la fundación también abarcaba estudios de etnohistoria, geografía, etc. La revista *Comunicaciones* fue el órgano que difundió los diversos trabajos de investigación.

Florencia Müller

Entre otros sitios importantes, además de Cholula, está Cacaxtla, con una ubicación estratégica y que a partir de los años setenta cobró relevancia gracias a la localización fortuita de murales, los cuales, una vez ampliada la excavación, despertaron el interés del mundo arqueológico tanto por su calidad como por los datos que arrojan. Diana y Daniel Molina estuvieron a cargo de los trabajos en el lugar y las excavaciones que realizaron dieron a conocer aspectos arquitectónicos y cronológicos de Cacaxtla. Xochitécatl, a poca distancia de Cacaxtla, también fue intervenida más recientemente por Maricarmen Serra Puche, en el marco de los Proyectos Especiales del INAH. Se encontraron datos relativos al Preclásico Superior, al que corresponden dos de las estructuras del lugar, y una ocupación posterior importante que ha permitido ubicar ese sitio a finales del Clásico y con conexiones con la Costa del Golfo, Oaxaca, Teotihuacan y Cholula.

La importancia de esta región parte desde la Prehistoria, y su desarrollo muestra una continuidad hasta el presente. Por allí pasaron las huestes españolas e indígenas que, en 1521, sitiarían a las ciudades aztecas de Tenochtitlan y Tlatelolco.

CAJETE TEOTIHUACANO EXCAVADO EN LA OFRENDA 6 DEL TEMPLO MAYOR DE TENOCHTITLAN. EN SU INTERIOR SE LOCALIZARON 20 FRAGMENTOS DE PIEDRA VERDE

OLLA TEOTIHUACANA CON LA REPRESENTACIÓN DEL DIOS TLÁLOC, IMPREGNADA CON CHAPOPOTE Y EXCAVADAEN LA OFRENDA 6 DEL TEMPLO MAYOR DE TENOCHTITLAN

PÁGINA ANTERIOR: PANORÁMICA ACTUAL DE LA CALLE DE LOS MUERTOS

DON CARLOS DE SIGÜENZA Y GÓNGORA. EMPRENDIÓ EL PRIMER TRABAJO ARQUEOLÓGICO QUE CONOCEMOS, DOCUMENTADO POR LORENZO BOTURINI

BARÓN ALEJANDRO DE HUMBOLDT. ESCRIBIÓ SOBRE DIVERSAS CIUDADES Y MONUMENTOS ANTIGUOS, ENTRE ELLOS TEOTIHUACAN

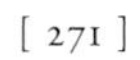

LA MARQUESA CALDERÓN DE LA BARCA. HACIA 1840 VISITÓ TEOTIHUACAN Y DEJÓ SUS IMPRESIONES EN SU LIBRO LA VIDA EN MÉXICO

DÉSIRÉ CHARNAY. EN 1885 SE PUBLICÓ EL LIBRO LES ANCIENNES VILLES DU NOVEAU MONDE, DONDE RELATA SUS EXCAVACIONES, CON PLANOS, DIBUJOS Y FOTOGRAFÍAS

LEOPOLDO BATRES CON LA ALMENA DEL DIOS TLÁLOC

ALMENA DEL DIOS TLÁLOC

MANUEL GAMIO (1883-1960)
Y LA POBLACIÓN DEL VALLE DE TEOTIHUACÁN

NIÑOS DE LA ESCUELA REGIONAL EN LA ELABORACIÓN DE PAN (INDUSTRIA IMPLANTADA POR LA DIRECCIÓN DE ANTROPOLOGÍA)

TRES MOMENTOS DE EXCAVACIÓN DE LA CIUDADELA, TEOTIHUACAN

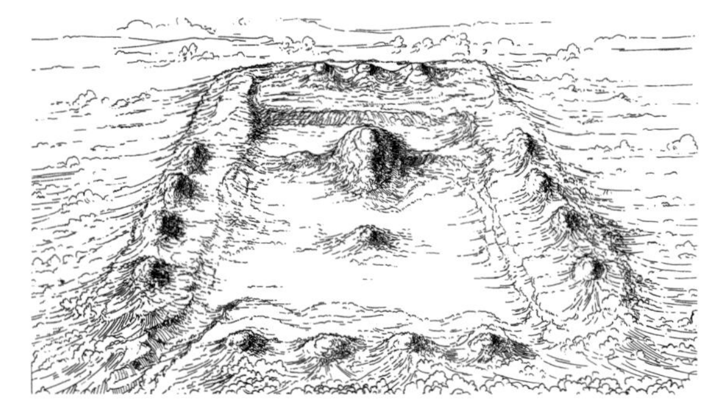

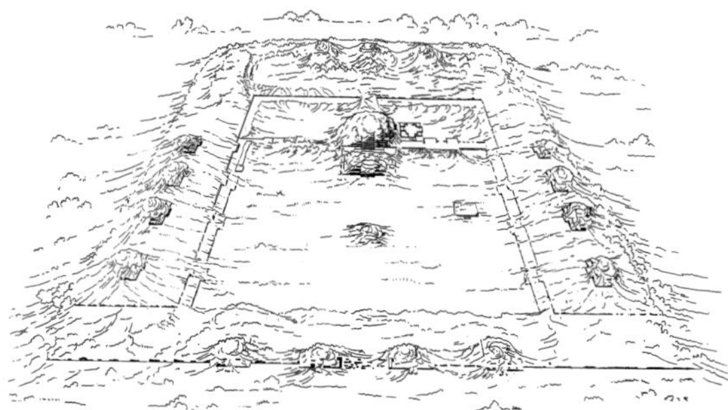

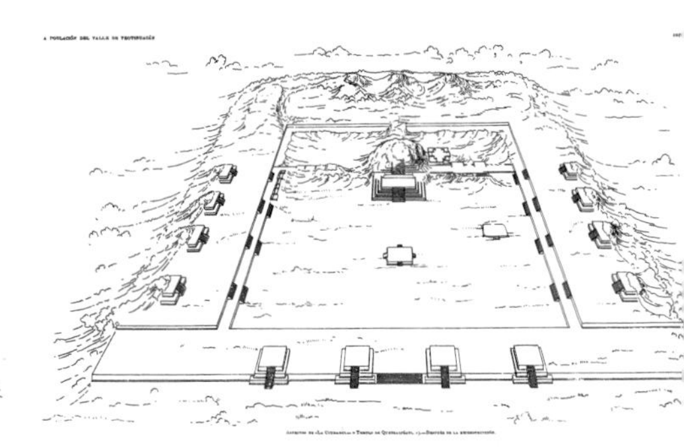

ELEMENTO ARQUITECTÓNICO EN FORMA DE CRÁNEO HUMANO

FLORERO

VASOS

SIGVALD LINNÉ (1898-1986)

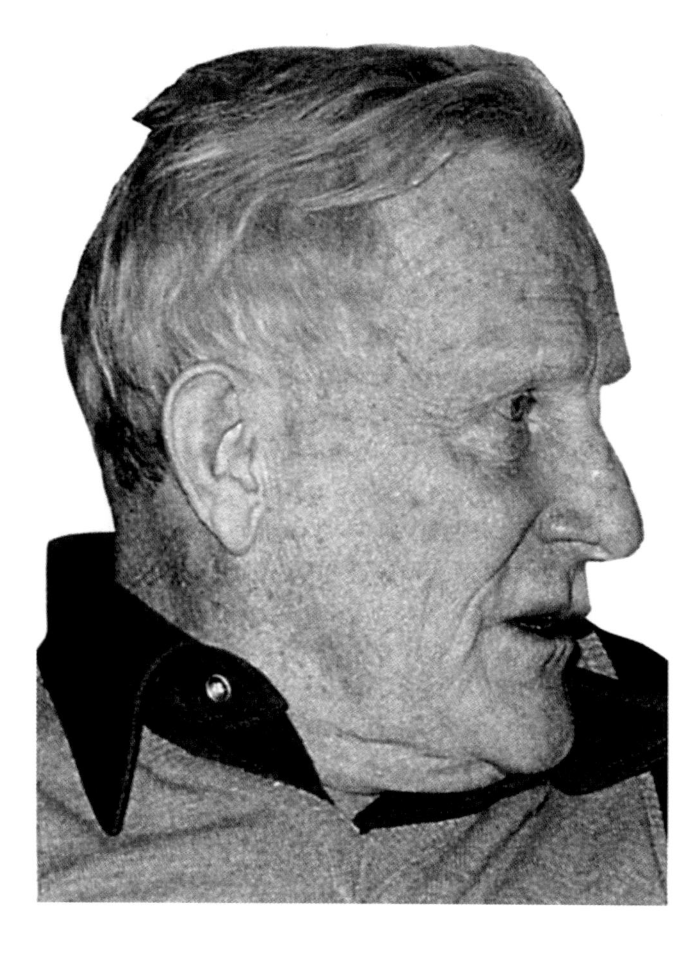

DIOS XIPE TOTEC

IGNACIO BERNAL (1910-1992)

CALLE DE LOS MUERTOS ANTES DE INICIAR LAS EXCAVACIONES DIRIGIDAS POR IGNACIO BERNAL EN 1962-1964

EL PALACIO DE LAS MARIPOSAS O QUETZALPAPALOTL ANTES DE LOS TRABAJOS DE JORGE R. ACOSTA, DURANTE EL PROYECTO DIRIGIDO POR IGNACIO BERNAL

EL PALACIO DE LAS MARIPOSAS EN SU ESTADO ACTUAL

RECIPIENTE RITUAL EN PIEDRA TECALLI, EXCAVADO EN LA PLAZA OESTE EN LA CALLE DE LOS MUERTOS POR NOEL MORELOS, DURANTE EL PROYECTO DIRIGIDO POR RUBÉN CABRERA, 1982-1984

EXCAVACIÓN DE LA PLATAFORMA QUE RODEA LA PIRÁMIDE DEL SOL. PROYECTO ESPECIAL TEOTIHUACAN, DIRIGIDO POR EDUARDO MATOS MOCTEZUMA. 1992-1994

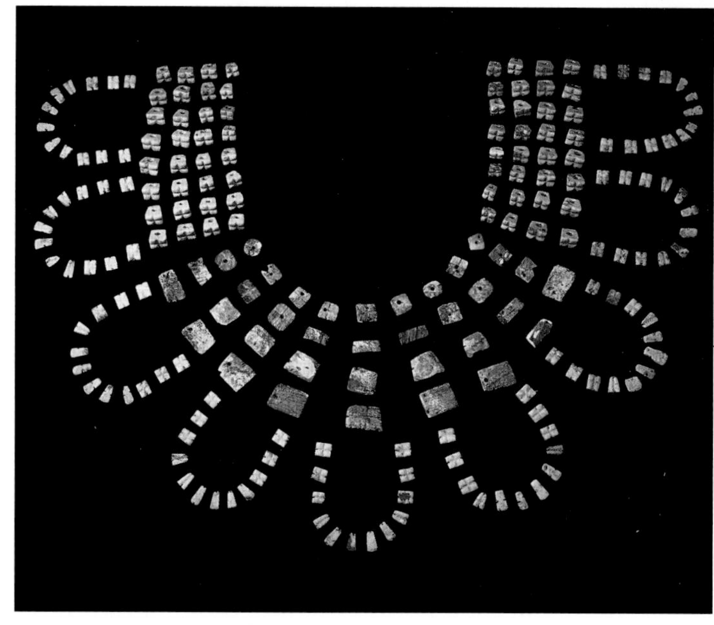

COLLAR DE MANDÍBULAS EXCAVADO EN EL TEMPLO DE QUETZALCÓATL. RUBÉN CABRERA HA ENCABEZADO VARIOS PROYECTOS EN TEOTIHUACAN DURANTE MÁS DE 20 AÑOS

SALVAMENTO ARQUEOLÓGICO
HALLAZGO DE LA CARRETERA

EN LA OFRENDA, ADEMÁS DE LAS FIGURILLAS FEMENINAS, SE ENCONTRARON OTRO TIPO DE OBJETOS, COMO EL VASO ESGRAFIADO

INCENSARIO TIPO "TEATRO", PROCEDENTE DE LAS EXCAVACIONES EN EL BARRIO DE LA VENTILLA, TEOTIHUACAN, COORDINADAS POR RUBÉN CABRERA

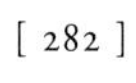

ENTIERRO MÚLTIPLE DESCUBIERTO EN EL INTERIOR DE LA PIRÁMIDE DE LA LUNA, DURANTE EL PROYECTO COORDINADO POR SABINO SUGIYAMA Y RUBÉN CABRERA. INAH-UNIVERSIDAD DE ARIZONA

CUCHILLO DE OBSIDIANA EN FORMA DE SERPIENTE

FELINO
PROYECTO XALLA, TEOTIHUACAN,
COORDINADO POR LEONARDO
LÓPEZ LUJÁN, WILLIAM FASH Y
LINDA MANZANILLA

LA ARQUEOLOGÍA DEL EPICLÁSICO EN EL CENTRO DE MÉXICO*

LEONARDO LÓPEZ LUJÁN

a Eric Taladoire

EL CENTRO DE MÉXICO DURANTE EL EPICLÁSICO

El Epiclásico es uno de los periodos más apasionantes de la historia prehispánica del Centro de México. El sabio Wigberto Jiménez Moreno, quien acuñó el concepto en 1959, lo pensó como una solución de continuidad entre la civilización clásica teotihuacana y los estados posclásicos militaristas.[1] Para él, las sociedades del Epiclásico marcaron el ocaso de una vieja forma de vida, a la vez que prefiguraron una novedosa organización política, económica y cultural que se consolidó plenamente en época de los toltecas y de los mexicas.

De acuerdo con fechamientos radiocarbónicos recientes, el Epiclásico comienza alrededor del año 650 d.C., cuando Teotihuacan pierde la primacía que había mantenido durante cinco siglos. En aquel entonces, la renombrada metrópoli decae al grado que, según se calcula, su población pasa súbitamente de los 125 000 a los 30 000 habitantes. Además, existen claros indicios de que en ese momento son quemados importantes edificios urbanos y que muchos más se convierten en presas del saqueo y la destrucción. De manera paralela, la influencia comercial y militar de la ciudad se desvanece más allá de los linderos de la Cuenca de México.

Durante los siguientes dos siglos y medio, las sociedades del área cambian diametralmente su rostro. Los nuevos vientos traen consigo la movilidad social, la reorganización de los asentamientos, el cambio de las esferas de interacción cultural, la inestabilidad política y la revisión de las doctrinas religiosas. El Centro de México se torna en un enorme crisol donde entran en contacto y se fusionan pueblos étnica y culturalmente distintos. Los agricultores, liberados del yugo teotihuacano, vuelven la espalda a sus lugares de origen para asentarse, no muy lejos, en tierras más benignas. Por su parte, los artesanos especializados en la producción de bienes de prestigio tienden a recorrer distancias mayores en busca de elites que puedan auspiciar sus actividades. A estos movimientos se suman los de comerciantes, guerreros, sacerdotes y gobernantes pertenecientes a etnias cuyo papel en la historia mesoamericana sería decisivo. También deben considerarse los continuos embates migratorios de sociedades nómadas y seminómadas septentrionales, grupos belicosos que forjarían nuevas formas de vida con los antiguos pobladores de Mesoamérica.

Como consecuencia de la virtual desaparición de las antiguas ligas de dominio, emergen pujantes centros de poder sin que ninguno de ellos logre una hegemonía vagamente parecida a la que había alcanzado la añosa Teotihuacan. Si bien es cierto que Teotihuacan conservaría la supremacía en la Cuenca de México hasta el 900 d.C., del otro lado de las montañas surgen y decaen sucesivamente sociedades muy vitales y de carácter expansionista. Viven entonces sus mejores años urbes como Xochicalco en el Valle de Morelos, Teotenango en el Valle de Toluca y Cacaxtla-Xochitécatl en el Valle de Puebla-Tlaxcala. Se trata de centros regionales que instituyen un panorama marcado por la competencia.[2] En

* Agradezco la valiosa ayuda de Lourdes Cué, Olaf Jaime, Augusto Molina, María Elena Sáenz Faulhaber y Jaime Litvak.

[1] Jiménez Moreno, 1959: 1063-1064.

[2] Dumond y Müller, 1972: 1215.

medio de un clima incierto, las nacientes capitales buscarían vanamente la preeminencia política. La relativa perdurabilidad de cada una de ellas dependía de su éxito en la disputa por los recursos escasos, la producción especializada, las rutas comerciales, así como de su capacidad de desarrollar controles de tipo estatal.

En este clima de fragmentación política se incrementa de manera inusitada el aparato militar. Esto no significa que durante el Clásico no hubieran grandes conflictos armados; pero entre el 650 y el 900 d.C., es obvio que la inestabilidad política logra que lo bélico impregne todos los ámbitos de la vida social. Por ello, buena parte de las ciudades son establecidas en posiciones estratégicas y construidas con base en una planificación defensiva. Murallas, fosos, palizadas, garitas y bastiones se convierten en elementos indispensables para la subsistencia de cualquier núcleo urbano de la época. Al mismo tiempo proliferan, como nunca antes, las representaciones iconográficas alusivas a la guerra. De hecho, la importancia de los nuevos estados puede constatarse en la riqueza de sus monumentos públicos, repletos de imágenes de dignatarios, de escenas de batallas y de símbolos de sacrificio y muerte.

Éste es también un periodo en el que proliferan los asentamientos pluriétnicos, se diversifican las alianzas matrimoniales entre las elites de regiones distantes y se multiplican las confederaciones de dos o más entidades políticas. Además, se encadenan económica y culturalmente el Centro de México, la Costa del Golfo y el área maya.[3] Todos estos contactos se expresan en el arte público a través de estilos eclécticos y de mensajes propagandísticos que hacen énfasis en relaciones interculturales reales o ficticias.[4]

Como veremos en las líneas que siguen, a los dos siglos y medio que duró el Epiclásico corresponde una historiografía igualmente longeva. En efecto, los estudios científicos sobre los sitios que florecieron en esta época de cambios se remontan a la fecha hito de 1777. Desde entonces y hasta el día de hoy, se han ido develando poco a poco —y no sin grandes dificultades— los secretos que ocultan sus ruinas. Sin duda alguna, ésta ha sido una aventura intelectual apasionante en la que ha participado una verdadera legión de investigadores del pasado. En el presente ensayo hemos preferido enfocarnos en la historia de la arqueología de Xochicalco, dado que este sitio —junto con Teotihuacan— es el que mayor interés ha despertado entre los estudiosos del área. Sin embargo, también haremos un breve recuento de las pesquisas en otras dos capitales epiclásicas: Teotenango y Cacaxtla-Xochitécatl. Por razones obvias de espacio, dejaremos para otra ocasión el análisis historiográfico de importantes sitios contemporáneos del Centro de México, entre ellos Azcapotzalco, Cantona, Cerro de la Estrella, Cholula-Cerro Zapotecas, Portezuelo, Pueblo Perdido, Tenayuca y Tula Chico.

[3] Webb, 1978: 160-165.

[4] Nagao, 1987: 93-100.

Xochicalco

La vaga memoria de un glorioso pasado

Xochicalco creció, vivió su mayor auge y decayó en el Epiclásico. En un tiempo que hoy nos resulta sorprendente, fueron erigidos los templos, las plazas, los juegos de pelota y los palacios más importantes de esta ciudad, alcanzándose una densidad de arquitectura ceremonial que supera en mucho a la de Teotihuacan, Monte Albán y Tula. No obstante, al crecimiento explosivo de Xochicalco, seguiría la destrucción violenta del núcleo urbano y el éxodo de sus habitantes. Este hecho crucial queda patente en las huellas de incendio que presentan los principales edificios del sitio y en la súbita contracción de todo el asentamiento después del 900 d.C.: de 4 km^2 se reduce a menos de 12 hectáreas.[5] Irremisiblemente y con el paso de los siglos Xochicalco se transformaría en la ciudad arqueológica que conocemos hoy en día...

Con el colapso de Xochicalco, la memoria histórica acerca de sus habitantes y de sus pasadas glorias se fue extinguiendo paulatinamente, de manera que, a la llegada de los españoles, poco o nada se sabía a ciencia cierta. Es muy probable que ni siquiera el nombre Xochicalco ("lugar de la casa de las flores") haya sido dado al lugar por sus antiguos moradores, sino que fuera el apelativo que recibía en los años previos a la Conquista.

Una leyenda de los pueblos actuales de la comarca es quizás el último resabio de los mitos con los que los indíge-

[5] Hirth y Cyphers, 1988: 139.

nas del Posclásico daban respuesta a sus interrogantes sobre los constructores de esta urbe. Según se cuenta todavía en el poblado morelense de Tepoztlán, en Xochicalco habitaba un personaje de tamaño descomunal, de nombre Xochicálcatl, que tiranizaba la región. Entre las aficiones más caras a este gigante se encontraba el devorar a los ancianos de las aldeas circunvecinas. Por fortuna, los días de este ser monstruoso terminaron cuando el joven semidios Tepoztécatl sustituyó a su abuelo en la pena: al ser engullido por Xochicálcatl, el muchacho cortó estómago e intestinos del monstruo con navajas de obsidiana y pedernal, dándole muerte y liberando heroicamente a su gente.

Durante los primeros decenios de la Colonia, Xochicalco se volvió a tal grado víctima del olvido que únicamente los habitantes de las haciendas y los pueblos más próximos conocían su localización exacta.[6] Muy seguramente, los indios de las inmediaciones visitaban las ruinas con asiduidad para rendir culto a sus templos e imágenes, costumbre que, por cierto, aún se practicaba hasta hace poco más de cien años: una escultura monolítica —que plausiblemente representa a la diosa Xochiquétzal— era reverenciada en el siglo XIX como la "Diosa de los Matrimonios" o "Tonantzin". Esto explica por qué las solteras en busca de marido bailaban con tanto ímpetu en torno suyo y le hacían cuantiosas ofrendas de cohetes y flores cuando llegaba el mes de noviembre.[7]

En lo que respecta a textos históricos, por desgracia solamente contamos con dos referencias coloniales tempranas acerca de las ruinas de Xochicalco. Ambas son menciones lacónicas que parecen basarse en recuerdos imprecisos de informantes indígenas. La primera de ellas se localiza en el prólogo de la *Historia general...*, redactado por fray Bernardino de Sahagún alrededor de 1576. En un pasaje sobre los pueblos que antecedieron históricamente a los mexicas, el franciscano apuntó rápidamente:

> En lo que toca a la antigüedad de esta gente tiénese por averiguado que ha más de dos mil años que habitan en esta tierra que agora se llama Nueva España...
>
> Hay grandes señales de las antigualLas destas gentes, como hoy día parece en Tulla y en Tullantzinco, y en un edificio llamado Xuchicalco, que está en los términos de Cuauhnáhuac [Cuernavaca]. Y casi en toda esta tierra hay señales y rastro de edificios y alhajas antiquísimos.[8]

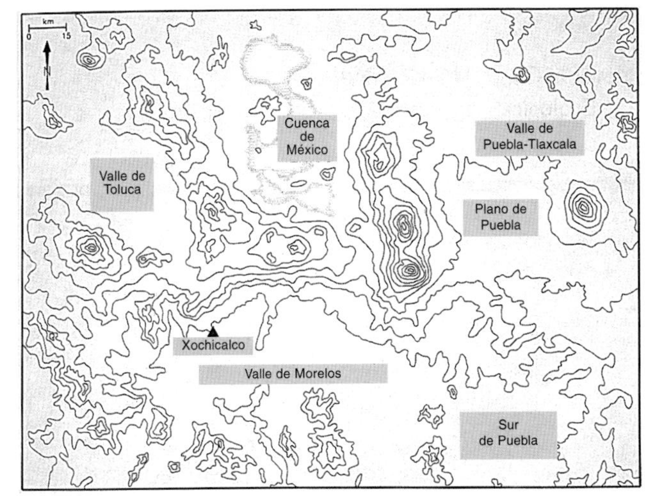

Mapa del Centro de México.

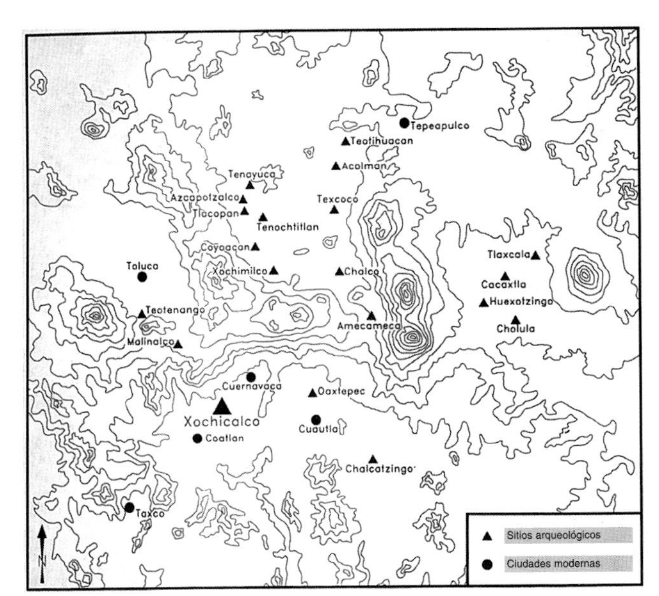

Mapa de los sitios arqueológicos del Centro de México.

Décadas más tarde, hacia el año de 1611, Fernando de Alva Ixtlilxóchitl describió con un poco más de detalle los vestigios premexicas evocados por Sahagún:

> En Tula hicieron unos palacios todos de piedra labrada de figuras y personajes en donde estaban todas sus calamidades, guerras y persecuciones, triunfos, buenos sucesos y prosperi-

[6] Litvak, 1971: 102.

[7] Peñafiel, 1890: 44-45.

[8] Sahagún, 1989, 1: 34.

Cortesía: Museo Nacional de Historia

Fray Bernardino de Sahagún.

> dades; en Cuauhnáhuac otro palacio con una ciudad que solía ser antigua, un palacio labrado todo de piedras grandes de cantería sin lodo, ni mezcla, ni vigas, ni madera, sino unas piedras grandes pegadas unas a otras.[9]

Aquí es claro que el "palacio" ubicado "en Cuauhnáhuac" es en realidad el edificio más insigne de Xochicalco, el Templo de las Serpientes Emplumadas, revestido éste con enormes bloques ensamblados sin ayuda de cementante.

La información consignada por Ixtlilxóchitl fue repetida por Mariano Veytia entre 1755 y 1770 en su célebre *Historia antigua de México*. Sin mucho conocimiento de causa, Veytia afirmó allí la virtual desaparición de las construcciones de Tula y Xochicalco: "De ninguno de estos dos edificios ha quedado en nuestros días vestigio alguno, ni memoria de los sitios en que estuvieron."[10]

Varias décadas tendrían que transcurrir para que un feliz viaje de exploración terminara con el hallazgo afortunado de la ciudad arqueológica y, consecuentemente, desmintiera lo dicho por Veytia.

En busca del tiempo perdido

En la historia de la arqueología mesoamericanista son pocos los sitios como Xochicalco que han cautivado tanto la atención de enterados y profanos. La admiración que produce esta urbe prehispánica en quien la recorre por primera ocasión se debe, sin duda, a su monumentalidad, a sus fortificaciones inexpugnables, a la presencia de enigmáticas cavernas que surcan las entrañas del cerro sobre el que se levantan las ruinas y, sobre todo, a la belleza del Templo de las Serpientes Emplumadas. Desde el año de 1791 en que se reveló su ubicación en el mapa, Xochicalco se convirtió en el destino obligado de viajeros, arqueólogos e historiadores.

Como consecuencia, en los últimos doscientos años se han escrito miles de páginas que, en su conjunto, reflejan de manera fidedigna el cambio de intereses, perspectivas teóricas y capacidades técnicas de quienes han estudiado la capital epiclásica. Estos trabajos no se limitan a la descripción de los monumentos más significativos, sino que ofrecen las hipótesis más disímbolas acerca de sus constructores. Entre las múltiples precupaciones de los interesados en el devenir de Xochicalco destaca la ubicación cronológica de su esplendor. La mayoría de las propuestas giran en torno a la contemporaneidad[11] o posterioridad[12] de esta urbe con Teotihuacan.

La explicaciones sobre el carácter del asentamiento son aún más dispares. Encontramos desde aquellas que lo vinculan con lugares de la mitología mesoamericana como Chi-

[9] Alva Ixtlilxóchitl, 1891, 1: 38.

[10] Veytia, 1944, I: 176.

[11] Litvak, 1970b: 131; Piña Chan, 1960: 2.

[12] Armillas, 1948: 157; Dumond y Müller, 1972: 1210; Escalona, 1952-1953: 356; Hirth y Cyphers, 1988: 13; Webb, 1978: 16-17.

comóztoc[13] y Tamoanchan,[14] pasando por las que ven en él una avanzada militar,[15] una colonia maya,[16] un santuario fortificado,[17] una capital comercial y religiosa que originó el culto a Venus y Quetzalcóatl,[18] un nodo de intercambio a larga distancia,[19] hasta aquellas que lo conciben como un centro astronómico donde se realizó un "congreso internacional" en el que se estableció una correlación calendárica.[20]

La situación llega al extremo cuando revisamos las hipótesis relacionadas con sus constructores. Entre los innumerables pueblos propuestos están ¡los habitantes de la Atlántida!,[21] además de los mayas,[22] los toltecas,[23] los nahuas "antes de su escisión de los olmecas",[24] los tlahuicas,[25] los aztecas,[26] los tlapanecas[27] y los moradores de Monte Albán y Zaachila.[28] Otros autores han querido ver a Xochicalco como el crisol de varias culturas: Palenque, El Tajín y Egipto, según una conjetura,[29] o Palenque, Mitla, Zaachila y la cultura olmeca, conforme a otra.[30]

En lo que respecta al Templo de las Serpientes Emplumadas, los ofidios y los personajes esculpidos en los taludes han sido identificados como dragones chinos y japoneses acompañados de sacerdotes en posición búdica,[31] o como cocodrilos que arrojan chorros de agua por sus fauces.[32] Sin embargo, los enterados coinciden en asociar este reptil ya sea con el Monstruo de la Tierra,[33] con Quetzalcóatl[34] o con una deidad tutelar relacionada con la autoridad, el agua, la tierra, la sangre y la fertilidad.[35]

También existen variadas hipótesis sobre las notaciones calendáricas que se encuentran junto a los ofidios arriba mencionados. Casi todas ellas parten de la coexistencia de coeficientes numéricos de puntos con aquellos que combinan puntos y barras. Dependiendo de cada autor, se correlacionan con fechas zapotecas y mayas,[36] con ajustes de varios sistemas cronográficos,[37] con la sustitución del sistema maya-zapoteco por el nahua-mixteco,[38] con registros de inicios calendáricos, de solsticios y de equinoccios,[39] con "el periodo de 676 años en que rigió Quetzalcóatl",[40] con ciclos de 28 días,[41] etcétera.

La identidad de los personajes que ocupan los cuadretes del tablero es aún más controvertida: funcionarios[42] o reyes de una dinastía con sus glifos onomásticos;[43] gobernantes de pueblos tributarios;[44] guerreros xochicalcas vencedores junto al topónimo de los pueblos que sojuzgaron;[45] astrónomos "congresistas"[46] con los emblemas de sus lugares de origen;[47] sacerdotes de Tláloc,[48] Chicomexóchitl y Chalchiuhtlicue[49] durante una serie de festividades rituales,[50] o representantes de las cuatro edades del mundo.[51]

De igual manera, todo se ha dicho sobre los llamados "subterráneos". Por ejemplo, sobre la función de estas cavidades que surcan el cerro se ha especulado que eran baños de

13 Abadiano, 1910: 14, 20-25.

14 Henning *et al*, 1912: 61-62; Plancarte y Navarrete, 1911: 82-83; Piña Chan, 1989: 72-73.

15 Chavero, s/f.: 210.

16 Escalona, 1952-1953: 353; Gadow, 1908: 314; Noguera, 1945: 154-155.

17 Armillas, 1948: 146; Chavero, s.f.: 210; Gama, 1897: 531; Humboldt, 1816: 134; Noguera, 1945: 120; Sáenz, 1975: 102.

18 Piña Chan, 1989: 72-73.

19 Litvak, 1970b: 131; Noguera, 1945: 137.

20 Cook de Leonard, 1982: 132; Jiménez Moreno, 1959: 1072-1073; Sáenz, 1967a: 30, 47.

21 Le Plongeon, 1913.

22 Batres, 1912: 310; Escalona, 1952-1953: 356; Jiménez Moreno, 1959: 1073; Marquina, 1964: 143.

23 Abadiano, 1910: 13, 18; Humboldt, 1816: 132; Márquez, 1883: 77-80; Seler, 1960a: 158; Tylor, 1861: 190-195.

24 Plancarte y Navarrete, 1911: 82-83.

25 Mena, 1909: 367; Peñafiel, 1890: 39.

26 Alzate, 1791: 9; Bancroft, 1886: 490-494; Seler, 1960a: 158.

27 Nebel, 1963: XIX.

28 Orozco y Berra, 1960, II: 311.

29 Mayer, 1953: 236-246.

30 Chavero, s/f: 272, 276.

31 Gros, 1865: 141; Orozco y Berra, 1960, II: 310, 369-371; Abadiano, 1910: 18.

32 Humboldt, 1816.

33 Peñafiel, 1890: 41; Mena, 1909: 350.

34 Véase por ejemplo, Nebel, 1963: XIX; Abadiano, 1910: 15; Batres, 1886: 308-310; Chavero, s/f. 221; Piña Chan, 1989: 19-30.

35 Smith, 1988: 194.

36 Orozco y Berra, 1960, II: 310; Ceballos, 1928: 108.

37 Peñafiel, 1890: 43; Noguera, 1945: 136; Nicholson, 1969; Prem, 1974: 360; Abadiano, 1910: 18; Piña Chan, 1989: 15-30.

38 Noguera, 1945: 136.

39 Chavero, s/f. 221.

40 Palacios, 1947: 4-7.

41 Prem, 1974.

42 Tylor, 1861: 185.

43 Orozco y Berra, 1960, II: 310, 369-371; Nicholson, 1969: 40.

44 Abadiano, 1910: 18.

45 Hirth, 1989: 72-75. Cf. Batres, 1886: 308-310; Berlo, 1989: 40; Smith, 1988: 403.

46 Cook, 1982: 132; Jiménez Moreno, 1959: 1072-1073.

47 Batres, 1886: 308-310.

48 Noguera, 1946.

49 Mena, 1909: 357-361.

50 Peñafiel, 1890: 42-43.

51 Seler, 1960a: 142-144.

vapor;[52] viviendas;[53] escenarios de rituales de iniciación y oratorios a los difuntos;[54] habitaciones de profetas o catacumbas;[55] trincheras de defensa, depósitos de armas y de víveres, casamatas para comunicación y fuga[56] y observatorios astronómicos.[57] En pocas palabras, en la historiografía de Xochicalco hay explicaciones para todos los gustos...

El redescubrimiento de Xochicalco y los primeros viajes de exploración (1777-1856)

La historia de los estudios sobre Xochicalco puede dividirse en cuatro grandes etapas.[58] La primera se origina en las postrimerías del dominio colonial, cuando arriban al territorio novohispano las ideas de la Ilustración. Durante las últimas décadas el siglo XVIII y las primeras del XIX, el pensamiento científico y humanista venido desde Europa se difunde rápidamente entre los criollos, nutriendo el espíritu independentista y propiciando, entre otras cosas, la revaloración del pasado prehispánico. Como consecuencia, muchos sitios y objetos arqueológicos comienzan a ser estudiados sistemáticamente y apreciados como productos de complejas civilizaciones.

Xochicalco es redescubierto en este contexto. Las ruinas son visitadas entonces por los personajes más ilustrados de la época, quienes se dan a la tarea de examinar sus monumentos más insignes, describirlos, inquirir sobre su significado y realizar las primeras ilustraciones con las que contamos. Arriban también viajeros de menor erudición que escriben noticias en un formato periodístico o literario. Como es de esperar, sus textos se centran en el exotismo y la belleza del lugar, a la vez que ponen mayor énfasis en las peripecias de la expedición que en los vestigios mismos.

Xochicalco tiene la gloria de ser el primer sitio arqueológico mesoamericano objeto de un estudio científico, antes aún que Palenque y Tenochtitlan. En efecto, en este renglón Joseph Antonio Alzate y Ramírez (1737-1799) se adelantó a sus contemporáneos Antonio del Río y Antonio de León y Gama, al iniciar sus pesquisas precursoras en 1777. En aquella fecha histórica, durante un viaje que hacía por el sur de México, Alzate fue informado de la existencia de "el castillo de Xochicalco".[59] El sabio mexicano no dudó entonces en dirigirse al sitio para realizar un reconocimiento inicial. Por desgracia, llegó poco después de que el Templo de las Serpientes Emplumadas había sido parcialmente destruido por los propietarios de la hacienda azucarera de Miacatlán, quienes desprendieron algunos de sus relieves para usarlos como hornillas de la casa de calderas y en la represa que servía de motor a la maquinaria.

En 1784, Alzate volvió a Xochicalco y, siete años después, publicó un artículo en el *Suplemento de la Gazeta de Literatura de México*, donde dio a conocer el sitio entre los círculos ilustrados de la Nueva España. Este valioso texto destaca por sus minuciosas observaciones del Templo de las Serpientes Emplumadas, algunas esculturas de interés, la estructura general del sitio, las obras defensivas, el sistema de cavernas y los recursos minerales de la región. El escrito de Alzate está enriquecido por varios dibujos a línea que fueron realizados por Francisco Agüera. Es interesante notar que, tanto en la publicación de 1791 como en el manuscrito original —hoy día en el Peabody Museum de la Harvard University—, el Templo de las Serpientes Emplumadas está dibujado como un edificio de cinco pisos, cuyas fachadas están repletas de imágenes fantasiosas, quizás inspiradas en el documento del siglo XVI conocido como la *Matrícula de Tributos*.[60]

Por su acuciosidad, el trabajo de Alzate serviría de base a todas las publicaciones del siglo XIX, contándose entre ellas las de quienes no tuvieron la fortuna de conocer Xochicalco, como el jesuita exiliado Pedro José Márquez[61] y el naturalista alemán Alexander von Humboldt.[62] Debe aclararse, sin embargo, que ambos investigadores no sólo reprodujeron las afirmaciones fundadas e infundadas de Alzate, sino que añadieron sus propias interpretaciones sobre las funciones y la antigüedad del sitio, basadas éstas en comparaciones con otros monumentos arqueológicos y documentos históricos.

[52] Márquez, 1883: 78.

[53] Alzate, 1791: 18-19.

[54] Dupaix, 1834, figs. 34-36.

[55] Gama, 1897: 531-532.

[56] Peñafiel, 1890: 44; Togno, 1909: 39-43.

[57] Nebel, 1963: xx; Robelo, 1902: 14; Ceballos y Noguera, 1929: 59; Aveni, 1983: 43, 253-254; Hirth y Cyphers, 1988: 105.

[58] Cf. Litvak King, 1971; Hirth y Cyphers, 1988: 22-30; Molina Montes, 1991a, 1991b; López Luján *et al.*, 1995: 21-32; Hirth, 2000b.

[59] Alzate, 1791: 9.

[60] Molina Montes, 1991a: 62.

[61] Márquez, 1883.

[62] Humboldt, 1816.

Archivo Técnico de la Coordinación Nacional de Arqueología-INAH/Raíces

César A. Sáenz junto a la Estela 3 en Xochicalco.

Román Piña Chan en Teotenango.

En 1805, el capitán Guillaume Dupaix pasó por el sitio en el marco de la célebre expedición científica-arqueológica ordenada por Carlos IV de España. Acompañado por el dibujante y profesor de arquitectura José Luciano Castañeda, Dupaix recorrió el área, observando la presencia de montículos en la periferia y, por tanto, ampliando la visión tradicional que se tenía del asentamiento. De manera póstuma, sus reportes fueron publicados en francés bajo el título de *Antiquités mexicaines*,[63] aunque con algunos grabados inexactos copiados de la obra de Márquez.[64] En cambio, lord Edward Kingsborough incluyó la versión inglesa de este mismo documento en su monumental *Antiquities of Mexico*, junto con grabados basados, éstos sí, en los originales de Castañeda.[65]

A raíz de la aparición de estas cinco obras, Xochicalco comenzó a ser visitado por una pléyade de viajeros que, años después, publicarían en Europa y en los Estados Unidos sus propias experiencias: en 1831, el pintor Carlos Nebel, quien realizaría cuatro láminas a color con una gran calidad estética;[66] en 1833, el barón Gros, quien recomendaría a la expedición científica francesa de 1864 verificar la presencia de tumbas en el interior del Templo de las Serpientes Emplumadas y llevar a París algunos de sus relieves;[67] en 1834, el artista y explorador Frederick Waldeck;[68] en el mismo año, Charles Latrobe, quien hizo brillantes descripciones de las terrazas bajas y los caminos pavimentados;[69] en 1835, Renato de Perdreauville, al frente de una expedición ordenada por el gobierno de Anastasio Bustamante,[70] y, en 1842, el diplomático Brantz Mayer.[71]

Para mediados del siglo XIX, Xochicalco había adquirido una inmensa fama en el extranjero. Esto queda patente en la novela *Un drame au Mexique* de Jules Verne, donde los protagonistas, en su camino de Cacahuamilpa a Cuernavaca, pernoctan en "le fort de Cochicalcho, bâti par les anciens Mexicains, et dont le plateau a neuf mille mètres carrés".[72]

Las expediciones científicas y los estudios históricos (1856-1909)

La segunda etapa está marcada por los entonces en boga enfoques positivistas. Gran parte de los trabajos escritos en las cinco décadas que abarca fueron realizados por verdaderos profesionales en la historia y la antropología. Este trascendental avance se manifiesta en la elaboración de las primeras descripciones exhaustivas de los monumentos visibles en superficie y de levantamientos topográficos del centro del asentamiento que sobresalen por su precisión. Por lo común, dichas descripciones están acompañadas por interpretaciones razonadas en torno a problemas de reconstrucción histórica, identificación cultural y cronología. También es notable que Xochicalco pasa a formar parte de compilaciones e historias generales.

---

63 Dupaix, 1834: XXXI, XXXII.

64 Molina Montes, 1991a: 64-68.

65 Dupaix, 1831-1848.

66 Nebel, 1963: XIX-XX.

67 Gros, 1865.

68 *Vid.* Perdreauville, 1835: 541; Waldeck, 1838.

69 Latrobe, 1836.

70 Perdreauville, 1835.

71 Mayer, 1953: 236-246.

72 Verne, 1851: 296 ("...el fuerte de Cochicalcho [Xochicalco], construido por los antiguos mexicanos y cuya plataforma tiene nueve mil metros cuadrados").

Esta etapa fue inaugurada por la visita del antropólogo Edward B. Tylor en 1856[73] y por la toma de las primeras vistas fotográficas del sitio, a cargo de Pal Rosti en 1857.[74] Poco después, durante la Intervención Francesa en México (1862-1867) y en franco contraste con el espíritu cientificista de la época, la ciudad arqueológica volvió a ser el objetivo de actos vandálicos. En este caso, las huestes del ejército invasor, en busca de supuestos tesoros, excavaron sin éxito un pozo en el Templo de las Serpientes Emplumadas e hicieron moldes directamente sobre sus relieves para reproducirlos en París durante la Exposición Internacional de 1867; además mutilaron la Escultura de la Malinche, arrojándola desde la parte alta de la pirámide del mismo nombre, y modificaron el interior de uno de los subterráneos, labrando escalones para facilitar la entrada de la Emperatriz Carlota en un viaje de placer.[75]

La calidad de las pesquisas científicas de esta etapa se pone de manifiesto en trabajos como el de Hubert H. Bancroft, quien emprendió la recopilación crítica de todo lo escrito sobre el tema hasta ese momento.[76] Otra investigación clave es la del historiador y dramaturgo Alfredo Chavero,[77] quien incluye a Xochicalco en su historia general del México precolombino y lo interpreta como un centro urbano cuya población no se dedicaba a actividades agrícolas, dada la pobreza del valle circundante. A estas obras hay que sumar las útiles publicaciones de Manuel Rivera Cambas,[78] Manuel Orozco y Berra,[79] Manuel Gama,[80] Cecilio A. Robelo,[81] Adela Breton,[82] Hans Gadow,[83] Juan Togno,[84] Ramón Mena,[85] Francisco Abadiano,[86] Francisco Plancarte y Navarrete[87] y de muchos otros.

No obstante, entre todas las expediciones de la segunda mitad del siglo XIX destacan, por un lado, la del polémico Leopoldo Batres en 1886 y, por el otro, la de Antonio Peñafiel y Eduard Seler en 1887. La primera de ellas fue organizada por el Museo Nacional de México y tuvo como sus principales resultados la toma de valiosas fotografías y la designación de un guardián para la zona.[88] La segunda expedición fue enviada por la Secretaría de Obras Públicas. En ella, Peñafiel y Seler se hicieron acompañar de dos magníficos artistas —uno de ellos Segura y Carral— que tenían la expresa misión de reproducir los monumentos más insignes en planos, dibujos a línea, acuarelas, moldes y fotografías. Tres años más tarde, Peñafiel daría a conocer su obra *Monumentos del arte mexicano antiguo*, en la cual dedica un capítulo completo a Xochicalco. Allí incluye, además de sus propias observaciones, textos de Alzate, Humboldt, Robelo, y Orozco y Berra; también publica grabados de esculturas hasta entonces inéditas, y los más completos y acuciosos dibujos del Templo de las Serpientes Emplumadas hechos hasta nuestros días.[89] Por su parte, Seler escribe un profundo estudio iconográfico, centrándose primordialmente en cuestiones astronómicas y religiosas.[90]

La era de las excavaciones y los recorridos de superficie (1909-1977)

La tercera etapa es dominada por los grandes proyectos arqueológicos financiados por el Estado mexicano. Dichos proyectos pueden dividirse en dos grandes grupos. El primero de ellos reúne a los investigadores que se enfocaron en el estudio de las elites que habitaron el núcleo del asentamiento. Al igual que en otros sitios del territorio mexicano, los arqueólogos se dieron a la tarea de liberar y reconstruir las estructuras religiosas y palaciegas de mayores proporciones, y de explorar ofrendas y enterramientos de grupos nobiliarios xochicalcas. También ocuparon su tiempo en la excavación de pozos estratigráficos para fechar las ocupaciones del sitio, así como en la comparación estilística de la cerámica, la arquitectura y las representaciones iconográficas con el propósito de determinar la contemporaneidad y las relaciones de Xochicalco con otras áreas mesoamericanas.

[73] Tylor, 1861: 183-195.
[74] Rosti, 1857-1858; 1861.
[75] Robelo, 1902.
[76] Bancroft, 1886.
[77] Chavero, s/f.
[78] Rivera Cambas, 1880-1883, v. III.
[79] Orozco y Berra, 1960, II: 369-371.
[80] Gama, 1897.
[81] Robelo, 1902.
[82] Breton, 1906.
[83] Gadow, 1908: 278-284, 299, 314.
[84] Togno, 1909.
[85] Mena, 1909.
[86] Abadiano, 1910.
[87] Plancarte y Navarrete, 1911.
[88] Batres, 1886; Hirth, 2000b: 38, 45-46.
[89] Peñafiel, 1890; 1909.
[90] Seler, 1960a.

Archivo Técnico de la Coordinación Nacional de Arqueología-INAH

EDUARDO NOGUERA AUZA

INSTITUTO NACIONAL DE ANTROPOLOGIA E HISTORIA

INSTITUTO NACIONAL DE ANTROPOLOGIA E HISTORIA. DIRECCION.

Nombre completo Eduardo Noguera Auza.
Sexo Masculino Nacionalidad Mexicana.
Lugar de nacimiento México, Municipio D. F.
Estado .... País México.
Edad 43 años. Fecha de nacimiento 1896.
Domicilio particular: Roma 41.
Empleo actual Arqueólogo "A"
Trabajo que desempeña Exploraciones Arq.
Oficina o centro de trabajo al cual depende Dir. de Monumentos Prehispánicos.
Lugar en que trabaja México, D. F.

Edad manifestada a Pensiones 29 años.
en el año de 1925. Estado civil: ¿Casado? si
¿Soltero? ----- Nombre de la esposa Margarita T. de Noguera.
Estatura 1.72 Mts. Color pelo Negro
Color ojos café obs. Frente grande
Boca regular Señas particulares ....
Nombre de los padres o parientes más cercanos Hnas. Josefina y Lupe Noguera.
Domicilio Ave. Observartorio 7. Tacubaya, D. F.

E. Noguera
(Firma del interesado)

EMPLEOS QUE HA OCUPADO EN LA SECRETARIA DE EDUCACION	FECHA	DEPENDENCIA
Auxiliar de Insp. Gral. Mon.	1917.	Sria. de Inst. Púb.
Practicante de la Ins. "	1918.-19	Sria. de Agric. y Fom.
Inspector 2/a. Dir. Arq.	1920.-22	" " "
Ayudante Técnico. "	1923.	" " "
Prof. Hist. Col. Dep. Antro	1924.	" " "
Prof. Arqueología." "	1925.	Sria. de Educ. Pública.
Prof. en Est. Sociales "	1925.	" " "
Oficial 2o. Técnico. Dir.Ar.	1926.-29	" " "
Arqueólogo. Dir. Arq.	1930.	" " "
Jefe de Arq. " Mon. Pre.	1931.-36	" " "
Arqueólogo "A" " "	1937.-39	" " "
Arqueólogo "A" " "	1940.	" " " Inst. Nac. Antrop.

RECOMENDACIONES

SANCIONES

Eduardo Noguera. ca. *1940.*

En 1909-1910, Leopoldo Batres regresa a Xochicalco por orden del ministro Justo Sierra para intervenir el entonces en pésimo estado Templo de las Serpientes Emplumadas.[91] La labor del arqueólogo más connotado del porfiriato consistió en algunas excavaciones estratigráficas, la consolidación de las fachadas del templo y la reconstrucción de la escalinata y los muros de la capilla superior. Siendo Batres un personaje polémico y con numerosos enemigos, rápidamente se le reprochó la reconstrucción excesiva del Templo de las Serpientes Emplumadas y la inexacta reubicación de sus relieves.[92] Hay que hacer notar, sin embargo, que tras un análisis detallado de grabados y fotografías anteriores a esta intervención, Hirth llegó a la conclusión de que Batres hizo una restauración fidedigna.[93]

Con el inicio de la Revolución mexicana en noviembre de 1910, las investigaciones quedan suspendidas temporalmente y la zona arqueológica se convierte en un escenario más de las escaramuzas entre zapatistas y federales. Ya en la década de los veinte y en medio de un clima más propicio, los estudios sobre Xochicalco vuelven a tomar su curso normal. Marshall H. Saville, siguiendo los pasos de Bancroft, publica una nueva bibliografía comentada que incluye los trabajos aparecidos hasta 1928.[94] Al año siguiente, la zona

[91] Batres, 1912.
[92] Mena, 1909: 361; Caso, 1929: 57.
[93] Hirth, 2000b: 40.
[94] Saville, 1928.

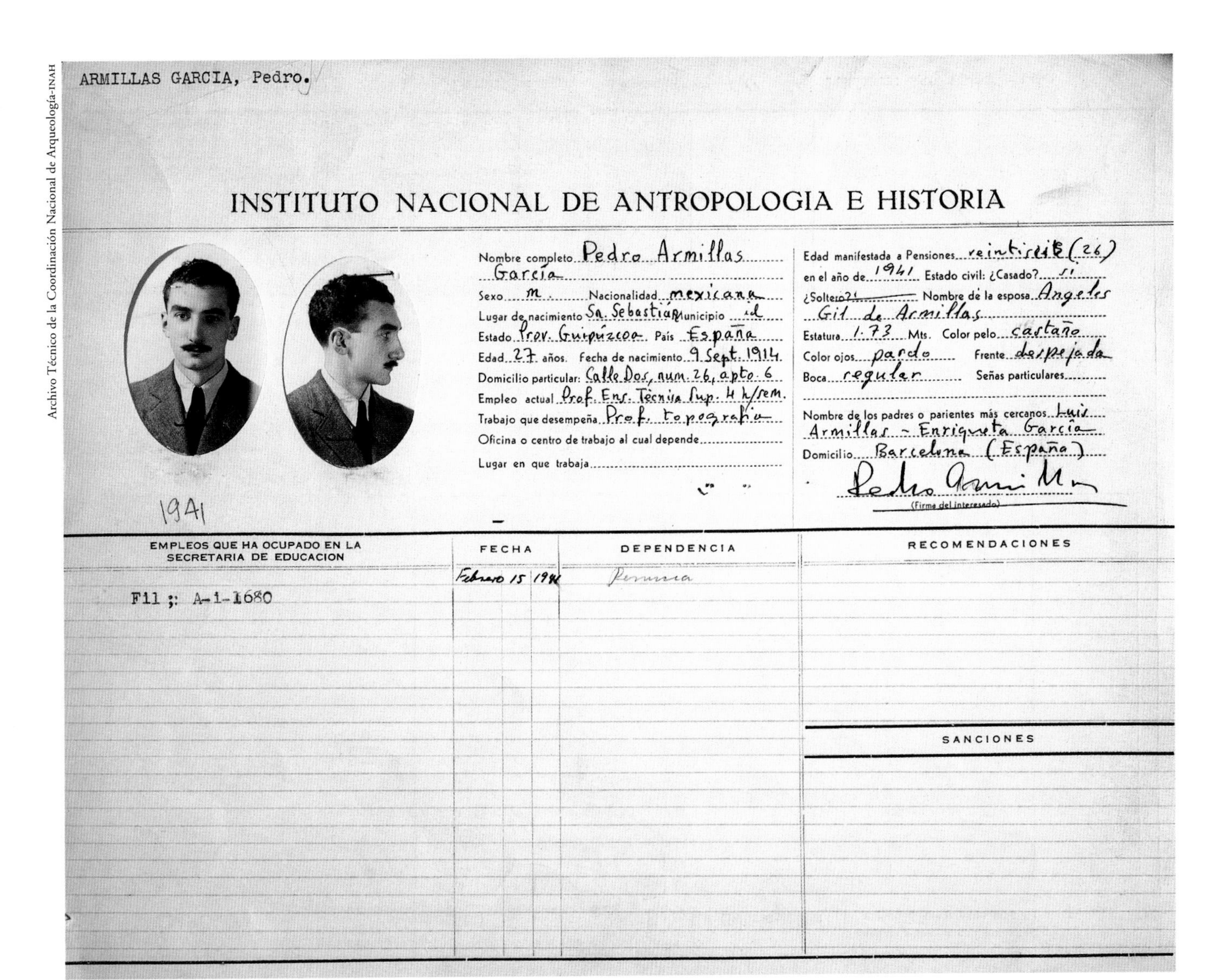

ARMILLAS GARCIA, Pedro.

INSTITUTO NACIONAL DE ANTROPOLOGIA E HISTORIA

Nombre completo Pedro Armillas García
Sexo m. Nacionalidad mexicana
Lugar de nacimiento Sn. Sebastián Municipio id
Estado Prov. Guipúzcoa País España
Edad 27 años. Fecha de nacimiento 9 Sept. 1914
Domicilio particular: Calle Dos, num. 26, apto. 6
Empleo actual Prof. Ens. Técnica Sup. 4 h/sem.
Trabajo que desempeña Prof. topografía
Oficina o centro de trabajo al cual depende
Lugar en que trabaja

Edad manifestada a Pensiones veintiseis (26)
en el año de 1941 Estado civil: ¿Casado? si
¿Soltero? Nombre de la esposa Angeles Gil de Armillas
Estatura 1.73 Mts. Color pelo castaño
Color ojos pardo Frente despejada
Boca regular Señas particulares
Nombre de los padres o parientes más cercanos Luis Armillas – Enriqueta García
Domicilio Barcelona (España)
(Firma del interesado)

1941

EMPLEOS QUE HA OCUPADO EN LA SECRETARIA DE EDUCACION	FECHA	DEPENDENCIA	RECOMENDACIONES
Fil ;: A-1-1680	Febrero 15 1941		

SANCIONES

Archivo Técnico de la Coordinación Nacional de Arqueología-INAH

Pedro Armillas en 1941.

arqueológica es oficialmente deslindada, alcanzando el área protegida una superficie de 161 hectáreas.

En 1929, Alfonso Caso hizo un reconocimiento en el juego de pelota principal, donde encontró en su sitio original el anillo norte.[95] Sin embargo, es a Eduardo Noguera a quien se debe la primera excavación sistemática del sitio, además de la primera cronología basada en la exploración de innumerables pozos.[96] Este investigador llevó a cabo, entre 1934 y 1960, once temporadas de campo en el área nuclear.[97] Uno de sus trabajos más interesantes fue la excavación de una larguísima trinchera que partía de la cúspide del Cerro Xochicalco en dirección poniente. En esta forma pudo definir el número de terrazas de ese costado del cerro y reconocer algunos perfiles arquitectónicos, basureros y enterramientos humanos. Posteriormente hizo un plano del centro del asentamiento y exploró el Templo de las Serpientes Emplumadas, las unidades habitacionales ubicadas al oriente de este edificio, el juego de pelota principal, el Edificio B, la Calzada de la Malinche, el Cementerio y varios subterráneos; también inició las excavaciones de la Estructura A y descubrió la famosa Cámara de las Ofrendas.

[95] Caso, 1929.

[96] Noguera, 1945, 1946, 1947, 1948-1949, 1951, 1960, 1961; Piña Chan 1960; Sáenz, 1962a.

[97] Estas temporadas se llevaron a cabo en los años 1934-1935, 1941, 1942, 1943-1944, 1945, 1946, 1951, 1954, 1956, 1958-1959 y 1960.

En 1961 Noguera fue relevado por uno de sus colaboradores más directos: César A. Sáenz.[98] Este último dirigió seis temporadas más entre ese año y 1970.[99] En dicho lapso continuó los trabajos en la Estructura A —incluyendo el llamado Templo de las Tres Estelas—, además de liberar de los escombros y reconstruir las estructuras B, C, D y E, el altar de la Estela de los Dos Glifos, las subestructuras del Templo de las Serpientes Emplumadas y el juego de pelota este.

El segundo grupo investigadores de esta fase trascendieron el núcleo urbano para analizar el sitio como una totalidad y, a la vez, como parte de un intrincado sistema de carácter regional. Esta corriente dio nuevos bríos a la arqueología de Xochicalco, puesto que cambió su mirada hacia los patrones de asentamiento tanto de la ciudad como del valle, en busca de comprender la interacción social en el occidente del estado de Morelos. En esta línea de pensamiento, los arqueólogos realizaron reconocimientos de área, recolectaron material de superficie, elaboraron planos de distribución urbana y mapas del asentamiento en el valle, y excavaron en sitios periféricos que habían sido soslayados.

En el año de 1942, Florencia Müller emprendió un recorrido de superficie que daría pie a toda una secuela de estudios similares: caminó el territorio comprendido entre Xochicalco y Malinalco, haciendo una extensa relatoría de sus observaciones y recolectando materiales arqueológicos.[100] En 1949 y 1950, Pedro Armillas, junto con sus alumnos de la Escuela Nacional de Antropología e Historia (ENAH), estudió el sistema de fortificaciones que protegían el sitio.[101] Un año después, William T. Sanders acompañó a Armillas para examinar de manera preliminar el patrón de asentamiento de Xochicalco y para definir áreas residenciales en el valle y en las laderas de los cerros. En esta forma Sanders pudo percatarse de que se encontraba ante las ruinas de una verdadera ciudad y no sólo de un centro ceremonial, tal y como afirmaban muchos de sus contemporáneos.[102]

[98] Sáenz, 1961, 1962b, 1963a, 1963b, 1964, 1965, 1966, 1967a, 1967b, 1968; Müller, 1974.

[99] Estas temporadas se llevaron a cabo en los años 1961, 1962-1963, 1964, 1965, 1966 y 1969-1970.

[100] Müller, 1944.

[101] Litvak, 1971: 114; Armillas, 1951.

[102] Sanders, 1952. Cf. Molina Montes, 1993: 4-5.

Nuevas prácticas de la ENAH tuvieron lugar entre 1965 y 1966, ahora dirigidas por Armillas y Jaime Litvak. En dichas prácticas una vez más se estudiarían los patrones de asentamiento del sitio y del valle, así como las comunicaciones y los accesos de Xochicalco.[103] Más adelante, entre 1968 y 1969, Litvak regresó al valle para conducir ambiciosas campañas financiadas por la Universidad Nacional Autónoma de México: el valle fue recorrido sistemáticamente, haciéndose excavaciones estratigráficas y levantamientos topográficos de un total de 23 sitios. La información recabada en campo se manipuló por primera ocasión con ayuda de una computadora y de la aplicación de complejos modelos estadísticos. Debe destacarse entre los estudios más valiosos de Litvak el referente a la interacción de los asentamientos del valle.[104]

Los proyectos de los últimos años (1977-2001)

Las investigaciones arqueológicas más recientes han revolucionado nuestra imagen de Xochicalco. Dos brillantes equipos de arqueólogos han venido trabajando de manera simultánea y han generado información cualitativamente novedosa durante los últimos veinticinco años. El primero de ellos es el Xochicalco Mapping Project, coordinado desde 1977 por Kenneth G. Hirth, adscrito sucesivamente a la Western Michigan University, la University of Kentucky y la Penn State University. Este equipo se ha dedicado fundamentalmente al reconocimiento exhaustivo del asentamiento urbano y a la recolección de materiales de superficie. Esta invaluable labor, junto con la aplicación de modernas técnicas de fotogrametría, ha tenido como resultado el primer plano general del sitio, el cual abarca una superficie de 15 km^2. También realizaron numerosos pozos estratigráficos que han permitido afinar y corregir la cronología del asentamiento.

Gracias a los trabajos de Hirth y asociados ahora comprendemos de una mejor manera cuáles fueron los límites de la actividad humana; la forma y el tamaño del sitio en cada fase de su historia; la relación entre la arquitectura y la organización social, así como el papel que jugó Xochicalco a lo largo del tiempo en la franja occidental de Morelos. Además

[103] Litvak, 1971: 116-117; 1965; Hirth, 2000b: 43.

[104] Litvak, 1970b; 1973.

de la publicación de numerosos artículos,[105] el Xochicalco Mapping Project acaba de sacar a la luz su monumental *Archaeological Research at Xochicalco*, obra en dos volúmenes que, sin duda alguna, se convertirá en el clásico de la arqueología de Xochicalco.[106]

Por su parte, Norberto González Crespo y Silvia Garza Tarazona, del Instituto Nacional de Antropología e Historia (INAH), emprendieron entre 1984 y 1986 dos temporadas de excavación en el acceso sur de la ciudad. Allí detectaron un foso, varios muros de contención de terrazas que hacían las veces de murallas, la entrada principal del sitio y algunas unidades habitacionales.[107] Entre 1993 y 1994, el grupo que coordina González Crespo ha continuado sus trabajos, aunque ahora dentro de un programa mucho más ambicioso: el Proyecto Especial Xochicalco. En este contexto, el equipo del INAH se ha consagrado en buena medida a la realización de obras de mantenimiento mayor en las estructuras arquitectónicas más importantes del Cerro Xochicalco, y a la exploración de extensas áreas en las terrazas elevadas.[108] Los espectaculares e inesperados hallazgos realizados en fechas recientes revolucionarán en un futuro próximo nuestra imagen de este majestuoso sitio mesoamericano. Por lo pronto, ya contamos con un magnífico museo de sitio que expone los materiales recuperados en los últimos años.

Teotenango y Cacaxtla-Xochitécatl

Muy breves son las historias de la arqueología en Teotenango y en Cacaxtla-Xochitécatl, sobre todo si las comparamos con el caso de Xochicalco. La primera de estas capitales epiclásicas, emplazada en el extremo suroeste del Valle de Toluca, no fue objeto de excavaciones hasta la década de los setenta. Construida sobre el cerro Tetépetl, Teotenango es muy notoria desde la distancia, pues sus edificios, taludes, fosos, albarradas y murallas ocupan una larga mesa que asciende de 70 a 250 metros de altura. Aun así, la ciudad arqueológica no atrajo el interés de los especialistas hasta la llegada de Román Piña Chan. El connotado arqueólogo campechano organizó allí, entre 1971 y 1975, uno de los proyectos más ambiciosos de la década. Con un excepcional apoyo económico del gobierno del Estado de México, le fue posible organizar un nutrido equipo de trabajo de carácter interdisciplinario. Así, durante cinco temporadas de campo, logró concluir un reconocimiento de superficie y un levantamiento topográfico; excavar innumerables pozos para establecer una base cronológica; liberar de manera masiva y reconstruir por completo los edificios del llamado Sistema Norte. El principal fruto del proyecto de Piña Chan fue la publicación de dos lujosos volúmenes que agrupan capítulos sobre el medio ambiente, los artefactos, la arquitectura, la escultura, los petroglifos, los enterramientos, la etnohistoria local, además de útiles investigaciones sobre aspectos sociales, genéticos, antropométricos y lingüísticos de las poblaciones modernas.[109]

La publicaciones del equipo de Piña Chan se complementan con el minucioso trabajo regional realizado en fechas recientes por Yoko Sugiura Yamamoto de la UNAM.[110] Gracias al excepcional estudio de esta investigadora, conocemos el devenir de las sociedades del Valle de Toluca durante el Epiclásico. Entre otras cosas, sus resultados dejan patente que, durante esta época, los asentamientos de la región se duplicaron tanto en número como en tamaño. Al parecer, este fenómeno fue consecuencia de grandes éxodos humanos provenientes de la mitad septentrional de la Cuenca de México. Aparecen entonces, en posiciones defensivas, centros regionales como Teotenango, Techuchulco y la Iglesia.

En el extremo opuesto de la Cuenca de México, más allá de la Sierra Nevada, se encuentran las ruinas de Cacaxtla-Xochitécatl, núcleo rector de la vida del valle poblano-tlaxcalteca durante el Epiclásico. Este complejo arquitectónico fue levantado sobre un macizo serrano delimitado por los ríos Zahuapan y Atoyac, desde donde dominaba tierras fértiles y bien irrigadas. Todo parece indicar que en el cerro de Cacaxtla habitaron las elites de la capital, en tanto que Xochitécatl, la loma aledaña, fungía como el centro cívico-ceremonial.

La primera noticia sobre los vestigios arqueológicos de Cacaxtla-Xochitécatl data del siglo XVI y se debe a la pluma

[105] Hirth, 1980a, 1980b, 1982, 1984, 1989, 1991, 1995a, 1995b; Hirth y Cyphers 1988.

[106] Hirth, 2000a, 2000c.

[107] González Crespo, 1993; González Crespo *et al.*, 1995; Garza Tarazona, 1993; Vega Nova, 1993.

[108] González Crespo, 1993; González Crespo y Garza Tarazona, 1994; Garza Tarazona y González Crespo, 1995.

[109] Piña Chan, 1975.

[110] Sugiura, 1991, 2001.

de Diego Muñoz Camargo. En su famosa *Historia de Tlaxcala*, este cronista narra la migración de los olmecas y los xicalancas. Menciona allí que estos pueblos se asentaron en Santa María de la Natividad, Texoloc, Mixco, Xiloxochitla, el cerro de Xochitécatl y Tenayacac, es decir, en Cacaxtla-Xochitécatl y sus alrededores inmediatos. Afirma, además, haber visitado las ruinas, ascendiendo el cerro a caballo. Durante su breve estancia pudo corroborar la presencia de varios edificios, de numerosas cuevas y de un complejo sistema de defensa compuesto, entre otras instalaciones, por "fuerzas y barbacanas, albarradas, fosas y baluartes".[111] Cabe decir que, a fines de la Colonia, Francisco Javier Clavijero repite en sus escritos que el área fue poblada por los olmeca-xicalancas.[112]

Ya en el siglo XIX, exactamente en 1850, el cura José María Cabrera publica una noticia estadística de la municipalidad de Nativitas en la que incluye una breve descripción de las ruinas de Cacaxtla-Xochitécatl. Aunque de manera parca, advierte la existencia de canteras, terrazas habitacionales y defensivas, cuevas y monumentos escultóricos.[113] Décadas más tarde, Bancroft describe las fortificaciones del lugar[114] y Seler hace una rápida inspección del cerro a fines de 1902.[115]

Mucho tiempo tendría que pasar para que la región fuera objeto de nuevos estudios. Esto sucede en 1941, cuando Pedro Armillas hace una campaña de un par de meses en Mixco, Cacaxtla, Xochitécatl,[116] Cualacapixco y otros sitios arqueológicos de la redonda. Hace valiosas observaciones de cada uno de ellos, reúne una colección cerámica de superficie, toma numerosas fotografías y elabora un plano topográfico de Cacaxtla-Xochitécatl. Cinco años después da a conocer un artículo donde conjunta los datos obtenidos en campo con información de carácter histórico.[117]

Los reconocimientos de superficie fueron continuados en los años sesenta y setenta por la Fundación Alemana para la Investigación Científica en colaboración con el INAH. Surgió entonces el Proyecto Arqueológico Puebla-Tlaxcala, dirigido por Ángel García Cook, quien se dio a la tarea de estudiar el desarrollo cultural del área desde sus orígenes hasta la conquista española.[118] En este marco, Bodo Spranz hizo excavaciones arqueológicas menores en dos edificios de Xochitécatl: la Pirámide de las Flores y el Basamento de los Volcanes.[119]

Sin embargo, el proyecto arqueológico más célebre de la región comenzó en 1975 como resultado de un saqueo que dejó expuestas las pinturas murales del Edificio A de Cacaxtla. La enorme trascendencia del hallazgo —que trastocó el conocimiento sobre las relaciones interculturales del Epiclásico— justificó la organización de una excavación a gran escala coordinada por Diana López y Daniel Molina Feal.[120] Tras tres temporadas de campo, efectuadas entre 1975 y 1977, quedó liberada de los escombros buena parte del Gran Basamento, especialmente los edificios A y B. A raíz de estos descubrimientos, fueron publicadas decenas de estudios, casi todos centrados en la escritura, la iconografía, el estilo y la tecnología de los murales.[121] A estas campañas siguieron las de Andrés Santana Sandoval y Rosalba Delgadillo, miembros del proyecto original. Ellos tomaron las riendas de la investigación en Cacaxtla de 1984 a 1990, excavando, entre otras cosas, el Templo Rojo y el Templo de Venus.[122]

El último capítulo de esta historia se cierra con el Proyecto Especial Xochitécatl, dirigido por Mari Carmen Serra Puche y Ludwig Beutelspacher de 1992 a 1994.[123] Entre los resultados más significativos de este proyecto se encuentran la exploración de la Pirámide de las Flores, el Basamento de los Volcanes y los edificios de la Serpiente y la Espiral; la definición de dos ocupaciones —una preclásica y otra epiclásica— interrumpidas por un hiato de cuatro siglos, y la identificación de Xochitécatl como un lugar de culto a las deidades femeninas y de la fertilidad. Pero dejemos hasta aquí este recuento que de ninguna manera ha tratado de ser exhaustivo. En los años que están por venir, estamos convencidos, la cantidad y la calidad de las pesquisas se multiplicarán exponencialmente, haciendo de la arqueología del Epiclásico una verdadera aventura intelectual.

[111] Muñoz Camargo, 1892: 19-24.
[112] Clavijero, 1883, I: 69-73.
[113] Cabrera, 1850.
[114] Bancroft, 1883.
[115] Seler, 1960b: 264.
[116] Armillas, 1995a, 1995b.
[117] Armillas, 1946.
[118] Abascal, 1973; Abascal *et al.*, 1976; García Cook, 1972, 1974, 1975.
[119] Spranz, 1970.
[120] López de Molina, 1977, 1979; López de Molina y Molina, 1976; Molina Feal, 1977.
[121] Véase, por ejemplo, Lombardo *et al.*, 1986; Foncerrada, 1993; García Cook y Merino, 1995.
[122] Santana y Delgadillo, 1990; Santana *et al.*, 1990.
[123] Serra Puche, 1998.

CECILE O'GORMAN RETRATO DE FRAY
BERNARDINO DE SAHAGÚN

DIBUJO DE LA MALINCHE
DE ANTONIO PEÑAFIEL

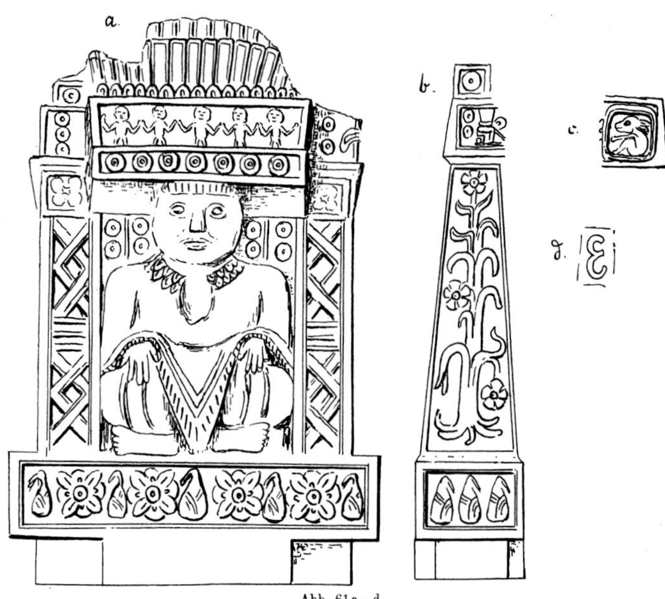

DIBUJO DE LA MALINCHE
EN "DIE RUINEN VON
XOCHICALCO" EDUARD SELER

LITOGRAFÍA DE LA FACHADA Y LITOGRAFÍA RECONSTRUCTIVA DEL TEMPLO DE LAS SERPIENTES EMPLUMADAS DE JOSEPH ANTONIO ALZATE "DESCRIPCIÓN DE LAS ANTIGÜEDADES DE XOCHICALCO, DEDICADA A LOS SEÑORES DE LA ACTUAL EXPEDICIÓN MARÍTIMA ALREDEDOR DEL ORBE" FACSÍMIL DEL SUPLEMENTO DE LA GAZETA DE LITERATURA DE MÉXICO, T. 2, N. 31-32, PP. 1-17. 1791.

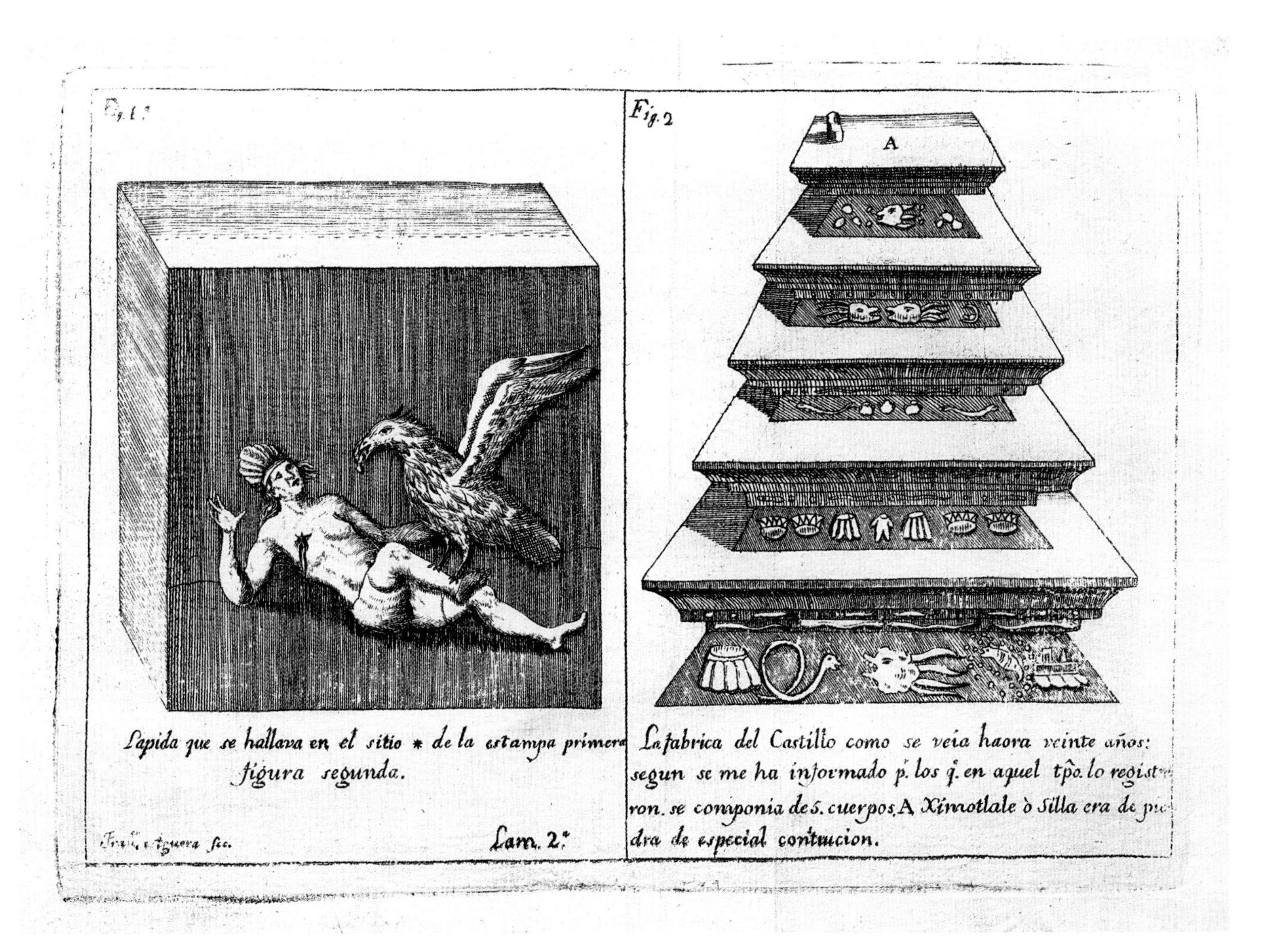

LITOGRAFÍA DE LA FACHADA DEL TEMPLO DE LAS SERPIENTES EMPLUMADAS TOMADA DE VUES DES CORDILLÈRES, ET MONUMENTS DES PEUPLES INDIGÈNES DE L'AMERIQUE (VISTAS DE LAS CORDILLERAS Y MONUMENTOS ANTIGUOS DE LOS PUEBLOS INDÍGENAS DE AMÉRICA) DE ALEXANDER VON HUMBOLDT.
VOL. I, IMPRIMERIE DE SMITH, 1810, EXCEPTÉ LES TITRES QUI SONT DE L'IMPRIMERIE DE STHAL, PARÍS, 1824

FACHADA DEL TEMPLO DE LAS SERPIENTES EMPLUMADAS TOMADA DE MÉXICO PINTORESCO, ARTÍSTICO Y MONUMENTAL, VOL. 3, IMPRENTA DE LA REFORMA, MÉXICO, 1883. DE MANUEL RIVERA CAMBAS

FACHADA DEL TEMPLO DE LAS SERPIENTES EMPLUMADAS TOMADA DE "MONUMENTS OF NEW SPAIN" ("MONUMENTOS DE NUEVA ESPAÑA") ANTIQUITIES OF MEXICO, VOL. 4, DE GUILLAUME DUPAIX (EDICIÓN DE LORD KINGSBOROUGH), ROBERT HAVELL & CONAGHI, LONDRES, 1831

LÁMINA 9

Monument de Xochicalco

LITOGRAFÍA RECONSTRUCTIVA DEL TEMPLO DE LAS SERPIENTES EMPLUMADAS TOMADA DE VIAJE PINTORESCO Y ARQUEOLÓGICO SOBRE LA PARTE MÁS INTERESANTE DE LA REPÚBLICA MEXICANA, EN LOS AÑOS TRANSCURRIDOS DESDE 1829 HASTA 1834, KARL NEBEL. FACSÍMIL DE LA EDITORIAL LIBRERÍA MANUEL PORRÚA, MÉXICO, 1963

DIBUJOS RECONSTRUCTIVOS DE LA FACHADA PRINCIPAL DEL TEMPLO DE LAS SERPIENTES EMPLUMADAS DE ANTONIO PEÑAFIEL, MONUMENTOS DEL ARTE MEXICANO ANTIGUO. ORNAMENTACIÓN, MITOLOGÍA, TRIBUTOS Y MONUMENTOS VOL. 1, A. PEÑAFIEL, A. ASCHER & CO., BERLÍN, 1890.

Dibujo del distinguido pintor, Domingo Carral.

Dibujo del distinguido pintor, Domingo Carral.

EDUARDO NOGUERA (1896-1977)

EDUARDO NOGUERA Y SU EQUIPO EN XOCHICALCO,
DONDE TRABAJÓ ENTRE 1934 Y 1960

HALLAZGO DE LA LÁPIDA DE LOS 4 GLIFOS,
EL HACHA ANTROPOMORFA Y LOS YUGOS

LÁPIDA DE LOS 4 GLIFOS

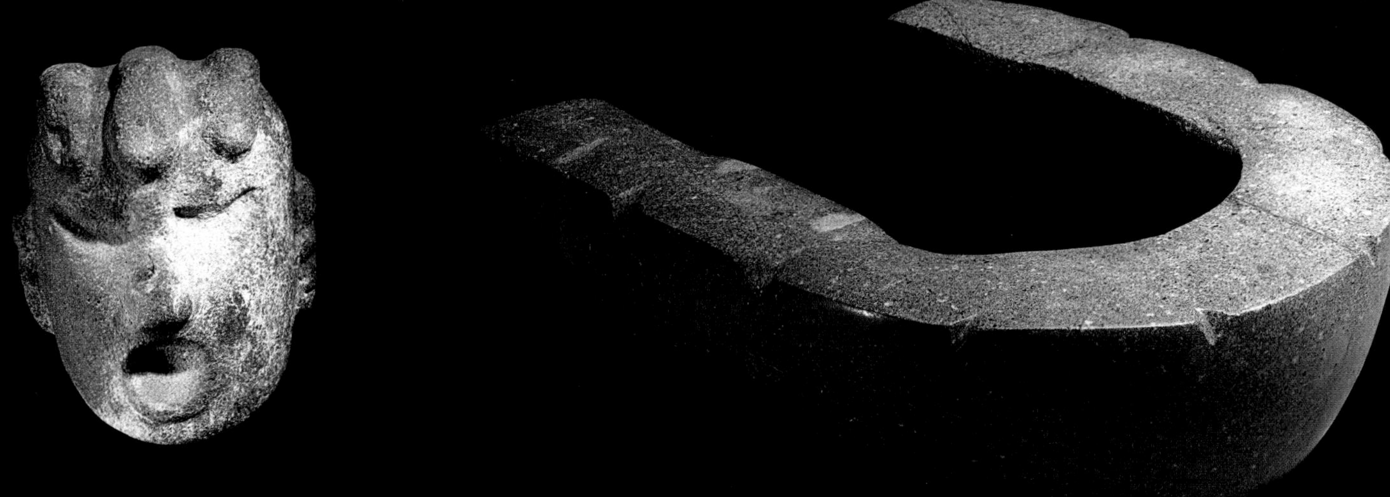

HACHA ANTROPOMORFA

YUGO

CÉSAR A. SÁENZ CON LA ESTELA 3 DE XOCHICALCO, DONDE EXCAVÓ DE 1961 A 1970

HALLAZGO DE LAS ESTELAS 1, 2 Y 3

ESTELA 1 DE XOCHICALCO

PLAZA CENTRAL ANTES Y DESPUÉS DE LAS EXCAVACIONES DE CÉSAR SÁENZ

VISTA ACTUAL DE XOCHICALCO, MORELOS

EXCAVACIONES EN XOCHICALCO, ENCABEZADAS
POR NORBERTO GONZÁLEZ CRESPO, DESDE 1984

JAGUAR A

ESTRELLA DE MAR

TULA DE LOS TOLTECAS

EDUARDO MATOS MOCTEZUMA

Por muchos años se pensó que los toltecas habían sido los más antiguos habitantes llegados a estas tierras. Así lo señalan Sahagún y otros cronistas del siglo XVI y la información se repitió por los diversos estudiosos del México antiguo hasta muy entrado el siglo XIX. Debieron de pasar muchos años y aun siglos para poner las cosas en su lugar. La arqueología y la etnohistoria lograron, finalmente, colocar correctamente a Tula dentro del proceso de desarrollo del Centro de México. Pese a esto, todavía hay mucho que investigar pues en años recientes han surgido ciertas dudas en cuanto a qué Tula se trata, asunto que se pensaba estaba ya dilucidado en la Mesa Redonda de la Sociedad Mexicana de Antropología llevada a cabo en 1940, en donde se trató, precisamente, el problema de Tula. Veamos a continuación, a vuelo de pájaro, los principales trabajos arqueológicos practicados en el lugar, que han permitido adentramos no sólo en la ciudad de Tula, sino también en el área inmediata en que ésta se encuentra.

Tula en la Historia... de Sahagún

Fray Bernardino de Sahagún nos ha dejado el relato de la información que pudo recabar acerca de la ciudad tolteca en su *Historia general de las cosas de la Nueva España*. El franciscano es uno de los cronistas que se refieren a los toltecas como los primeros habitantes de Mesoamérica. Dice así el fraile:

> Primeramente los toltecas, que en romance se pueden llamar oficiales primos, según se dice, fueron los primeros pobladores de esta tierra, y los primeros que vinieron a estas partes que llaman tierras de México, o tierras de chichimecas; y vivieron primero muchos años en el pueblo de Tullantzinco, en testimonio de lo cual dejaron muchas antigüallas allí, y un cu que llamaban en *indio uapalcalli* el cual está hasta ahora, y por ser tajado en piedra y peña ha durado tanto tiempo.

Varias cosas hay que destacar de esta cita, además de lo ya dicho respecto a considerar al tolteca como el más antiguo poblador, lo que desde hace tiempo está descartado. En ella vemos el establecimiento en Tulancingo, antes de fundar Tula, ambos en el actual estado de Hidalgo. También conocemos los vestigios de Huapalcalco, explorados por Florencia Müller, que nos habla de la presencia arqueológica en el lugar. Pero sigamos adelante con la cita, que a continuación dice:

Archivo Técnico de la Coordinación Nacional de Arqueología-INAH

Tula.

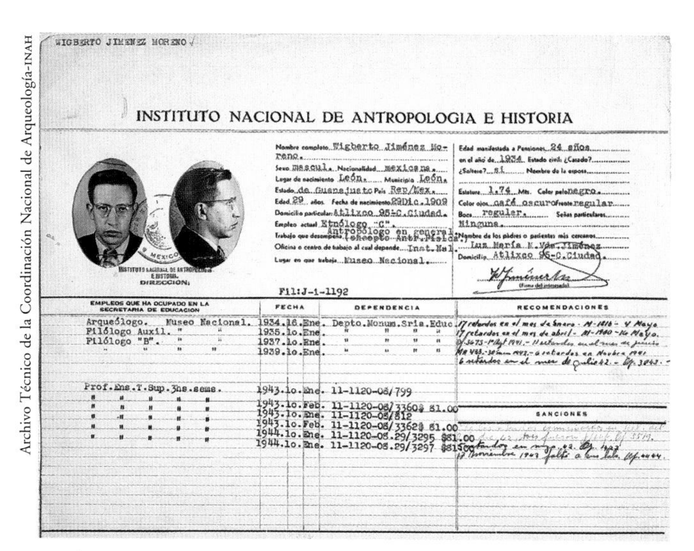
WIGBERTO JIMENEZ MORENO

INSTITUTO NACIONAL DE ANTROPOLOGIA E HISTORIA

Nombre completo: Wigberto Jiménez Moreno.
Sexo: mascul. Nacionalidad: mexicana.
Lugar de nacimiento: León. Municipio: León.
Estado: de Guanajuato País: Rep/Mex.
Edad: 29 años. Fecha de nacimiento: 29 Dic. 1909
Domicilio particular: Atlixco 95-C. Ciudad.
Empleo actual: Etnólogo "C".
Trabajo que desempeña: Antropólogo en general (excepto Antr. Física.)
Oficina o centro de trabajo al cual depende: Inst. Nal.
Lugar en que trabaja: Museo Nacional.

Edad manifestada a Pensiones: 24 años en el año de 1934. Estado civil: ¿Casado? ¿Soltero? si. Nombre de la esposa:
Estatura: 1.74 Mts. Color pelo: negro. Color ojos: café oscuro. Frente: regular. Boca: regular. Señas particulares: Ninguna.
Nombre de los padres o parientes más cercanos: Luz María M. Vda. Jiménez
Domicilio: Atlixco 95-C. Ciudad.
(Firma del interesado)

INSTITUTO NACIONAL DE ANTROPOLOGIA E HISTORIA. DIRECCION.

Fil: J-1-1192

EMPLEOS QUE HA OCUPADO EN LA SECRETARIA DE EDUCACION	FECHA	DEPENDENCIA	RECOMENDACIONES
Arqueólogo. Museo Nacional.	1934. 16. Ene.	Depto. Monum. Sria. Educ.	17 retardos en el mes de Enero - M-1816 - 4 Mayo
Filólogo Auxil. " "	1935. 1o. Ene.	" " " "	17 retardos en el mes de abril - M-1940 - 14 Mayo.
Filólogo "B". " "	1937. 1o. Ene.	" " " "	
" " " "	1939. 1o. Ene.	" " " "	
Prof. Ens. T. Sup. 3hs. sems.	1943. 1o. Ene.	11-1120-08/799	
" " " " "	1943. 1o. Feb.	11-1120-08/3360 $ 81.00	
" " " " "	1943. 1o. Ene.	11-1120-08/812	SANCIONES
" " " " "	1943. 1o. Feb.	11-1120-08/3362 $ 81.00	
" " " " "	1944. 1o. Ene.	11-1120-08.29/3295 $81.00	
	1944. 1o. Ene.	11-1120-08.29/3297 $81.00	

Archivo Técnico de la Coordinación Nacional de Arqueología-INAH

Wigberto Jiménez Moreno en 1934.

Archivo Técnico de la Coordinación Nacional de Arqueología-INAH

Transportando un Atlante a la parte superior de la Pirámide B.

Y de allí fueron a poblar a la ribera de un río junto al pueblo de Xicotitlan, y el cual ahora tiene el nombre de Tulla, y de haber morado y vivido allí juntos hay señales de las muchas obras que allí hicieron, entre las cuales dejaron una obra que está allí y hoy en día se ve, aunque no la acabaron, que llaman coatlaquetzalli, que son unos pilares de la hechura de culebra, que tienen la cabeza en el suelo, por pie, y la cola y los cascabeles de ella tienen arriba. Dejaron también una sierra o un cerro, que los dichos toltecas comenzaron a hacer y no lo acabaron, y los edificios viejos de sus casas, y el encalado parece hoy día. Hállanse también hoy en día cosas suyas primamente hechas, conviene a saber, pedazos de olla, o de barro, o vasos, o escudillas, y ollas: Sácanse también de debajo de tierra joyas y piedras preciosas, esmeraldas y turquesas finas.

Lo dicho por Sahagún es sumamente interesante. En primer lugar, la referencia al edificio con "pilares de hechura de culebra" que nos recuerdan los encontrados por don Jorge Acosta en el lugar y que corresponden al conocido como Edificio de los Atlantes o de Tlahuizcalpantecuhtli. Llama la atención el decir que nunca fue terminado dicho monumento y que aún puede verse allí, pues cuando Acosta lo excavó en la década de los años cuarenta, tanto los fragmentos de los atlantes y de las enormes culebras que sirven de acceso y que, al igual que en Chichén-ltzá, tenían la cabeza en la base y la cola en lo alto, a diferencia de Teotihuacan, en donde la posición se invierte, se encontraban tirados dentro de un gran pozo de saqueo en dicho edificio, quizá hecho posteriormente. ¿Se debió quizá a los aztecas, de quienes tenemos evidencias de que trasladaron piezas de Tula a Tenochtitlan? No lo sabemos a ciencia cierta. Sin embargo, la mención de que no se acabó de construir nos hace ver el peligro de reconstruir, por parte del arqueólogo, monumentos como éstos, pues se corre el peligro de culminar la obra que los toltecas dejaron inconclusa...

Principales trabajos arqueológicos

Una de las primeras referencias a Tula corresponde al geógrafo mexicano Antonio García Cubas. En 1873 publicó el artículo "Ruinas de la antigua Tollan" en el *Boletín de la Sociedad Mexicana de Geografía y Estadística*, en donde hace mención del lugar y de esculturas que relaciona con Egipto y Grecia, cosa que era común en aquella época en que se buscaba comparar y en no pocas ocasiones hacer descender a las culturas mesoamericanas de las europeas o asiáticas.

En la década que empieza en 1880 regresa a México Désiré Charnay, quien emprende trabajos de excavación en diferentes sitios arqueológicos, entre ellos Tula. En ese lugar excavó varios edificios, entre los que están los que se conocen como Palacio Tolteca y Casa Tolteca. En su obra *Les anciennes villes du Noveau Monde*, publicada en París en 1885, incluye dibujos, fotografías y planos de los conjuntos excavados y restos de esculturas encontradas en el lugar. Hay que resaltar el dibujo de un anillo de juego de pelota en el que se

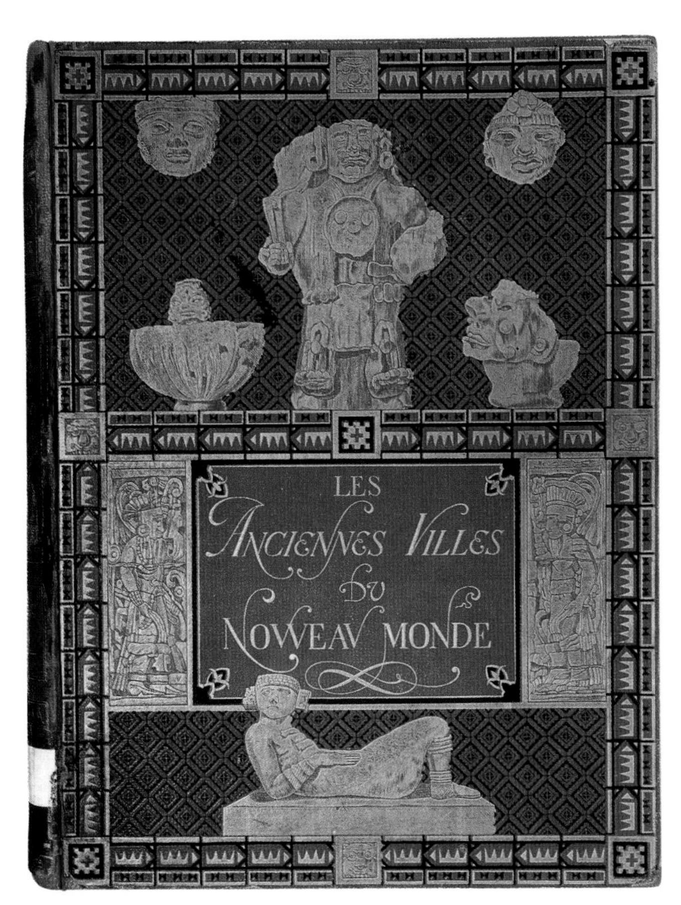

Portada del libro de Désiré Charnay Les anciennes villes du Noveau Monde, *París, 1885.*

SOCIEDAD MEXICANA DE ANTROPOLOGIA

REVISTA MEXICANA
DE
ESTUDIOS ANTROPOLOGICOS

(ANTES "REVISTA MEXICANA DE ESTUDIOS HISTORICOS")

SUMARIO:

HERMANN BEYER:	EL JEROGLIFICO DE TLACAELEL.
EDWIN M. SHOOK:	EXPLORATION IN THE RUINS OF OXKINTOK, YUCATAN.
JORGE R. ACOSTA:	EXPLORACIONES EN TULA, HGO., 1940.
MANUEL MALDONADO KOERDELL:	ESTUDIOS ETNOBIOLOGICOS, I.
J. IGNACIO DAVILA GARIBI:	CAZCANOS Y TOCHOS. ALGUNAS OBSERVACIONES ACERCA DE ESTAS TRIBUS Y SU IDIOMA.
JUAN COMAS:	LUGAR QUE OCUPA EL HOMO NEANDERTHALENSIS EN LA FILOGENIA HUMANA.

SEPTIEMBRE - DICIEMBRE, 1940.

TOMO IV. MEXICO, D. F. NUM. 3.

Revista Mexicana de Estudios Antropológicos, *1946.*

adivina lo que parece ser una serpiente. Por cierto que esta pieza no ha sido localizada y lo más probable es que haya sido robada. Ahora bien, pese a la época en que excavó nuestro personaje, hay que mencionar que tuvo algunos aciertos en sus interpretaciones de Tula. Fue el primero en ver similitudes entre Tula y Chichén-ltzá, ciudad esta última en donde había trabajado años atrás. En el aspecto cronológico, considera que los vestigios corresponden a la Tula mencionada en las fuentes y acepta la asignación de su apogeo hacia el siglo X. No hay que olvidar que Charnay fue uno de los primeros en aplicar a la arqueología una técnica como la fotografía, con lo cual se daba un gran paso en la captación de imágenes de los antiguos monumentos y sus excavaciones.

Sin lugar a dudas, algunos de los trabajos más significativos que se han realizado en Tula son los de don Jorge R. Acosta. El interés de trabajar el lugar después de muchos años de no llamar la atención de los estudiosos se debió a las investigaciones de don Wigberto Jiménez Moreno, quien desde 1934 se dio a la tarea de relacionar e identificar la Tula arqueológica del estado de Hidalgo y otros lugares aledaños con lo mencionado por las fuentes históricas. Esto llevó a que visitaran la zona algunos investigadores, entre los que se contaban Alfonso Caso, Jiménez Moreno, Ignacio Marquina y Paul Kirchhoff, con el fin de ver los lugares factibles de ser excavados. Los trabajos se le encomendaron a Jorge Acosta, quien había estudiado en la Universidad de Cambridge, Inglaterra, y había participado hacia 1928 en trabajos en Belice invitado por su amigo y condiscípulo Eric Thompson, destacado mayista. Don Jorge inició sus excavaciones en 1940 dando a conocer sus primeros resultados en un artículo titulado "Exploraciones en Tula, Hidalgo, 1940" en el número 4 de la *Revista mexicana de estudios antropológicos*, órgano de la Sociedad Mexicana de Antropología, fundada el 28 de octubre de 1937 por Alfonso Caso, Miguel Othón de Mendizábal, Paul Kirchhoff, Wigberto Jiménez Moreno, D. Rubín de la Borbolla y Rafael García Granados.

Es en el seno de esta sociedad en donde se lleva a cabo, en 1941, la Primera Mesa Redonda —reuniones que hasta

Archivo Técnico de la Coordinación Nacional de Arqueología-INAH

Coatepantli. Lado sur. Losas caídas y revueltas de la sección este.

hoy tienen gran tradición— que trata, precisamente, el tema de Tula y los toltecas. A la luz de los hallazgos de Acosta y los estudios etnohistóricos de Jiménez Moreno se concluye que la Tula que las fuentes mencionan corresponde a este sitio en el estado de Hidalgo. Hasta ese momento, muchos estudiosos consideraban que la Tula señalada en las fuentes correspondía a Teotihuacan.

Aquí quisiera hacer una digresión: si bien no hay duda de que Tula, Hidalgo, es la Tula que se menciona en diversas fuentes históricas, también persiste la duda hoy en día respecto a si algunos de los atributos que se le asignan no corresponden, más bien, a Teotihuacan. No es este el momento para discutir sobre el particular, pero la incógnita sigue abierta...

Los trabajos de Acosta continuaron por cerca de veinte años. Sus informes se publicaron en lo que corresponde a sus primeras temporadas de campo en la *Revista...* ya citada. A partir de 1957 lo hará en los *Anales del INAH*. A él se debe la primera cronología basada en materiales cerámicos del lugar. Establece que Tula es posterior a Teotihuacan y lo ubica entre 900 y 1200 d.C. Su tendencia a la reconstrucción monumental se muestra en los trabajos realizados en todas las estructuras arquitectónicas excavadas, como son el Juego de Pelota, el Edificio B o de Tlahuizcalpantecuhtli, el Coatepantli que rodea a este último edificio, el Palacio Quemado, el edificio semicircular de El Corral, etc. Caso interesante es el del Edificio B, en donde encuentra en una enorme trinchera los pedazos de las figuras de los atlantes y serpientes, los que por similitud con Chichén-ltzá son colocados en la parte alta del mismo, no sin antes reconstruir varios cuerpos del edificio y la escalinata de la que apenas quedaban rastros. Cabe destacar que para la remoción de estos fragmentos, don Jorge utilizó la técnica de hacerlos rodar sobre troncos, sistema que no estaría lejos de la manera en que se hizo en el mundo antiguo por parte de los toltecas. Para colocar una sobre otra las diferentes piezas, pues los atlantes están elaborados en cuatro partes que encajan con el sistema de

Archivo Técnico de la Coordinación Nacional de Arqueología-INAH

Detalle de los motivos decorativos del Coatepantli ya reconstruido.

caja y espiga, utilizó poleas que le permitieron mover las enormes partes. El museo que existe en el sitio lleva, con justa razón, el nombre de don Jorge R. Acosta.

Al mismo tiempo que Acosta trabajaba en Tula, Hugo Moedano lo hacía en un lugar cercano a la capital tolteca conocido como El Cielito. Los vestigios parecen indicar que allí se encontraba un edificio que fue habitado por don Pedro Moctezuma en los primeros años de la colonia. También hay que mencionar que enfrente de Tula se encuentran unos relieves en piedra que representan a Quetzalcóatl y a una deidad femenina, que se ha demostrado tras un estudio estilístico e iconográfico que no son de hechura tolteca, sino que fueron tallados por los aztecas o mexicas, quienes ocuparon la antigua ciudad, conforme a los restos que dejaron en ella.

En 1968 inicié recorridos de superficie y trabajos de excavación en el Juego de Pelota II de Tula. Este edificio cierra la plaza principal de Tula por su lado oeste, y junto a él se encuentra un "tzompantli" que también fue excavado. Los hallazgos fueron interesantes. Podemos destacar que el edificio del juego mostró por lo menos dos etapas constructivas, una tolteca y la otra posterior muy burda. En esta última se encontró lo que parece ser un temazcal o baño de vapor hacia la parte media de la cancha. El juego mide en su interior alrededor de 114 metros de largo, constituyéndose en uno de los más grandes excavados hasta el momento en Mesoamérica, junto con el de Chichén-ltzá, con el que guarda similitudes si bien este último presenta un acabado muy superior en cuanto a calidad de relieves y otros elementos. Al igual que el de Chichén, este juego tiene sus cabezales de poca altura y muestra en los extremos restos de edificios. También se asemeja al de Chichén por tener un edificio de varios cuerpos que nos recuerda el Templo del Tigre. En la parte exterior que da a la gran plaza, tiene un aposento con dos pilares y al fondo un pequeño altar decorado con círculos rojos. Varias piezas cerámicas fueron recuperadas en los muros cercanos. Dentro de la plaza, tenemos el "tzompantli",

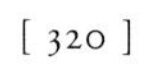

Jorge Acosta junto al friso de los jaguares y las águilas.

Los Atlantes.

con su escalera que da al oriente. En su parte superior se encontraron restos de huesos de cráneos y dientes, así como una ofrenda consistente en un navajón para el sacrificio.

A partir de estos trabajos, vi la necesidad de llevar a cabo una investigación de mayor amplitud y con intereses distintos. Fue así como surgió, hacia principios de los años setenta, el Proyecto Tula. Consistió en un proyecto integral que pretendía conocer el desarrollo del área en tiempo y espacio, tanto en la época prehispánica como en la colonial y moderna. En la parte prehispánica, se utilizaron dos categorías: microárea, que comprendía el estudio y delimitación de la ciudad de Tula y su distribución interna, pues hasta el momento se desconocían sus verdaderas dimensiones y características, ya que los trabajos de don Jorge Acosta se habían concentrado, fundamentalmente, en la plaza principal del lugar y algunos sitios aislados de la misma, como El Corral. Este trabajo se le encomendó al arqueólogo Juan Yadeun, quien diseñó una técnica de recorrido de superficie para ver la densidad de materiales presentes y su distribución y entender así el funcionamiento interno de la ciudad. El otro concepto fue el de macroárea, consistente en conocer el área inmediata que rodeaba a la vieja ciudad, para lo cual se realizaron recorridos de localización en un diámetro de 15 km^2 por parte de Ana María Crespo y Guadalupe Mastache, que permitieron tener una clara idea de los sitios presentes en el área desde el Preclásico hasta el Posclásico.

Varios fueron los estudios que se emprendieron a partir del Proyecto Tula. En la XII Mesa Redonda de la Sociedad Mexicana de Antropología, en 1972, se presentaron los primeros resultados obtenidos. Todo ello se publicó en los volúmenes 15 y 33 de la Colección Científica del INAH, además de la tesis de Juan Yadeun, *El Estado y la ciudad: el caso de*

Tula, Hidalgo, publicada en 1975. Entre los objetivos del Proyecto estuvieron el de conocer, aunque fuera de manera preliminar, la distribución interna de la ciudad. Por cierto que fue aquí en donde nació el interés de Alejandro Pastrana, entonces joven estudiante de la ENAH, por los estudios de la obsidiana, al colaborar en el estudio de la distribución de los mismos dentro de Tula. Por otra parte, asigné el nombre de Tula Chico al conjunto que se encuentra al norte de la plaza principal, estableciéndose su cronología como parte del inicio de la ciudad con presencia de material coyotlatelco. Este material, producto de los dos primeros pozos estratigráficos abiertos en la plaza principal de Tula Chico, le fue entregado posteriormente al doctor Robert Cobean, especialista en cerámica, para su revisión y estudio. El doctor Cobean excavó posteriormente en el lugar, y con sus investigaciones arrojó luces acerca de la cronología de Tula, que fue un aporte valioso pues venía a poner orden en este aspecto, como veremos más adelante. De los recorridos de superficie de Crespo y Mastache se obtuvo una visión clara de la presencia cultural en el área, lo cual fue reportado en varias publicaciones, entre las que destacaríamos la primera de ellas, "La ocupación prehispánica en el área de Tula, Hidalgo", publicada en *Proyecto Tula* (primera parte), número 15 de la Colección Científica ya mencionada, además de recorridos que les permitieron ventilar otros temas como el del "Uso del suelo y patrón de asentamiento en el área de Tula, Hidalgo" de Ana María Crespo y "Sistemas de riego en el área de Tula, Hidalgo" de Guadalupe Mastache, ambos en *Proyecto Tula* (segunda parte). Después del proyecto, ambas continuaron sus investigaciones del área de Tula. En este volumen también publicamos un interesante trabajo de Antonieta Espejo acerca de la gruta de Binola, que se puede considerar un trabajo de rescate arqueológico, pues la Presa Endhó cubriría de agua la citada Gruta. Otro trabajo incluido fue el de Hortensia de Vega y Clara Luz Díaz sobre el sitio de Ajacuba y otro más sobre la obsidiana de Alejandro Pastrana y Enrique Nalda, complementando el volumen el reporte preliminar de Agustín Peña y María del Carmen Rodríguez de las excavaciones emprendidas en conjuntos habitacionales en el paraje de Dainí, en donde pudo verse que los conjuntos fueron ocupados primeramente por gentes toltecas y más tarde por aztecas, y que tenían una parte habitacional propiamente dicha y otra ceremonial. Otra investigación interesante, producto de los recorridos antes mencionados, fue el que llevó a cabo Clara Luz Díaz Oyarzábal en Chingú, un sitio teotihuacano ubicado dentro del enclave regional que venimos tratando, y que fue dado a conocer en su trabajo *Chingú: un sitio Clásico del área de Tula, Hidalgo*, publicado en el número 90 de la Colección Científica del INAH en 1980.

Otro proyecto importante fue el que desarrolló casi al mismo tiempo el doctor Richard Dielil bajo el patrocinio de la Universidad de Missouri. Colaboraron con él varios investigadores entre los que podemos mencionar a Robert Benfer, codirector del Proyecto; Alice Benfer, quien tuvo a su cargo estudios de instrumentos de obsidiana; L. Feldinan se dedicó a estudios etnohistóricos y de moluscos; Dan Healan a la arquitectura; Terrance Stocker a arquitectura, lítica y figurillas; James Stoutamire a los recorridos de superficie y Robert Cobean a la cerámica. Diversas publicaciones se deben a ellos, entre las que destacamos las de Dan Healan acerca de la arquitectura y los materiales de obsidiana. De la primera tenemos "Patrones residenciales en la antigua ciudad de Tula", en *Estudios sobre la antigua ciudad de Tula*, INAH, Colección Científica, número 121, editado en 1982, y "Excavations and preliminary Análisis of an Obsidian Workshop in Tula, Hidalgo, México", publicado en 1983 en colaboración con otros autores en el *Journal of Field Archaeology*, número 10, entre otros. En cuanto a Robert Cobean, tenemos varios trabajos sobre cerámica, de los que mencionaremos sus excavaciones en Tula Chico y *La cerámica de Tula, Hidalgo*, correspondiente al número 215 de la Colección Científica del INAH, 1990. En ellos establece la secuencia cerámica del lugar. En los años ochenta y noventa, Guadalupe Mastache y Robert Cobean continuaron estudiando Tula y publicaron varios trabajos sobre la cultura Coyotlatelco, entre otros.

Sin lugar a dudas, a lo largo de las excavaciones en la ciudad tolteca vemos el desarrollo de la arqueología, especialmente en lo que se refiere a enfoques y técnicas de excavación y recorridos de superficie. Como ocurre en toda disciplina, nuevas investigaciones aportan su información que viene a enriquecer el conocimiento que hasta entonces se tenía. Tula no fue una excepción. En el futuro, nuevas generaciones de arqueólogos habrán de incorporar nuevos datos que nos hablen más de la ciudad de los toltecas.

DIBUJO DE LA PARTE INFERIOR DE UN ATLANTE,
PUBLICADO POR DÉSIRÉ CHARNAY EN LES ANCIENNES
VILLES DU NOVEAU MONDE, 1885

PROCESO DE ARMADO
DE UN ATLANTE

TRANSPORTE DE UN
ATLANTE

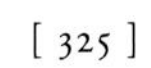

OLLA DE CERÁMICA CON DECORACIÓN DE ROMBOS Y ESTRELLAS, EXCAVADO BAJO LA COORDINACIÓN DE EDUARDO MATOS MOCTEZUMA

CHAC MOOL DESCUBIERTO POR JORGE R. ACOSTA

RICHARD DIEHL

PROYECTO UNIVERSIDAD DE MISSOURI, 1970

GUADALUPE MASTACHE Y ROBERT COBEAN
PROYECTO TULA 1992-1993
PALACIO QUEMADO O EDIFICIO 3

LA CORAZA FORMABA PARTE DE UNA RICA OFRENDA DESCUBIERTA EN EL PALACIO QUEMADO DE TULA EN 1993. CORTESÍA GUADALUPE MASTACHE Y ROBERT COBEAN

VASO ESTILO NICOYA PROCEDENTE DE COSTA RICA O NICARAGUA Y DESCUBIERTO EN TULA BAJO LA DIRECCIÓN DE RICHARD DIEHL

CORAZA CON COLLAR COMPUESTA POR 1600 PLACAS DE CONCHA ROSADA DECUBIERTA EN LAS EXCAVACIONES DE GUADALUPE MASTACHE Y ROBERT COBEAN

LA ÉPOCA MEXICA REVELADA POR LOS ESTUDIOS ARQUEOLÓGICOS

FELIPE SOLÍS

Inmersa en su amplia historia de encuentros con el tiempo pretérito, los momentos culminantes de la recuperación arqueológica de la cultura de los mexicas y su época se han visto caracterizados por la participación de dos actores sustanciales: por un lado, la máxima autoridad política del país, antaño el virrey y posteriormente el presidente de la República; por el otro lado, la figura del intelectual, prohombre, o bien, el arqueólogo profesional, siempre entregado a la excavación, al rescate y al estudio de aquellos fragmentos del pasado que le permitirán reconstruir la evolución y la cultura del pueblo que eligió el águila parada sobre el nopal, sujetando a la serpiente como símbolo de su destino.

Con esta óptica, consideramos que los estudios arqueológicos, dedicados al conocimiento de este pueblo y principalmente a su ciudad capital y centro ceremonial, han pasado por cuatro grandes momentos:

1. El descubrimiento en 1790 de los monolitos de la Coatlicue y la Piedra del Sol, cuyo hallazgo inicia un cambio de actitud por comprender y conservar los restos de la cultura material de la antigua México-Tenochtitlan.
2. Los trabajos de recuperación de los objetos arqueológicos hallados en la calle de las Escalerillas, hoy en día calle de República de Guatemala, ubicada a espaldas de la catedral metropolitana, labores que se realizaron en 1900.
3. El hallazgo en 1978 del relieve de la diosa Coyolxauhqui, con cuyo descubrimiento dio inicio al Proyecto Templo Mayor.
4. Los estudios científicos del mundo mexica, llevados a cabo durante el desarrollo del Proyecto Templo Mayor y el Proyecto de Arqueología Urbana que, sumados a las aportaciones realizadas por las diversas exploraciones de la Dirección de Salvamento Arqueológico y otras instancias de investigación, han permitido conocer con un alto grado de certeza la compleja cultura de los mexicas y los pueblos que les fueron vecinos.

El descubrimiento de las dos piedras

La época de la Ilustración transformó el mundo de las ideas en el viejo continente, y aunque llegó un poco tarde al nuestro, permitió la valoración de los testimonios arqueológicos de los antiguos habitantes de México-Tenochtitlan. El ambiente político de la Nueva España cambió con la llegada de los virreyes de la época borbónica, quienes tuvieron como misión primordial reforzar los ámbitos militares y de la hacienda pública; así pues, impulsaron medidas para modernizar la minería, la educación, la ciencia, y privilegiaron las comunicaciones, el comercio y las obras públicas.[1]

Durante este periodo, uno de los cambios fundamentales fue la transformación de la capital del virreinato, buscando que cada día se pareciese más a las metrópolis europeas, como

[1] María Del Carmen Velázquez menciona cómo después de la Paz de Versalles, el Rey Carlos III y sus ministros se propusieron regenerar la monarquía española introduciendo profundos cambios y reformas administrativas, por lo cual enviaron a sus colonias virreyes que se encargaran de poner en práctica esta nueva política gubernamental, entre ellos destacan Antonio María de Bucareli y Ursua y el segundo conde de Revillagigedo (Velázquez, 1986: 1513-1518).

Carlos Blanco / Raíces

La Piedra del Sol, dibujo de Antonio de León y Gama, publicada en Descripción Histórica y Cronológica de las dos piedras, *1792.*

así lo apreciamos en las obras de nivelación y empedrado de la Plaza Mayor de la Ciudad de México, ordenadas por el virrey Juan Vicente de Güemes Pacheco, segundo conde de Revillagigedo, quien gobernó de 1789 a 1794;[2] fue durante estos trabajos, en los meses de agosto y diciembre de 1790 cuando salieron a la luz la gran Coatlicue y posteriormente la Piedra del Sol.

La intervención del virrey fue decisiva para la preservación de aquellos monolitos, salvándolos de su inminente destrucción, estimándose como evidencias valiosas de los tiempos pasados, tal y como había ocurrido en Italia, luego de las excavaciones de Pompeya y Herculano. El salvamento de aque-

[2] Rivapalacio, 1958: 875-881.

llas impresionantes esculturas marca un hito en la historia de la Ciudad de México. Hasta entonces, sólo algunos privilegiados, como el conde de Calimaya, habían podido lucir como trofeo de pasadas glorias una serpiente emplumada en la esquina de su palacio;[3] en su mayoría, relieves y esculturas de la antigua nación azteca, por órdenes de los arzobispos, habían sido mutilados o en el mejor de los casos enterrados, por ser considerados imágenes heréticas.[4]

Coincide felizmente con este crucial descubrimiento el desarrollo intelectual que los criollos mexicanos habían llevado a efecto, particularmente como una respuesta a la posición discriminatoria de ciertos pensadores europeos del siglo XVIII, principalmente el abate Raynal, conde de Buffon, y William Robertson, quienes afirmaban que las tierras y las sociedades americanas se caracterizaban por su debilidad y primitivismo.[5]

Cercano el fin de la Colonia, Francisco Javier Clavijero, en su *Historia antigua de México*, resalta la antigüedad del mundo prehispánico y afirma la validez comparativa de la civilización azteca con la de culturas como la griega y romana. Por su parte don Antonio de León y Gama, conocido por sus aficiones a las antiguallas indígenas, efectuó, entre 1790 y 1792, el estudio de los monolitos recién descubiertos, el cual dio como resultado su *Descripción histórica y cronológica de las dos piedras...*,[6] que constituye el primer estudio formal de la arqueología mexica.[7] En esa obra, entre otros elementos, el autor da a conocer algunos rasgos distintivos que identificaron a las tradiciones rituales de este pueblo, como son la construcción de cistas para el posterior depósito de ofrendas y objetos rituales. La segunda edición de su libro contiene la minuciosa descripción de otros hallazgos ocurridos a finales del siglo XVIII en la Ciudad de México, que son muestra de la riqueza arqueológica con la que se contaba entonces en la capital, destacándose la Piedra de Tizoc o Piedra de los Sacrificios, descubierta en el cementerio de la catedral y la gigantesca cabeza de la Xiuhcóatl o Serpiente de Fuego, entre otros.[8]

Este detallado reporte arqueológico contrasta con los intentos por recuperar los fragmentos de aquel mundo indígena, desaparecido violentamente a principios del siglo XVI, que se manifestaron a través de las diversas imágenes o gráficos que acompañaban las crónicas, geográficas o islarios, que tenían como propósito reconstruir en forma idealista y fantasiosa la ciudad capital de Moctezuma, caracterizada por sus curiosos canales, palacios y templos.

En efecto, después de la destrucción de México-Tenochtitlan y las otras capitales indígenas durante la conquista española, a partir de los relatos de los soldados y cronistas, surgió un creciente interés por recrear aquel mundo perdido y su arquitectura de encantamiento, que recordaba a los europeos los relatos de los cuentos de caballería. Desde 1524, con la edición de la Segunda Carta de Relación de Cortés, que fue acompañada por el plano de Tenochtitlan, hasta la identificación de la ubicación exacta del Templo Mayor por Manuel Gamio en 1913, numerosas versiones de la urbe indígena, con sus pirámides y recinto ceremonial, se divulgaron en curiosas ediciones acompañadas de ricos grabados, donde la imaginación de los creadores entremezclaba detalles provenientes del relato presencial de los partícipes de la empresa de conquista con elementos culturales de otras latitudes.

A través de esos grabados, podemos apreciar una supuesta ciudad indígena con un carácter veneciano, derivado de su

[3] Como un caso excepcional, hasta nuestros días se conserva una gran serpiente emplumada, en lo que es hoy el Museo de la Ciudad de México, del tipo característico de aquellas que encontró Antonio García Cubas en el atrio de la catedral a mediados del siglo XIX, que se supone formaban parte de la arquitectura ritual del Templo Mayor de los aztecas.

[4] Como principio de acción, los arzobispos que ocupaban el palio mexicano emitían edictos a los habitantes de Nueva España en los que ordenaban la destrucción de las antiguallas prehispánicas que hubieran colocado en las fachadas de sus casas, considerándolas representaciones diabólicas o heréticas y amenazando con la excomunión a quienes no lo hicieran (Sosa, 1878).

[5] Para estos intelectuales, todas las expresiones que se dieron en el nuevo mundo, desde aquellas que corresponden al reino de la naturaleza hasta los aspectos sociales y culturales, mostraban una degeneración derivada, según sus ideas, del clima cálido y el ambiente tropical.

[6] Muy a la manera de la literatura, característica de la Ilustración, el título completo del libro de León y Gama, es: "Descripción Histórica y Cronológica de las Dos Piedras que con ocasión del nuevo empedrado que se está formando en la Plaza Principal de México, se hallaron en ella en el año de 1790. Explícase el sistema de los Calendarios de los Indios, el método que traían de dividir el tiempo y la correlación que hacían de él para igualar el año civil, de que usaban con el año solar trópico."

[7] León y Gama, 1792.

[8] León y Gama, 1832. Infortunadamente las láminas que ilustraban la segunda edición del libro de León y Gama se extraviaron por razones desconocidas, por lo cual no acompañaron la mencionada publicación y no se dieron a conocer hasta la publicación del los primeros anales del Museo Nacional, donde vio la luz la imagen de la Xiuhcóatl, la cabeza de la serpiente de fuego, con sus características medias esferas de la especie de cuerno que sale de la nariz. Reimpresa por Chavero en el primer tomo del *México a través de los siglos* (1888).

origen isleño, armonizado por numerosos canales que la cruzaban, o bien un recinto ceremonial amurallado cuyo templo principal semejaba una torre medieval, como el que adorna la obra *Historia de la Conquista de México* de Antonio de Solís, publicada en 1684; o el muy conocido Zigurat de franca identidad mesopotámica, de aspecto monumental, con sus escalinatas laterales, tal y como se ilustra en las historias bíblicas que, según el autor, tenía como propósito servir de base y sustento a los dos templos, a manera de torres renacentistas que desde el viejo mundo recreaban al supuesto Templo Mayor de los mexicas; fue con esta visión que se enriqueció la primera edición de la *Historia antigua de México* de Francisco Javier Clavijero, editada en Italia en 1780.[9]

Continuando nuestro relato, como resultado de aquellos memorables descubrimientos de 1790 en la Plaza Mayor, debemos resaltar la entrega que hizo el virrey Revillagigedo de la monumental Coatlicue a la Universidad para su salvaguarda y la Piedra del Sol, que fue otorgada a los maestros mayores de catedral, quienes decidieron empotrarla en la cara poniente de la torre izquierda para que fuera contemplada por curiosos y viajeros. Nació así la tradición mexicana de proteger los testimonios del pasado, surgiendo también el primer museo, que se adecuó, de modo rudimentario, en el primitivo claustro de la Real y Pontificia Universidad.[10]

Fue en el siglo XIX, después del triunfo de la revolución de independencia, cuando se oficializó la vocación del Museo Nacional: ya sea por la donación de sus primeros benefactores o bien por el arribo de numerosos cacharros y piedras que se fueron acumulando en oscuros salones; estos objetos llegaron ahí procedentes de los rescates de obras urbanas y construcciones llevados a cabo en aquella centuria.

Debemos reconocer que, indudablemente, la mayoría de aquellas piezas arqueológicas que fueron integrándose a las colecciones de la primera institución museal provenían de la Ciudad de México y en menor dimensión de otros puntos de la cuenca donde, a pesar de las depredaciones del tiempo y de los fanáticos destructores, un buen número de objetos había sobrevivido a la furia católica; así lo testimonian los dibujos de Castañeda que ilustraron la obra de Dupaix (1834); aquellas láminas dedicadas a los pueblos y ciudades cercanas a la capital permiten destacar la dominancia del estilo mexica tanto en esculturas como en relieves.[11]

La marquesa Calderón de la Barca[12] y Brantz Mayer,[13] entre otros autores que visitaron nuestro país en esos tiempos, nos describen la triste situación en la que se hallaban estos objetos en el viejo museo. Algunos historiadores atinadamente observan que esta institución, por el desorden que en él privaba, proporcionaba muy escasa utilidad a la ciudadanía,[14] ya que ésta, como la mayoría de las instituciones públicas de aquel entonces reflejaba la inestabilidad política y la falta de cuidado que caracterizó a los gobiernos mexicanos de la primera mitad del siglo XIX.

Durante este periodo, varios fueron los intentos por publicar la colección arqueológica del museo, lo cual no llegó a realizarse de manera efectiva; sólo por el grabado que ilustra el texto de José Fernando Ramírez en el conocido álbum *México y sus alrededores* (1864), nos enteramos de la presencia en aquel museo, de numerosos monolitos y otros objetos procedentes de la antigua Tenochtitlan, de Tlatelolco y otros lugares, que constituían la base fundamental de lo que años más tarde, en el siglo XX, conformará la Sala Mexica del Museo de Antropología en el Bosque de Chapultepec.[15]

Un paso trascendental en el avance del conocimiento y la protección de los testimonios arqueológicos del México

[9] En el Simposium dedicado al Templo Mayor de los aztecas, que se verificó en Dumbarton Oaks, el 8 y 9 de octubre de 1983, Elizabeth Boone llevó a cabo una visión muy completa de las diversas representaciones, idealizadas o fantasiosas del edificio sagrado por excelencia de los aztecas: su Templo Mayor, difundidas entre los siglo XVI y XVIII (Boone, 1987: 6-19).

[10] Pedro Gualdi, artista europeo, activo en México en la primera mitad del siglo XIX, realizó diversas versiones del Claustro Mayor de la Real y Pontificia Universidad de México, en las que se aprecia la ubicación en una de las esquinas del gran patio, protegidas solamente por enrejados de madera, la Gran Coatlicue, La Piedra de Tizoc y algunos otros monolitos más, como una primera modalidad de resguardo y exhibición de las antiguallas indígenas (Gualdi, 1841).

[11] De los tres viajes que realizó Guillermo Dupaix con el propósito de compilar la más completa relación de aquellos objetos de la antigüedad precolombina que sobrevivieran en la Nueva España, los dos primeros, entre 1805 y 1806, muestran un gran número de piezas que él encontró empotradas en los muros o arrumbadas en la cercanía de las poblaciones y que fueron dibujadas por Luciano Castañeda, un artista de la Real Academia de San Carlos (Dupaix, 1978: 84-123 y 156-189).

[12] Calderón de la Barca, 1843.

[13] Mayer, 1844.

[14] González y González, *et al.*, 1956: 737.

[15] En el mencionado grabado destacan la gran Coatlicue, la Piedra de Tizoc, la Lápida Conmemorativa del Templo Mayor, el anillo del Juego de Pelota, con el Jugador-Guerrero que sostiene la cabeza del decapitado, la Atadura de Años "2 Caña", y otros monumentos pétreos, que constituyen la base primaria de la colección del antiguo Museo Nacional de Antropología.

antiguo fue el traslado del museo del claustro universitario (por la supresión de la Universidad en 1865) al espacioso palacio colonial de la Moneda, cambio que se inició durante el gobierno de Maximiliano y concluyó con el triunfo de la República. Si bien en un principio los monolitos permanecieron al aire libre en el patio de este nuevo recinto —así lo recreó Cleofas Almanza en su famoso cuadro que continúa todavía en las oficinas del Museo Nacional de Antropología, en el que se aprecia a los curiosos admirando los relieves de la Piedra de Tizoc y la imponente escultura de la Coatlicue—, poco a poco, en algunos salones se organizaron, de acuerdo con los conocimientos de su tiempo, las colecciones de formato pequeño, especialmente figurillas, herramientas de obsidiana, la cerámica, etc.[16]

Fue en esta naciente institución donde surgió el interés por sistematizar la información que hasta entonces se tenía de los objetos arqueológicos, publicándose el primer *Catálogo de las colecciones histórica y arqueológica del Museo Nacional de México*, en 1882. Ahí nacieron también los *Anales del Museo*, donde se dieron a conocer a un reducido público los resultados de los estudios que los historiadores de aquella época llevaban a cabo para develar los ocultos significados de esas enigmáticas esculturas que identificaban a los aztecas y a su glorioso pasado.

Cortesía Proyecto Templo Mayor

Leopoldo Batres.

El prestigio acumulado por aquellos intelectuales y su obra, aunado a la ennoblecida presencia del museo, motivaron al gobierno de Porfirio Díaz a ordenar el traslado de la Piedra del Sol, de su ubicación en la torre de catedral, al salón más espacioso del Palacio de la Moneda, acción que motivó una febril transformación dentro de la institución, como no se había visto nunca antes, que culminó con la organización y triunfal apertura al público del llamado Salón de los Monolitos el año de 1888.

Largo fue el camino que habían recorrido aquellos testimonios materiales del mundo mexica, hasta que por vez primera eran alojados en un amplio y magnífico espacio que permitía su cabal apreciación, maravillando a todo aquel afortunado que los contemplaba. Justo en medio del gran salón, la Piedra del Sol invitaba al visitante a introducirse en el recinto, e iniciar un breve recorrido; la Coatlicue, protegida ahora de las inclemencias del medio ambiente, fue colocada en la parte oriente del salón y la acompañaban la Piedra de Tizoc, llamada entonces de los Sacrificios; la cabeza de Coyolxauhqui y otros monolitos más, mientras que en diversos pedestales se exhibían docenas de esculturas y relieves que recreaban aquellos tiempos anteriores a la conquista española.[17]

Este legendario Salón de los Monolitos movió el interés en los estudiosos y aficionados a la arqueología mexicana por recolectar de los más recónditos parajes del territorio nacional los más significativos objetos que por sí mismos des-

[16] En el Archivo Histórico del Museo Nacional de Antropología se reseñan puntualmente las adaptaciones que se hicieron en diversos salones del Palacio de la Moneda para resguardar, en características vitrinas de la época, las colecciones de cerámica, figurillas, etc. (Galindo y Villa, 1896: 10-11); y algunas imágenes de estas secciones de la antigua institución ilustran la obra de Castillo Ledón (Castillo Ledón, 1924).

[17] El Archivo Histórico del Museo Nacional de Antropología conserva también un buen número de fotografías del siglo XIX, que muestran la disposición de los objetos arqueológicos, ubicados en el Salón de los Monolitos y organizados en grandes pedestales y repisas; su esquemática descripción se debe a Galindo y Villa (Galindo y Villa,1897).

tacaban el pasado indígena de nuestro país, sobresaliendo en esta actividad el arqueólogo Leopoldo Batres quien, favorecido por su amistad personal con el presidente Díaz, obtuvo el nombramiento de inspector y conservador de los monumentos arqueológicos de toda la República Mexicana, reconociéndose de esta manera su labor de coleccionista oficial; a este propósito dedicó buena parte de su tiempo, durante las últimas décadas del siglo XIX.

Excavaciones en la Calle de las Escalerillas

La llamada paz porfiriana se caracterizó esencialmente por la estabilidad política de la nación, que atrajo a nuestro país a un grupo numeroso de empresarios y comerciantes extranjeros, quienes trajeron consigo las nuevas modas y tendencias que afectaron profundamente el modo de vida de los mexicanos, especialmente el de las clases privilegiadas, quienes buscaron en toda forma transformar su imagen y con ello también la imagen de la capital de la República.

Algunos de nuestros abuelos pudieron contemplar horrorizados el ataque de la piqueta que derribó numerosos edificios de la época colonial, especialmente aquéllos de tiempos barrocos, que fueron sustituidos por construcciones, no siempre del mejor gusto, pertenecientes al llamado "estilo ecléctico".

El Museo Nacional, entonces, fue el recipendario de un numeroso contingente de objetos arqueológicos de diversa magnitud y calidad, que procedían de aquellas excavaciones, hechas con el propósito de sustentar los cimientos de la nueva piel que cubriría a la capital. Desafortunadamente, de muy pocas de ellas conservamos su puntual procedencia; en los viejos registros de la institución apenas se anotaba la proveniencia de aquellos cacharros, se hicieron grandes listas de ídolos, recipientes y otros términos que difícilmente hacen reconocible la identidad de las piezas. Lo que sí fue visible fue la febril actividad por toda la ciudad de las excavaciones, ya fuera para cimientos, desagües o cualquier otro arreglo en calles y edificios.[18]

Un hito lo significó el salvamento arqueológico registrado a manera de un diario de campo, realizado por Leopoldo Batres en 1900, durante el desarrollo de las excavaciones urbanas para introducir el primer desagüe de la Ciudad de México, que corriendo del oriente al poniente siguió la ruta de la calle de Santa Teresa y cruzó por la parte posterior a la catedral. Hoy sabemos que aquel trabajo atravesó, de la parte posterior a su fachada, la pirámide de Huitzilopochtli, el edificio más importante del recinto ceremonial de los aztecas.

Una vez más se impone en nuestro relato histórico la figura del gobernante. Como ya lo mencionamos, ejercía su mandato en aquellos tiempos y con mano férrea don Porfirio Díaz, mientras que Joaquín Baranda ocupaba el Ministerio de Justicia e Instrucción Pública; a ellos acude Leopoldo Batres para obtener su apoyo en el cuidado de la excavación, con el propósito de rescatar el mayor número de objetos y encontrar la ubicación exacta del Templo Mayor de México-Tenochtitlan, pues según sus propias teorías, esta pirámide, que sustentaba los templos dedicados a Tláloc y Huitzilopochtli, debía encontrarse debajo del espacio que ocupaba la catedral metropolitana, por lo que dichas excavaciones del drenaje le permitirían corroborar su teoría, y asimismo obtener más objetos para el Museo Nacional.[19]

Las excavaciones para el drenaje dieron comienzo con la llegada del nuevo siglo, algunas semanas antes de que Batres centrara su interés en la obra de infraestructura urbana; sin embargo los obreros llegaron al área de la Plaza Mayor cuando Batres dio inicio a sus visitas de inspección, las cuales fueron fechadas el 31 de agosto de 1900. La primera acción de estos trabajos consistió en revisar las bodegas de los contratistas para recoger esculturas y otros objetos que habían sido hallados con anterioridad, y es a partir del mes de septiembre cuando los periódicos de la capital comienzan a informar al público sobre el proceso que seguían las excavaciones, detallando las formas de los objetos y resaltando su significado y valor.[20]

[18] Los principales periódicos que se publicaban en la segunda mitad del siglo XIX son extraordinarias fuentes de información acerca de estos hallazgos cotidianos, y así lo ha mostrado la *Memoria hemerográfica*, que se ha encargado de publicar Sonia Lombardo (Lombardo, 1994).

[19] Leopoldo Batres consideraba que el espacio ocupado por la Catedral Metropolitana y sus anexos cubría por completo el recinto ceremonial de los mexicas; particularmente, su idea primordial consistía en ubicar al edificio católico sobre el llamado Gran Teocalli, que según este autor, dirigía su fachada principal con la doble escalinata hacia el sur, de tal modo que, en su imaginación, el altar de los reyes estaría encima de los Templos de Huitzilopochtli y Tláloc (Batres, 1902: lámina frente a p. 55).

[20] El periódico *El Imparcial*, desde el 5 de septiembre, reporta el inicio de los descubrimientos arqueológicos en la Calle de las Escalerillas (Lombardo, 1994, vol. II: 90-163).

Cortesía Proyecto Templo Mayor

Excavación de Manuel Gamio en la calle Santa Teresa (descubrimiento del Templo Mayor).

El propio Leopoldo Batres y su hijo Salvador debieron ser los informantes más veraces con los que contaron los reporteros; queda como una buena investigación para el futuro recuperar la abundante información hemerográfica que resultó de este importante trabajo de rescate arqueológico, para enriquecer las escuetas descripciones del libro que aquel estudioso publicó al respecto: *Excavaciones en la Calle de las Escalerillas*, en 1902. Es importante señalar que otros autores como Eduard Seler[21] y Antonio Peñafiel[22] hicieron por su lado varias propuestas de interpretación que en gran medida provocaron el disgusto de Batres. Pero a favor de aquellos autores, hay que considerar que su capacidad de análisis y su visión de conjunto fueron definitivamente superiores a las de don Leopoldo.

Durante estos primeros años del siglo XX, antes del estallido de la Revolución mexicana de 1910, ocurrieron también otros sobresalientes hallazgos en la capital del país, los cuales desgraciadamente, al no contar con la intervención directa de Batres, ni la protección de don Porfirio, sólo significaron fugaces reportajes en los periódicos de la época y mayores objetos para el Salón de los Monolitos.

Uno de los conjuntos escultóricos más importantes descubiertos en ese entonces fue aquel que se rescató durante la construcción de la casa Boker en 1907, edificio de estilo imperial germánico que en su tiempo fue una de las primeras tiendas departamentales de la ciudad; ahí el público elegante podía comprar desde una aguja hasta un Landau.

[21] Seler, 1903.
[22] Peñafiel, 1910.

Dicho conjunto se conforma por las cinco imágenes de las mujeres muertas en el parto, las llamadas Cihuateteo, de aspecto macabro, con el rostro descarnado, los cabellos enmarañados y las garras amenazantes en actitud de ataque, que seguramente formaban parte de un recinto ritual ubicado al poniente de la ciudad de Moctezuma, el cual corresponde a la dirección dominante de las mujeres o Cihuatlampa, en donde los mexicas imaginaban que concluía el cotidiano recorrido del sol. Hoy, contemplando estas figuras, especulamos respecto a su significado, pero por falta de la información arqueológica precisa, nunca sabremos la verdad de su contexto original.[23]

Para poder apreciar con un dramático contraste lo que significa en la arqueología de los mexicas contar o no con el apoyo del jefe supremo de gobierno, hablemos un poco de la callada labor que llevó a cabo en 1913 Manuel Gamio, quien entonces era jefe de la Inspección General de Monumentos Arqueológicos, vigilando tan sólo y de manera modesta los trabajos llevados a cabo durante las demoliciones de los edificios en la capital mexicana; en este carácter acudió a la esquina de Santa Teresa y Seminario, donde habían derrumbado una vetusta construcción de tiempos coloniales, descubriendo ahí las escalinatas y las alfardas de la esquina sur-poniente de la pirámide de Huitzilopochtli y hallando *in situ*, una de las hermosas serpientes emplumadas que marcaban el arranque de la alfarda; por sus conocimientos de la estratigrafía que había encontrado para el Valle de México por vez primera en Azcapotzalco, determinó de manera precisa la secuencia constructiva de las diversas etapas de esta edificación indígena.[24]

Eran tiempos difíciles, la revolución de 1910 había concluido en su primera etapa con los asesinatos del presidente Madero y de Pino Suárez, la dictadura de Huerta y las asonadas militares tenían en jaque a la capital, apenas y había tiempo de salvar el pellejo; aun en estas circunstancias, Manuel Gamio y sus ayudantes lograron excavar este sector en el corazón mismo de la ciudad capital.

No obstante que el descubrimiento ubicó por vez primera la posición exacta, la orientación y algunas características arquitectónicas del recinto ceremonial de los mexicas,[25] los resultados tuvieron menor impacto en comparación con los de Batres (cuyo libro publicado por él mismo y profusamente ilustrado se difundió en inglés y español); de la pluma del descubridor del Templo Mayor apenas y circularon breves noticias,[26] y la revista *Ethnos*, años más tarde, difundió algunos artículos dispersos, tanto de Gamio como de otros de sus colaboradores.[27] Debemos destacar que durante esa época el informe que mayormente impactó al público mundial fue el que se publicó en el Congreso Internacional de Americanistas de 1917.

Varias décadas más tarde, cuando el Instituto Nacional de Antropología e Historia organizó la primera Sala Mexica, en el viejo museo de la Calle de la Moneda, la intervención del arquitecto Ignacio Marquina fue trascendental, ya que él como estudioso de la tradición arquitectónica del mundo precolombino había hecho una magnífica pintura en donde se reconstruía el corazón de la antigua México-Tenochtitlan. Así pues, don Ignacio instaló, junto a las ruinas del Templo Mayor, el Museo Etnográfico, el cual conjuntó la visión indigenista romántica del México cardenista con la primera maqueta reconstructiva del Templo Mayor, producto de las minuciosas investigaciones de Marquina, cuyo sustento informativo fue publicado el año de 1960.[28]

[23] De acuerdo con el catálogo de la colección de monolitos del Museo Nacional de Antropología, formado por Alfonso Caso y Salvador Mateos Higuera, los más destacados objetos de esta excavación de carácter urbano son la cabeza gigantesca de una deidad con el rostro mutilado y la fecha calendárica "12 caña" en la parte superior del tocado; una gran Cihuateteo, que ellos identifican como Mictecacíhuatl, con el torso a manera de columna vertebral descarnada, con la fecha "7 Flor", y cuatro figuras semejantes en su aspecto y vestimenta que se identifican: un par por la fecha "1 águila", otra con "1 mono" y la cuarta con el "1 venado" (Caso y Mateos, 1940: 24-104, 24-108, 24-110, 24-144, 24-145 y 24-146).

[24] En la *Historia de la arqueología en México*, Ignacio Bernal (1979, lámina 98), reproduce el corte estratigráfico de San Miguel Amantla, donde se aprecia la ubicación de la cerámica de los tiestos aztecas en las capas superiores, encima de la ocupación Teotihuacana y la denominada "de montaña", hoy conocida como Preclásico, que originalmente ilustró el artículo de Manuel Gamio en 1928, titulado "Las excavaciones del Pedregal de San Ángel y la cultura arcaica del Valle de México".

[25] De acuerdo con el plano de excavaciones publicado por Marquina, se identificaron cuatro escalinatas en secuencia; la tercera de ellas muestra una imponente cabeza de serpiente emplumada como remate inferior de la alfarda correspondiente, encontrándose, además, los muros de las plataformas asociadas a por lo menos tres edificios superpuestos, que se orientan en la esquina sudoeste de la gran pirámide de los mexicas (Marquina, 1951:185).

[26] Gamio, 1914.

[27] Gamio, 1921a, y Ceballos Novelo, 1932.

[28] El exhaustivo compendio de información que recopiló el arquitecto Marquina para hacer su propuesta de la maqueta se basó fundamentalmente en los textos de los cronistas: Cortés, Bernal Díaz del Castillo, El Conquistador anónimo, etc., acompañándolos de los estudios arqueológicos que diversos

Durante el triunfo del movimiento constitucionalista de Venustiano Carranza (1917), a principios de la década de los años setenta, la capital de la República y los pueblos y municipios que la rodeaban vivieron una vertiginosa transformación; sin previo aviso, la modernidad irrumpió destruyendo los viejos centros históricos, modificando el aspecto de sus calles y derribando cientos de construcciones, ya no sólo de la época colonial, sino hasta los soberbios palacetes porfirianos.

Por su parte, Tlatelolco, que hasta entonces había sido una adormecida población, de costumbres tradicionales, con su aduana pulquera, de pronto, con la presencia del ferrocarril, se convirtió en un barrio obrero, y la evidencia a flor de tierra de restos arqueológicos atrajo la atención de don Pablo Martínez del Río, quien comandó un modesto proyecto de arqueología, contando con la colaboración de Antonieta Espejo y Robert Barlow entre otros estudiosos. Este grupo exploró básicamente la pirámide principal de la que fuera la ciudad hermana y rival de Tenochtitlan, difundiendo una clara vocación del estudio del pasado del mundo azteca con un carácter interdisciplinario en la prestigiosa serie "Tlatelolco a través de los tiempos", que en 12 números se publicó como parte integrante de las *Memorias de la Academia Mexicana de la Historia*, entre 1944 a 1956.

De aquel conjunto de publicaciones destaca, además de los importantes estudios etnohistóricos de Barlow, la secuencia de la cerámica distintiva de la Cuenca de México, de la época posclásica, hecha por James Griffin y Antonieta Espejo, y titulada *La alfarería correspondiente al último periodo de ocupación nahua del Valle de México;*[29] esta obra dio forma final a los pioneros trabajos que iniciaron Boas y Gamio en la Escuela Internacional de Americanistas, cuando se recolectaron miles de tiestos y fragmentos de figurillas, cuyo propósito era dar las bases clasificatorias para el aprendizaje de los futuros arqueólogos.[30]

investigadores llevaron a cabo en el Templo Mayor, Tlatelolco, Malinalco, Calixtlahuaca y hasta la lejana Zempoala, Veracruz; usó primero dibujos reconstructivos donde experimentó propuestas de la forma y decoración de los diversos edificios del recinto (Boone, 1987: 50), hasta que finalmente surgió la propuesta de maqueta, en la que se recreó el recinto con sus principales edificios sagrados (Marquina, 1960: lámina 2).

[29] Griffin y Espejo, 1947 y 1950.

[30] Boas, 1912, y Manuel Gamio, 1921. De las 69 láminas que ilustran la obra, 37 contienen tiestos que cubren los cuatro grupos de la llamada cerámica negra sobre el color natural, conocidas también como Azteca I (Culhuacán), Azteca II (Tenayuca), Azteca III (México-Tenochtitlan) y Azteca IV (Tlatelolco).

A la par con esos estudios, también se efectuaron en la periferia de la Cuenca de México notables trabajos arqueológicos conducidos por funcionarios y estudiosos que, aunque no eran profesionales de la arqueología, sí contaban con una gran vocación mística alentada por el nacionalismo que caracterizaba al México de los años treinta. Las exploraciones en Tenayuca son un ejemplo de esta tenacidad y acuciosa labor a la que hemos hecho referencia. En efecto, en esta localidad, ubicada en los límites septentrionales del Distrito Federal y el Estado de México, se excavó un basamento piramidal que mostraba, a semejanza de los descubrimientos de Gamio en el Templo Mayor de los aztecas, una construcción que había sufrido diversas etapas constructivas, cubriéndose unas a otras en una sucesión cronológica; el edificio, en clara referencia a la arquitectura posclásica tardía, presentaba como característica principal la doble pirámide que sustentaba dos templos gemelos y como peculiaridad, un cinturón de serpientes, que por su orientación y restos de policromía marcaba el paso del sol en sus dos movimientos trascendentales sobre la tierra, los equinoccios y los solsticios.

La obra definitiva que detalla aquellos trabajos se publicó en 1935; por su formato, volumen y contenido, este impreso se convirtió en un punto de referencia obligado para los estudiosos de los tiempos tardíos de la evolución indígena. Investigadores y especialistas de gran talla como Ignacio Marquina, Alfonso Caso y Enrique Juan Palacios contribuyeron con sólidos capítulos, registraron sus análisis iconográficos e interpretaciones en ese entonces muy avanzadas para su tiempo, reforzando cada vez más los vínculos de la religión de los aztecas con el culto al sol, que más tarde abanderara Alfonso Caso en su *Religión de los aztecas*,[31] publicación que después fue enriquecida notablemente para dar forma a *El pueblo del sol*,[32] un excelente impreso engalanado con las hermosas ilustraciones de Miguel Covarrubias.

[31] La virtud de la obra de Caso fue poner en manos de los lectores profanos los estudios acerca de los cultos y deidades de la época de los aztecas que habían realizado algunos años antes Eduard Seler y Hermann Beyer, los cuales desafortunadamente estaban en su mayoría en lengua germana, por lo cual, eran poco accesible al público en general. El libro vio tres versiones: la primera de ellas fue publicada en 1936, en la colección Enciclopedia Ilustrada Mexicana, la traducción al inglés al año siguiente y una versión en la Biblioteca Enciclopédica Popular de la Secretaría de Educación Pública en 1945, reedición de la de 1936.

[32] Caso, 1953.

Archivo Técnico de a Coordinación Nacional de Arqueología-INAH

García Payón en Malinalco.

En la región de Toluca, José García Payón exploró, a partir de 1930, el edificio de paredes curvas, localizado en Calixtlahuaca, sitio que se ubica a pocos kilómetros de la capital del Estado de México; este arqueólogo llevó a cabo interesantes trabajos de reconstrucción que formaron la base sustancial de la tradición arqueológica mexicana de su tiempo, la cual se proponía no sólo dejar a la vista los edificios descubiertos, sino también agrega secciones faltantes de la construcción con el propósito de que el público las pudiera apreciar íntegramente. El efecto de esta tendencia llevó a la excesiva reconstrucción de muchos monumentos en las décadas siguientes.

García Payón, quien contaba con una capacitación profesional, adquirida allende la frontera mexicana, se proponía publicar sus notables trabajos durante los cuales descubrió la celebérrima escultura de Ehécatl, de elegantes proporciones anatómicas, y muchos otros objetos más, en una serie de varios volúmenes de la cual infortunadamente sólo se publicó el primero de ellos, *La Zona Arqueológica de Tecaxic-Calixtlahuaca* en 1936, y sólo hasta tiempos más recientes la Biblioteca Enciclopédica del Estado de México intentó, aunque infructuosamente también, llevarlo a conclusión.[33]

Este mismo personaje, encargado de la arqueología de aquella entidad, llevó a cabo las exploraciones de Malinalco en 1936, sacando a la luz un invaluable y privilegiado sitio ritual de la época mexica; su obra de limpieza, conservación y reconstrucción puso en valor la capacidad que tiene el arqueólogo por rescatar estos testimonios del pasado; y aunque con las limitaciones de su tiempo, podemos considerarlo como uno de los trabajos más interesantes al respecto, el cual se publicó en la *Revista Mexicana de Estudios Antropológicos*, que era el vehículo informativo más sólido e importante de esa época.

En el estado de Morelos, habitado por los tlahuicas durante el Posclásico Tardío, si bien se conocía desde finales del siglo anterior el Templo del Tepozteco, estudiado por Seler en 1895, no fue hasta 1921 cuando se inician las exploraciones de Teopanzolco, localidad ubicada en la periferia de Cuernavaca.[34]

Si bien se sabía de su existencia desde la construcción de la estación del ferrocarril, no fue sino cuando la propiedad urbana se impone sobre los antiguos terrenos de cultivo que se vieron amenazados los montículos principales de la plaza ceremonial, con el reparto de predios destinados a casa habitación. De nueva cuenta, se excavó una pirámide doble, cuya subestructura conservaba parte de los templos gemelos dejándola a la vista del público, y por fortuna la lucha que llevó a cabo el Instituto Nacional de Antropología e Historia por evitar que el sitio fuera engullido por la colonia residencial, se logró rescatar un buen número de edificios, algunos de planta circular, que comprueban la hermandad estilística en la arquitectura y el patrón de asentamiento de los vecinos y contemporáneos de los mexicas, en este caso, en los valles de la tierra caliente.[35]

Mientras tanto, en la Ciudad de México, los hallazgos circunstanciales que resultaron del proceso de crecimiento urbano continuaron enriqueciendo las colecciones del Museo Nacional, y a finales de los años cuarenta, a iniciativa de Alfonso Caso, Ignacio Marquina y otros insignes investigadores de la

[33] Mario Colín, en su loable propósito de completar la obra inconclusa de García Payón, con el incansable apoyo de Manuel Arredondo, reeditó en 1974, en edición facsimilar, la primera parte de la *Zona Arqueológica de Tecaxic-Calixtlahuaca y los matlatzincas*. En 1979, con la revisión y notas de Wanda Tommasi de Magreli y Leonardo Manrique Castañeda, se publicó la segunda parte (inédita) de la obra original dedicada a la etnología y la arqueología, correspondiendo al volumen XXX de la Biblioteca Enciclopédica del Estado de México, y en 1981, con la revisión de los mismos investigadores, en el volumen XXXI se dieron a conocer las ilustraciones, tablas y planos de la segunda parte, quedándose para la posteridad las valiosas láminas y acuarelas, que por su alto costo nunca llegaron a editarse.

[34] Ceballos Novelo, 1928 y 1929, y Ordóñez, 1938.

[35] Noguera, 1960.

institución, se llevaron a cabo los trabajos para la creación de la primera Sala Mexica, que materializó en su conjunto los conocimientos que hasta ese momento se tenían de este pueblo y de su época. Para llevar a cabo este trabajo, se vació totalmente el antiguo Salón de los Monolitos, ubicándose de nueva cuenta, aunque sólo por un breve tiempo, las esculturas de mayor formato en el patio del viejo museo.

De gran relevancia para esta época fue el trabajo museográfico de esta Sala Mexica, que contribuyó a valorar la rica colección que se había ya conjuntado; el recorrido por dicho espacio comprendía como temas principales al hombre mexica, su idioma y su escritura; la organización social y la organización política; la educación, las artes y oficios, y la música; el calendario azteca; las fiestas, y los dioses, para concluir con la arquitectura y el Templo Mayor de Tenochtitlan. Hay que destacar que para este momento, el público ya tenía la posibilidad de acercarse de manera sistemática al arte y a la cultura de los mexicas, aprovechando tres espacios, adaptados específicamente para estas funciones: la Sala Mexica, a la que hemos hecho referencia, la maqueta del Templo Mayor, ubicada en el Museo Etnográfico en la calle de Seminario, y las llamadas "Ruinas de Santa Teresa", que correspondían a las excavaciones realizadas por Manuel Gamio en 1913 y adecuadas para su visita en años posteriores, las cuales llamaban la atención de los transeúntes del Centro Histórico.[36]

Desafortunadamente, a pesar del interés inicial de Alfonso Caso por la cultura de los mexicas, y de la instalación de la Sala Mexica en el entonces Museo Nacional de Arqueología e Etnografía, académicamente no ocurrieron grandes acciones de carácter sustancial que dieran como resultado nuevas publicaciones a manera de corpus descriptivos o bien series con estudios de mayor profundidad, que conjuntaran las numerosas exploraciones y hallazgos ocurridos en aquella época, quedando la información, en su mayoría, como noticias periodísticas o informes de archivo, que sólo fueron consultados por un reducido número de especialistas.

Colección Álvaro Barreda

Cámara 3 (Templo Mayor).

Tal y como ocurrió con las exploraciones que realizó Eduardo Noguera en los terrenos del Ex Volador entre 1936 y 1937, con motivo de la construcción del edificio de la Suprema Corte de Justicia. En ese tiempo el gobierno de la República pretendía —de acuerdo con sus recursos— modificar el aspecto de la capital del país; ésta fue la razón por la que, aprovechando la decadencia en que había caído el viejo mercado del volador —un verdadero baratillo— decidió construir una magna edificación que alojara al Poder Judicial de la Federación; fue durante los trabajos de excavación, para ubicar el estacionamiento subterráneo, que surgieron de manera abundante los restos arqueológicos, especialmente tiestos cerámicos y en los que de manera oficial estuvo Eduardo Noguera, jefe de Arqueólogos de la entonces oficina de Monumentos Prehispánicos.

En el archivo de la Dirección de Estudios Arqueológicos del INAH se conservan algunos de los reportes de Noguera, mediante los cuales pudimos reconstruir aquel proceso en su conjunto.[37] Los trabajos realizados por la Secretaría de Comunicaciones y Obras Públicas dejaron al descubierto una plataforma prehispánica de 70 metros cuadrados aproximadamente, que en su sección este mostraba una cista de tradicional estilo mexica con una escultura del dios Huehuetéotl. Lo más nota-

[36] Hasta el desarrollo de los trabajos del Proyecto Templo Mayor, esta peculiar zona arqueológica se encontraba limitada por una cerca de malla ciclónica en la esquina de Seminario y República de Guatemala; la entrada se efectuaba por el pequeño museo; el visitante después de recorrer la sección de etnografía mexicana y admirar la magnífica maqueta del recinto ceremonial —que con el sistema museográfico de la cámara oscura permitía iluminar ciertas secciones, dando vida y emoción a esta recreación del pasado arqueológico— salía a visitar las ruinas arqueológicas constituidas por las etapas constructivas descubiertas por Manuel Gamio, la serpiente emplumada en una de las alfardas, un brasero ceremonial y el peculiar empedrado o piso ritual formado por bloques de alabastro (Marquina, 1957).

[37] Solís y Morales, 1991.

ble de todo el hallazgo fue el relleno a manera de una ofrenda ritual del edificio indígena, conformado por más de un millar de objetos cerámicos que conjuntaba las principales vajillas del Posclásico Tardío del Altiplano Central Mexicano, conocidas genéricamente como la secuencia de la cerámica azteca; la alfarería rojo Texcoco; etc., junto con las cuales se hallaron piezas de tradición mixteca, de Cholula, etc.

Es sorprendente que no hubiera mayor atención oficial que promoviera una publicación de gran formato de este notable hallazgo. Los relieves que decoraban los muros de la plataforma de estilo mixteco, con una secuencia de grecas escalonadas, así como el conjunto de lápidas de una banqueta con semejante diseño decorativo, fueron a parar a las bodegas del Museo Nacional, y el voluminoso conjunto cerámico fue la base del trabajo de restauración que realizaron varias generaciones de alumnos de la Escuela Nacional de Antropología e Historia.[38]

Otro de los hallazgos que también pasó inadvertido y que nunca se ha publicado de manera integral, a pesar de su importancia, fue el que dirigió como trabajo de rescate el arqueólogo Hugo Moedano en 1940, durante la construcción del edificio del Pasaje Catedral, ubicado precisamente a espaldas del principal edificio religioso de la capital. Este mal logrado investigador, desde el inicio de los descubrimientos, dio a conocer en los principales diarios de la época las características significativas de algunos de los objetos que se iban recuperando: peculiares atlantes, semejantes a los que había encontrado en la ciudad de Quetzalcóatl el también arqueólogo Jorge R. Acosta, así como numerosas lápidas con jaguares rugiendo o águilas y buitres devorando corazones; todo ello apuntaba hacia una vinculación estrecha entre México-Tenochtitlan con Tula;[39] sin embargo, a pesar de la trascendencia de los hallazgos, no hubo una trabajo final que diera una visión cabal del conjunto o de significado; los resultados en su momento constituyeron editoriales periodísticas que perdieron con rapidez su vigencia, y sólo los hemos dado a conocer recientemente.[40]

El punto culminante de este periodo de la arqueología de la Ciudad de México, que no fructificó en estudios concretos —no obstante su relevancia—, ocurrió durante la construcción de las dos primeras líneas del Sistema de Transporte Colectivo Metro, que cruzaron, una por el corazón de la capital (la línea 2) y, la otra, por la sección sur del Centro Histórico (la línea 1). Estos trabajos se llevaron a cabo de 1966 a 1969, y significaron una complicada labor de rescate, en la que participaron arqueólogos profesionales y una multitud de estudiantes de la Escuela de Antropología, coordinados por la recién creada área de rescate arqueológico del INAH.[41]

En su momento, existió una supervisión cuyo propósito era conjuntar los diversos aspectos de estos difíciles trabajos, verdaderos actos heroicos que desempeñaron los rescatadores, prácticamente frente a las gigantescas uñas de los trascavos —maquinaria que sólo se detenía en casos excepcionales—, ya que con la técnica que utilizó la compañía ICA, denominada "de cajón", primero se encajaban cuñas de metal, conformando muros de contención a lo largo de las rutas, y después con pesada maquinaria se llevaba a cabo la excavación interior; ahí es donde se recolectaban los objetos. Sabemos que, en los casos que así lo ameritaban, los arqueólogos realizaban rápidamente la ubicación tridimensional de los testimonios del pasado, o bien, como en el caso de la estación Pino Suárez, al descubrirse un conjunto palaciego, único en su género, se permitió que sobreviviera uno de los dos adoratorios del patio principal, el de paredes circulares, dedicado al dios del viento,[42] que hoy ornamenta dicha estación; todo lo demás —sin que nadie levantara una voz de protesta para su protección— fue destruido inmisericordemente, y sólo se conservan algunas fotografías y

[38] En el libro *Rescate de un rescate* se presentan las 902 vasijas que se resguardan todavía en el Museo Nacional de Antropología, del conjunto original recuperado, distribuyéndose muchas de ellas por motivos de intercambio, donación, etc., en diversos museos, tanto de México como del extranjero, que se identifican por la palabra Ex Volador, convenientemente colocada por los ayudantes del arqueólogo Eduardo Noguera. Algunos de estos ejemplares son de suma importancia y gran calidad estética.

[39] Hugo Moedano escribió algunos artículos periodísticos donde insistía en esta sorprendente relación entre Tula y México-Tenochtitlan, hasta entonces no precisada arqueológicamente (Moedano, 1944a y b).

[40] Solís, 1997.

[41] La Jefatura de Salvamento Arqueológico del Instituto Nacional de Antropología e Historia tuvo como coordinador general al arqueólogo José Luis Lorenzo Batista y se conformó por diversos equipos integrados por arqueólogos y antropólogos físicos, encargados de realizar, primero, estudios preliminares en las áreas donde se excavaría profundamente para programar rescates que requerían un mayor cuidado; se distribuyeron en las líneas 1 y 2, la primera desde La Merced hasta el Salto del Agua, y la segunda a partir de la avenida Fray Servando Teresa de Mier hasta la Alameda, centrando su atención en el área del Zócalo y las calles de Guatemala y Tacuba.

[42] DDF, 1970: 232.

Cortesía Proyecto Templo Mayor

Vista panorámica de las exploraciones del Templo Mayor.

películas de los noticieros de aquel entonces, para vergüenza del patrimonio nacional.[43]

En las publicaciones oficiales de la época se indica que antes de llevarse a cabo los trabajos en la estación Zócalo de la línea 2 del Metro, se habían recuperado 46 toneladas de tiestos, alrededor de 6 000 piezas, explorado 250 entierros y numerosas ofrendas, amén de 40 pozos estratigráficos, cuyo propósito sería el de "controlar" posteriormente el material arqueológico;[44] infortunadamente en la realidad nunca fue así, por razones no conocidas; de manera efectiva no se llevó a cabo, no sólo el control, ni tampoco el análisis integral de aquel voluminoso conjunto de objetos recuperados, dispersándose de modo lamentable.[45]

Del rescate de las líneas 1 y 2 del Metro, queda a la vista del público el susodicho basamento piramidal de la estación Pino Suárez; y en el jardín de la Sala Mexica del Museo Nacional de Antropología, están los segmentos originales con los que se reconstruyó una pirámide hallada atrás de catedral, en cuyo interior ya Leopoldo Batres, a principios del siglo XX, había rescatado la ofrenda del Dios Rojo; se conservan además esculturas de gran notabilidad, como la llamada Coatlicue del Metro "que en realidad es un Tlaltecuhtli trabajado en bulto", y la famosa Monita Danzante, con la media máscara del pico de ave, hallada en el interior de la pirámide de la estación Pino Suárez.

[43] De acuerdo con la descripción gráfica y algunos relatos de testigos participantes en la excavación, arqueólogos o ingenieros, en el área que ocupa la estación Pino Suárez se descubrió un complejo conjunto palaciego integrado por numerosas habitaciones alrededor de patios; una de ellas, seguramente la más importante, conservaba hasta más de tres metros de altura, los muros y especialmente dos plataformas piramidales, una de planta cuadrangular y otra circular; ambas, tenían como decoración en sus muros molduras constituidas de clavos arquitectónicos redondeados, característicos de la arquitectura de la época mexica.

[44] DDF, 1970: 234.

[45] Las toneladas de tiestos recuperados de las excavaciones, depositadas en bolsas de tela, se almacenaron en las bodegas del INAH, que se acondicionaron en un edificio colonial de San Cristóbal Ecatepec, Estado de México; dicho material nunca se analizó, por lo que con el transcurso de los años, los techos provisionales se colapsaron sobre los tiestos, humedeciendo las bolsas y convirtiéndose en un amontonamiento de desperdicios irreconocibles culturalmente.

En el archivo de la Dirección de Salvamento Arqueológico sobreviven algunos planos de las líneas de trazo y en otros archivos, libretas de campo y algunas notas; mientras que en la bodega de arqueología del Museo Nacional de Antropología, numerosos objetos de formato menor continúan guardados en cajas. Quedan en la memoria las noticias de los periódicos, algunas fotografías y breves descripciones en publicaciones oficiales del entonces Departamento del Distrito Federal, y un corto número de artículos que vieron la luz, principalmente en el boletín del Instituto Nacional de Antropología e Historia de aquellos años.[46]

Queda como asignatura pendiente para los estudiosos de la arqueología de los mexicas, y muy particularmente para quienes se interesan en la Ciudad de México, constituir en un futuro próximo un proyecto de investigación, que con determinante voluntad, amplia capacidad de trabajo y con el auxilio de los modernos sistemas de informática, conjunte toda la información existente respecto a estos primeros trabajos en las líneas del Metro y sus excavaciones, determinando la ubicación y secuencia de los numerosos materiales arqueológicos que aún esperan ser estudiados, y concluya con una reconstrucción, lo más cercana posible a lo que vieron y encontraron aquellos arqueólogos rescatistas de los años sesenta; sólo hasta entonces habremos cerrado ese capítulo tan importante de nuestra arqueología.

En 1960, en tiempos del presidente López Mateos, se proyectó la realización del conjunto urbano Nonoalco Tlatelolco, que originalmente llevaba el nombre del jefe del ejecutivo, y dado el hecho de que en toda el área donde se pensaba construir tan ambicioso desarrollo se hallaban evidencias de ocupación prehispánica, desde un principio se consideró la participación del Instituto Nacional de Antropología e Historia. Fue así que en marzo de 1960 el arqueólogo Francisco González Rul inició sus labores de rescate, que desde un principio tuvieron muchas dificultades por la renuencia de los arquitectos a no liberar los edificios prehispánicos, ya que ello modificaba el plan original, y significaba costos y retrasos.

[46] Fueron 17 las noticias y artículos publicados en el Boletín del INAH, desde 1967 hasta 1972: Arana, 1967; Arana y Zepeda, 1967; Caso, 1970; Castillo Tejero, 1968; Gussinyer, 1968, 1969a, 1969b, 1969c, 1970a, 1970b, 1970c, 1970d, 1972a, 1972b y 1973; Heyden, 1970a y 1970b. En los *Anales del INAH*, se publicó el estudio de una de las esculturas halladas en el metro, Heyden 1969.

Reprografía: Jorge Pérez de Lara

La Coyolxauhqui en su proceso de limpieza.

Los dos siguientes años se caracterizaron por notables descubrimientos arquitectónicos, en especial la liberación del basamento principal, la pirámide doble con sus distintas etapas constructivas.

Sin embargo, por la propia mecánica interna del INAH, en 1964 González Rul dejó su lugar a Alberto Ruz Lhuillier, con quien colaboraron Jorge Angulo y Víctor Segovia, continuando con la exploración y liberación de ambos edificios. De 1965 a 1968, cuando terminó el proyecto, Eduardo Contreras estuvo a cargo de la obra, concluyendo los diversos trabajos que conformaron la obra monumental que podemos contemplar hoy día, que corresponde a una gran área de lo que fuera Tlatelolco, la antigua ciudad gemela de Tenochtitlan. De todos esos años de exploración, en su momento, sólo se publicaron algunos artículos en los boletines y en los anales del INAH, y una gran parte de la información se guardó en archivos, los materiales en su mayoría fueron depositados en

Cortesía Proyecto Templo Mayor

El Recinto de las Águilas, Templo Mayor.

el Museo Nacional de Antropología, y no ha sido sino hasta tiempos relativamente recientes que el arqueólogo González Rul ha cumplido con la publicación de los diferentes aspectos de las excavaciones de Tlatelolco.[47]

El Descubrimiento de Coyolxauhqui

En el mes de febrero de 1978, los medios de comunicación, especialmente los televisivos, daban cuenta a la ciudadanía del fantástico hallazgo del relieve monumental de la diosa lunar Coyolxauhqui, descubierto debajo del pavimento de la calle República de Guatemala, a una cuadra del Zócalo capitalino.

El día 28 de ese mes, un grupo de arqueólogos que en su mayoría pertenecía al Departamento de Salvamento Arqueológico del INAH, tuvimos la fortuna de liberar, capa a capa, el relleno que cubría el monolito e identificar a la Diosa; al día siguiente, con la visita del presidente José López Portillo, volvió a conformarse el binomio del apoyo del ejecutivo con el desarrollo de la investigación arqueológica, que ya anteriormente había marcado los destinos del estudio de la antigua México-Tenochtitlan.[48]

[47] González Rul, 1979, 1988 y 1998.

[48] En la mitología arqueológica mexicana, se relata la insistencia de una voz femenina en los teléfonos de las diferentes dependencias del INAH, en el mes de febrero de 1978, denunciando saqueo y destrucción; con motivo de los trabajos para la instalación de un transformador eléctrico, llevados a cabo en medio de la calle de República de Guatemala, a sólo unos metros de la zona arqueológica del Templo Mayor (bien pudo haber sido la propia diosa Coyolxauhqui). Los obreros de la Compañía de Luz afirmaron que el día 21 de ese mes se habían topado en su excavación con un relieve de aspecto extraño donde se apreciaba la máscara fantástica en el codo del brazo derecho de la imagen de la diosa. Por fortuna se les detuvo a tiempo y después de diversas reuniones entre autoridades del INAH y sus arqueólogos, y ante la presión de la Presidencia de la República de conocer la realidad del elemento prehispánico y su importancia, el 25 de febrero se inician los tra-

En efecto, hubo un corto interludio que duró apenas unos cuantos meses, en el que los investigadores de Salvamento Arqueológico realizaron un apresurado rescate de las ofrendas de la diosa Coyolxauhqui.[49] El surgimiento del proyecto Templo Mayor, a cuyo frente por más de dos décadas ha estado el arqueólogo Eduardo Matos Moctezuma, caracterizó indiscutiblemente la definitiva etapa del conocimiento científico del mundo mexica, convergiendo junto con este proyecto el desarrollo de otras investigaciones que han enriquecido notablemente la apreciación de lo que significó el Posclásico Tardío (1250-1521 d.C.) en el Altiplano Central Mexicano.

Fue sustancial el apoyo del presidente López Portillo, quien consideró de suma importancia estos trabajos arqueológicos: durante su gobierno se llevó a cabo la liberación total de la Pirámide Doble de Huitzilopochtli y Tláloc y algunos edificios anexos, principalmente los dos Templos Rojos, el del norte y el del sur, el basamento decorado con cráneos esculpidos en piedra y el Recinto de las Águilas. A los trabajos de exploración arquitectónica se suma la minuciosa recuperación de más de cien ofrendas, que permitió el conocimiento de las tradiciones rituales de los fundadores de México-Tenochtitlan.[50]

La relevancia de las investigaciones llevadas a cabo por el director del proyecto[51] y sus más destacados ayudantes han contribuido a enriquecer la bibliografía de los mexicas con notables publicaciones, muchas de las cuales originalmente fueron tesis de arqueología,[52] o bien estudios pertenecientes a otras especialidades.[53]

Estos descubrimientos arqueológicos del Centro Histórico de la Ciudad de México impactaron profundamente al mundo académico; así, en 1983 se organizó el Simposio The Aztec Templo Mayor en Dumbarton Oaks, que convocó a los más relevantes estudiosos de los mexicas.[54] A partir de este momento, la autoridad académica de Eduardo Matos Moctezuma le permite crear y dirigir desde el Templo Mayor investigaciones cuyo propósito fue el de explorar sistemáticamente la ciudad gemela de Tenochtitlan mediante el Proyecto Tlatelolco, 1987-1996, que también produjo tesis que se publicaron posteriormente,[55] o el Proyecto de Arqueología Urbana que cubrió los trabajos en el subsuelo de la catedral metropolitana y áreas adyacentes.[56]

Después de estas dos décadas en que la arqueología de la época mexica ha logrado un desarrollo académico de gran envergadura, que permite la transformación de la Sala Mexica del Museo Nacional de Antropología en 1999,[57] hermanada con el Museo de Sitio del Templo Mayor, parecería que aquel destino, marcado por la necesaria figura presidencial, se ha revertido, y el cauce de las investigaciones tomará su curso natural; lo que no podremos ignorar es que la Ciudad de México y las urbes y pueblos vecinos reservan a futuro sensacionales hallazgos,[58] que seguramente enriquecerán o transformarán nuestra visión de aquel mundo desaparecido dramáticamente a principios del siglo XVI.

---

bajos de exploración por parte de los miembros del Departamento de Salvamento Arqueológico y otras dependencias del INAH; el 28 de febrero, en la madrugada, después de una ardua labor, quedó al descubierto el extraordinario disco pétreo, con el relieve íntegro, lo que nos permitió identificar plenamente a la diosa.

[49] García Cook y Arana, 1978.

[50] López Luján, 1993 y 1994.

[51] Matos, 1979, 1982a, 1982b, 1988.

[52] Román Bellereza, 1900; Olmedo y González, 1990; Jiménez Badillo, 1997; Velázquez Castro, 1999, y del Olmo Frese, 1999.

[53] Polanco, 1991, y Franco, 1990. El proyecto Templo Mayor se significó desde sus inicios por su carácter interdisciplinario, pues participaban activamente, además de los arqueólogos, conservadores y restauradores, arquitectos, antropólogos físicos, biólogos y etnohistoriadores, cuyas aportaciones bajo las diferentes ópticas de sus disciplinas contribuyeron a que los resultados de esta investigación en su conjunto tengan uno de los más elevados niveles de la arqueología mexicana.

[54] Boone (edit.) 1987.

[55] Guilliem Arollo, 1999.

[56] Matos, 1999.

[57] En el año de 1998 el CONACULTA, a través del INAH, desarrolló el proyecto de reestructuración integral de las salas de exhibición del Museo Nacional de Antropología, y en 1999, en su primera etapa, se renovaron seis salas, entre ellas la Mexica. Para su realización, el curador Felipe Solís convocó y consultó a los más destacados investigadores de la cultura náhuatl, del arte prehispánico y de la arqueología mexica: Miguel León Portilla, Beatriz de la Fuente, Alfredo López Austin, Eduardo Matos Moctezuma y Leonardo López Luján. Se consideraron trascendentales las aportaciones científicas del proyecto Templo Mayor, que permitieron la presentación de gran relevancia académica en la nueva sala del Mundo Mexica inaugurada en 1999.

[58] En enero del año 2000, al descubrir la ofrenda 102 del Templo Mayor, los arqueólogos encontraron materiales de origen prehispánico, especialmente papel y tela, nunca antes descubiertos en estas condiciones, hecho que ha permitido enriquecer nuestros conocimientos acerca de las técnicas y usos rituales de los mexicas (Barrera Rivera, Gallardo Parodi y Montúfar López, 2001: 70- 77).

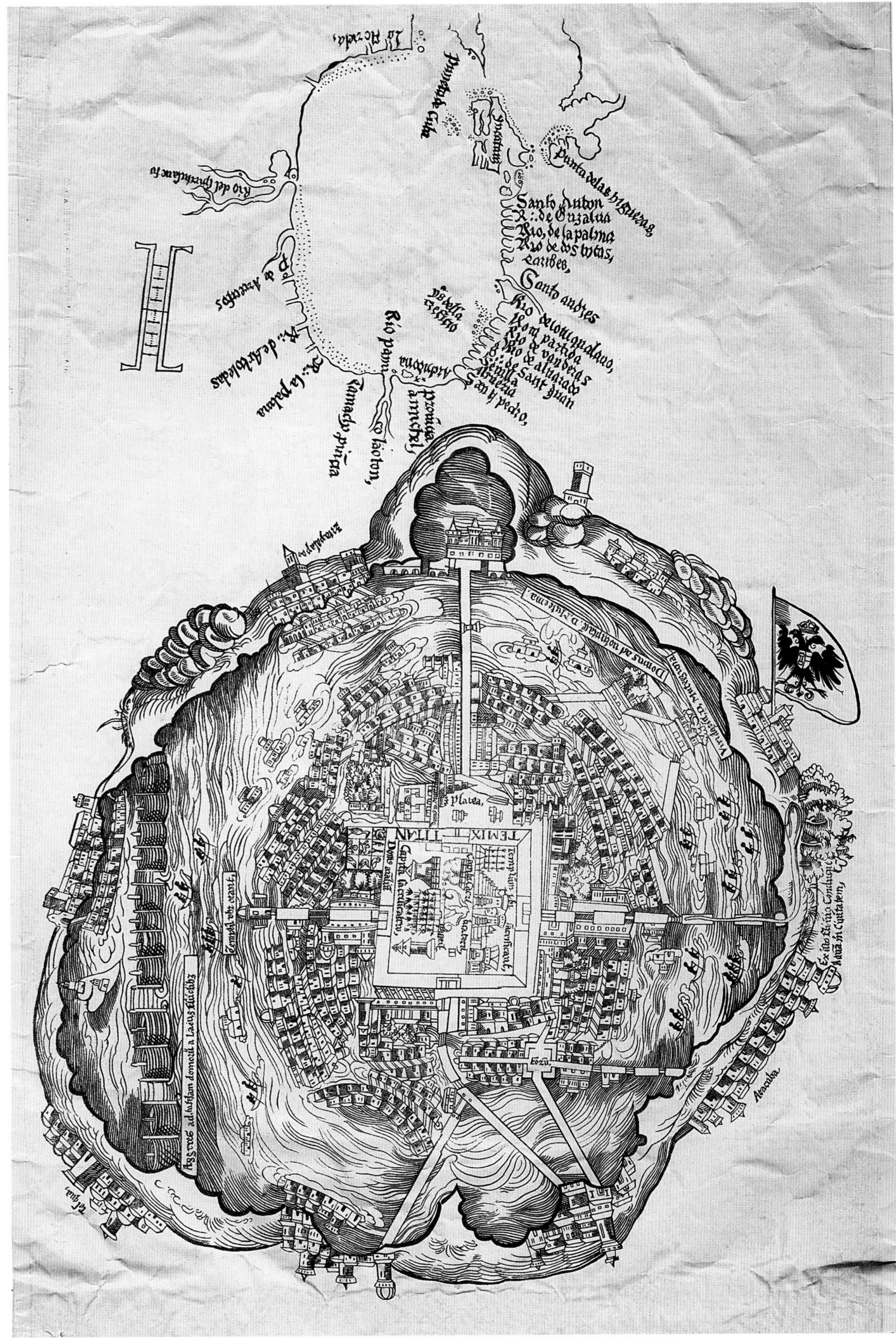

PLANO DE LA CIUDAD DE TENOCHTITLAN ATRIBUIDO A HERNÁN CORTÉS, PUBLICADO EN LA PRIMERA EDICIÓN DE LAS CARTAS DE RELACIÓN, NUREMBERG, 1524

LA PIEDRA DEL SOL DIBUJADA POR ANTONIO DE LEÓN Y GAMA Y PUBLICADA EN DESCRIPCIÓN HISTÓRICA Y CRONOLÓGICA DE LAS DOS PIEDRAS, 1792

PEDRO GUALDI CLAUSTRO DE LA REAL Y PONTIFICIA UNIVERSIDAD DE MÉXICO. EN EL EXTREMO IZQUIERDO SE APRECIA UNA REJA TRAS LA CUAL ESTÁ LA ESCULTURA DE COATLICUE.

IGNACIO MARQUINA (1888-1981)

IGNACIO MARQUINA ELABORÓ DIBUJOS, PLANOS Y LA MAQUETA MONUMENTAL DEL RECINTO SAGRADO DE MÉXICO-TENOCHTITLAN, BASÁNDOSE EN LAS FUENTES HISTÓRICAS Y EN LOS POCOS VESTIGIOS ARQUEOLÓGICOS QUE SE CONOCÍAN EN LA ÉPOCA

COYOLXAUHQUI, DESCUBIERTA EN MARZO
DE 1830 EN LA CALLE DE SANTA TERESA

EL SOL DE LA GUERRA FLORIDA

LEOPOLDO BATRES (1852-1926)
CALLE DE LAS ESCALERILLAS

PLACA ESTILO MAYA

OLLA

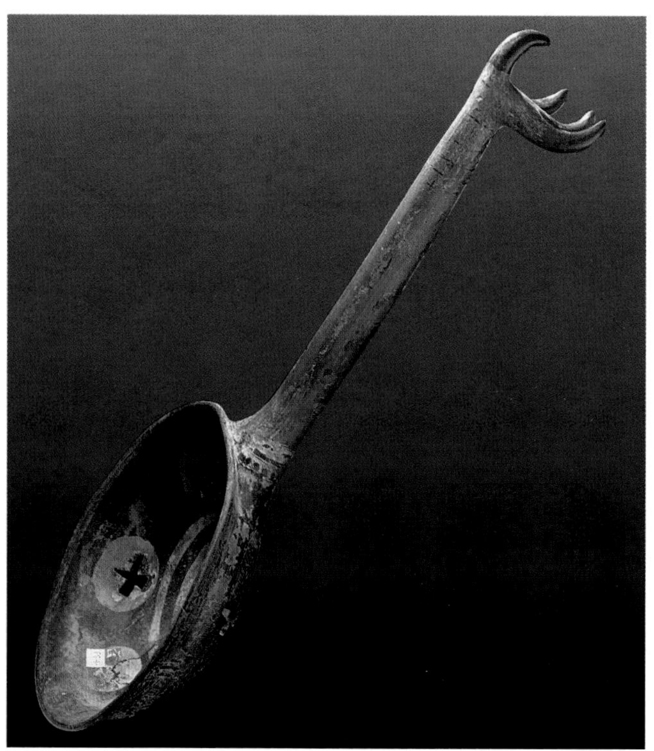

SAHUMADOR

MANUEL GAMIO (1883-1960)
CALLE DE SANTA TERESA

MANUEL GAMIO (A LA IZQUIERDA) CON DOS PERSONAS NO IDENTIFICADAS EN LOS VESTIGIOS DEL TEMPLO MAYOR DESCUBIERTOS POR ÉL

EDUARDO NOGUERA (1896-1977)
EL VOLADOR

OLLA CHOLULTECA, PROCEDENTE DE LAS EXCAVACIONES EN EL VOLADOR, 1936-1939

REPRESENTACIONES DEL DIOS DEL VIENTO EHÉCATL. DESCUBIERTO DURANTE UN SALVAMENTO ARQUEOLÓGICO EN EL ESTACIONAMIENTO DEL SINDICATO NACIONAL DE TRABAJADORES DE LA EDUCACIÓN

ÁGUILA CUAUHXICALLI DESCUBIERTA EN LA CASA DE LOS MARQUESES DEL APARTADO, EN LA CALLE DE ARGENTINA EN EL CENTRO DE LA CIUDAD DE MÉXICO

PABLO MARTÍNEZ DEL RÍO (1892-1963) Y ANTONIETA ESPEJO
TLATELOLCO (1944-1948)

PABLO MARTÍNEZ DEL RÍO, INICIÓ LAS EXCAVACIONES EN TLATELOLCO, DE 1944 A 1948

ANTONIETA ESPEJO, PARTICIPÓ EN EL PROYECTO TLATELOLCO JUNTO CON PONCIANO SALAZAR Y ROBERT BARLOW

PLATO DEL ÁGUILA BICÉFALA
PROCEDENTE DE LAS EXCAVACIONES
DE FRANCISCO GONZÁLEZ RUL EN
TLATELOLCO DE 1960 A 1964

EDUARDO CONTRERAS
TLATELOLCO

EDUARDO CONTRERAS
EXCAVÓ EN TLATELOLCO
DE 1965 A 1968

PIPA CON FORMA DE
PERICO Y DIOS XIPE
TOTEC PROCEDENTES DE
LAS EXCAVACIONES DE
EDUARDO CONTRERAS
EN TLATELOLCO

EDUARDO MATOS Y SALVADOR GUILLIEM

PROYECTO TLATELOLCO
TEMPLO DE EHÉCATL QUETZALCÓATL

LA EXCAVACIÓN FUE EMPRENDIDA POR SALVADOR GUILLIEM, BAJO LA COORDINACIÓN DE EDUARDO MATOS MOCTEZUMA DE 1987 A 1989. DIBUJO DE SALVADOR GUILLIEM Y FERNANDO BOTAS

EXCAVACIÓN DE LAS OFRENDAS Y ENTIERROS A EHÉCATL-QUETZALCÓATL.

DIOS EHÉCATL QUE PRESIDÍA UNA ENORME OFRENDA DEDICADA EN SU HONOR

TLACUACHE Y SU CRÍA PROCEDENTE
DE LA GRAN OFRENDA DEDICADA
AL DIOS EHÉCATL EN TLATELOLCO

SERPIENTE DE CASCABEL PROCE-
DENTE DE LA MISMA OFRENDA

LA DIOSA COYOLXAUHQUI EN SU SITIO ORIGINAL DURANTE LA ÉPOCA DE SU HALLAZGO.
EL PROYECTO TEMPLO MAYOR ES DIRIGIDO POR EDUARDO MATOS MOCTEZUMA DESDE 1978

LIBERACIÓN DE LA CABEZA DE SERPIENTE QUE REMATA LA ALFARDA NORTE DEL TEMPLO DE HUITZILOPOCHTLI, 1978

RETÍCULA QUE MARCA EL INICIO DE LAS EXCAVACIONES EN LA SECCIÓN II

ETAPAS CONSTRUCTIVAS DEL TEMPLO MAYOR

CÁMARA II. CUENCA ESFÉRICA EN PIEDRA VERDE
ESCULTURA DE ALABASTRO (XIUHTECUHTLI)
ESCULTURA DE PIEDRA VERDE (TLÁLOC)
18 FIGURAS ANTROPOMORFAS PROCEDENTES DE MEZCALA, GUERRERO, EN PIEDRA VERDE, ALGUNAS CON PIGMENTOS; 10 MÁSCARAS TIPO MEZCALA EN PIEDRA VERDE

TRES MÁSCARAS TIPO
MEZCALA EN PIEDRA VERDE

FIGURAS ANTROPOMORFAS
EN PIEDRA VERDE CON
PIGMENTO TIPO MEZCALA

FIGURA DE TLÁLOC
EN PIEDRA VERDE

CUENTA ESFÉRICA
DE PIEDRA VERDE

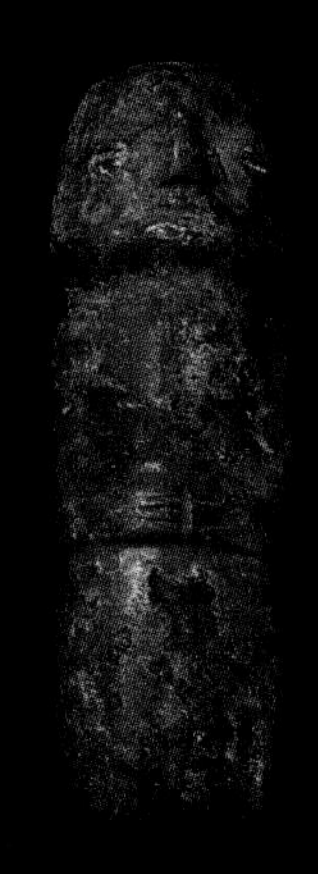

PROGRAMA DE ARQUEOLOGÍA URBANA
OFRENDA 102 DEL TEMPLO MAYOR
CASA DE LAS AJARACAS

OFRENDA 102 DEL PROGRAMA DE ARQUEOLOGÍA URBANA EN LA CASA DE LAS AJARACAS

TOCADO DE PAPEL Y XICOLLI O CHALECO PROCEDENTES DE LA MISMA OFRENDA

BOTELLÓN PROCEDENTE
DE LAS EXCAVACIONES
DEL PROGRAMA DE
ARQUEOLOGÍA URBANA
BAJO LA CATEDRAL
Y EL SAGRARIO
METROPOLITANO

BIBLIOGRAFÍA

UN POCO DE HISTORIA
EDUARDO MATOS MOCTEZUMA

Acosta, Joseph de, 1940, *Historia natural y moral de las Indias*, México.

Durán, fray Diego, 1951, *Historia de las Indias de la Nueva España e Islas de la tierra firme*, México, Editorial Nacional.

Gamio, Manuel, 1916, *Forjando patria*, México, Porrúa Hermanos.

Historia de los mexicanos por sus pinturas, 1941, Nueva Colección para la Historia de México, México, Chávez Hayhoe.

Kirchoff, Paul, 1967, *Mesoamérica*, México, SAENAH.

Landa, fray Diego, 1978, *Relación de las cosas de Yucatán*, México, Porrúa.

Recinos, Adrián, 1971, *Popol-Vuh, las antiguas historias del Quiché*, México, FCE.

Sahagún, fray Bernardino de, 1956, *Historia general de las cosas de la Nueva España*, 4 tomos, México, Porrúa.

ARQUEOLOGÍA MESOAMERICANA, PREHISTORIA
JOAQUÍN GARCÍA-BÁRCENA

Acosta, José de, 1590, *Historia natural y moral de las Indias*, Sevilla.

Aveleyra Arroyo de Anda, Luis, 1950, *Prehistoria de México*, México, Ediciones Mexicanas.*

——, 1964, *El sacro de Tequixquiac*, México, INAH.

——, 1967, *Los cazadores primitivos en Mesoamérica*, México, UNAM.

Bernal, Ignacio, 1979, *Historia de la arqueología en México*, México, Porrúa.

Daniel, Glyn,** 1976, *A hundred and fifty years of archaeology*, Cambridge, Mass, Harvard University Press.

De Terra, Helmut *et al.*, 1949, *Tepexpan man*, Nueva York, Viking Fund Publications in Anthropology.

García-Bárcena, Joaquín, 1993, "Prehistoria, sedentarización y las primeras civilizaciones de Mesoamérica", en L. Arizpe (coord.), *Antropología breve de México*, México, Academia de la Investigación Científica, pp. 13-155.

García Cook, Ángel, 1967, *Análisis tipológico de artefactos*, México, INAH.

Lorenzo, José Luis, 1954, "Técnicas de exploración arqueológica: empleo de las coordenadas cartesianas según G. Laplace-Jauretche y L. Meroc", en *Tlatoani*, 10, México, ENAH, pp. 18-21.

——, 1957, "Técnicas auxiliares de la arqueología moderna", en *Cuadernos del Seminario de Problemas Científicos y Filosóficos*, 2ª serie, 8, México, UNAM.***

——, 1961, *La revolución neolítica en Mesoamérica*, México, INAH.

——, 1965, *La etapa lítica en México*, México, INAH.

McNeish, Richard S., 1964, *El origen de la agricultura visto desde Tehuacán*, México, INAH.

Martínez del Río, Pablo, 1951, *Los orígenes americanos*, México, Páginas del Siglo XX.

Mirambell, Lorena, 1964, *Estudio microfotográfico de artefactos líticos*, México, INAH.

* La información sobre los antecedentes acerca de la investigación prehistórica en México derivan de esta publicación, aunque las conclusiones a las que se llega en este trabajo no necesariamente coinciden con las del autor.

** Glyn Daniel presenta su interpretación del desarrollo de la arqueología a nivel mundial, centrada en las concepciones de Europa occidental. Aunque la información que él proporciona al respecto se ha usado, sus conclusiones no necesariamente coinciden con las que aquí se presentan.

*** Aunque esta concepción pudo concretarse a través de la creación de los laboratorios del Departamento de Prehistoria, en el texto no se mencionan los resultados que se obtuvieron. En consecuencia, a continuación aparecen algunas referencias tempranas acerca de lo que los diversos laboratorios lograron desarrollar: en algunos casos, se trata de logros dentro de su especialidad, que pudieran ser aplicables al estudio de la arqueología prehistórica; en otros, se trata de conocimientos de otros campos que se aplican a la resolución de incógnitas arqueológicas. A continuación se mencionan estos ejemplos:

Álvarez, Ticul, 1965, *Catálogo paleomastozoológico mexicano*, México, INAH.

García-Bárcena, Joaquín, 1974, *Fechamiento por hidratación de la obsidiana*, México, INAH.

González Quintero, Lauro, 1968, *Morfología polínica: la flora del Valle del Mezquital, Hidalgo*, México, INAH.

Musiño Alemán, R., 1960, *Factores determinantes del clima en la República Mexicana*, México, INAH.

Sotomayor, A. y N. Castillo Tejero, 1966, *Estudio petrográfico de la cerámica "Anaranjado delgado"*, México, INAH.

Willey, Gordon R. y J. A. Sabloff, 1993, *A history of American Archaeology*, Nueva York, W. H. Freeman and Co.

HISTORIA DE LA ARQUEOLOGÍA OLMECA
BEATRIZ DE LA FUENTE

Beltrán, Albert, 1965, "Reportaje gráfico del hallazgo de Las Limas", en *Boletín del INAH*, núm. 21, México, Instituto Nacional de Antropología e Historia, pp. 9-16.

Benson, Elizabeth P. (ed.), 1968, *Dumbarton Oaks Conference on the Olmec*, Washington, D.C.

——, 1981, *The Olmec and Their Neighbors: Essays in Memory of Mathew W. Stirling*, Washington, D.C.

—— y Beatriz de la Fuente (eds.), 1996, *Olmec Art of Ancient México*, Washington, National Gallery of Art.

Bernal, Ignacio, 1968, *El mundo olmeca*, México, Porrúa.

Beverido, Francisco, 1970, "San Lorenzo, Tenochtitlán y la civilización olmeca". Tesis de maestría, Xalapa, Facultad de Antropología-Universidad Veracruzana.

——, 1971, "La estela Covarrubias de Tres Zapotes, Veracruz". Reporte mimeografiado.

——, 1996, *Estética olmeca*, Xalapa, Universidad Veracruzana (Serie Biblioteca).

Beyer, Hermann, 1927, "Review of Blom and La Farge. *Tribes and Temples*", en *El México Antiguo*, vol. II, México, pp. 305-313.

Blom, Frans y Oliver La Farge, 1926, *Tribes and Temples. A Record of the Expedition to Middle America conducted by the Tulane University of Louisiana in 1925*, 2 vols., Nueva Orleans, Tulane University Press.

Brüggeman, Jürgen y Marie-Areti Hers, 1970, "Exploraciones arqueológicas en San Lorenzo Tenochtitlán", en *Boletín del INAH*, núm. 39, México, Instituto Nacional de Antropología e Historia, pp. 18-23.

Caso, Alfonso, 1942, "Definición y extensión del complejo olmeca", en *Mayas y olmecas*. Segunda Reunión de Mesa Redonda sobre Problemas Antropológicos de México y Centro América, México, Sociedad Mexicana de Antropología, pp. 43-46.

——, 1965, "¿Existió un imperio olmeca?", en *Memoria de El Colegio Nacional*, t. V, núm. 3, México, El Colegio Nacional, pp. 3-52.

Chavero, Alfredo, 1887, "Historia antigua y de la Conquista", en *México a través de los siglos*, vol. 1, México, Riva Palacio Ed.

Clark, John (coord.), 1994, *Los olmecas en Mesoamérica*, México, Citibank.

Clewlow, Carl William, Jr., R. A. Cowan, J. F. O'Connell y C. Benemman, 1967, *Colossal Heads of the Olmec Culture. Contributions of the University of California Archeological Research Facility*, 4, Berkeley, Cal.

Coe, Michael D., 1962, *México*, Barcelona, Argos.

——, 1965a, "Archaeological Sintesis of Southern Veracruz and Tabasco", en *Handbook of Middle American Indians*, vol. 3, Austin, University of Texas Press, pp. 679-715.

——, 1965b, "The Olmec Style and Its Distribution", en *Handbook of Middle American Indians*, vol. 3, Austin, University of Texas Press, pp. 739-775.

——, 1968, *America's First Civilization: Discovering the Olmec*, Nueva York/Washington, American Heritage Publishing Co/Smithsonian Library.

——, 1972, "Olmec Jaguars and Olmec Kings", en Elizabeth P. Benson (ed.), *The Cult of the Feline*, Washington, D.C., Dumbarton Oaks Research Library and Collection, pp. 1-12.

—— y Richard Diehl, 1980, *In the Land of the Olmec*, 2 vols., Austin/Londres.

Covarrubias, Miguel, 1942, "Origen y desarrollo del estilo artístico olmeca", en *Mayas y olmecas*. Segunda Reunión de Mesa Redonda sobre Problemas Antropológicos de México y Centroamérica, México, Sociedad Mexicana de Antropología, pp. 46-49.

——, 1961, *Arte indígena de México y Centroamérica*, México, Universidad Nacional Autónoma de México.

Cyphers, Ann, 1992, "Escenas escultóricas olmecas", en *Antropológicas*, Nueva época, núm. 6, abril, pp. 47-52.
——, 1994, "San Lorenzo Tenochtitlán", en John E. Clark (ed.), *Los olmecas en Mesoamérica*, México, Citibank, pp. 43-67.
——, 2001, "Resumen del Proyecto arqueológico San Lorenzo Tenochtitlán", comunicación personal, informe escrito, abril.
—— (coord.), 1997, *Población, subsistencia y medio ambiente en San Lorenzo Tenochtitlán*, México, Instituto de Investigaciones Antropológicas-Universidad Nacional Autónoma de México.
——, Stacey Symonds y Roberto Lunagómez, 2001, *Asentamiento prehispánico en San Lorenzo Tenochtitlán*, México, UNAM.
De la Fuente, Beatriz, 1973, *Escultura monumental olmeca. Catálogo*, México, Instituto de Investigaciones Estéticas-Universidad Nacional Autónoma de México.
——, 1975, *Las cabezas colosales olmecas*, México, Fondo de Cultura Económica (Serie Testimonios del Fondo).
——, 1977, *Los hombres de piedra. Escultura olmeca*, México, Universidad Nacional Autónoma de México.
——, 1981, "Toward a Conception of Monumental Olmec Art", en Elizabeth P. Benson (ed.), *The Olmec and Their Neighbors: Essays in Memory of Mathew W Stirling*, Washington, D.C., Dumbarton Oaks.
——, 1987 "Tres cabezas colosales olmecas procedentes de San Lorenzo Tenochtitlán, en el nuevo Museo de Antropología de Xalapa", en *Anales del Instituto de Investigaciones Estéticas*, núm. 58, México, Instituto de Investigaciones Estéticas-Universidad Nacional Autónoma de México, pp. 13-28.
——, 1992a, *Cabezas colosales olmecas*, México.
——, 1992b, "Order and Nature in Olmec Art", en Richard F. Townsend (ed.), *The Ancient Americas: Art from Sacred Landscapes*, Chicago, The Art Institute of Chicago, pp. 120-133.
Drucker, Philip, 1943, *Ceramic Sequences at Tres Zapotes, Veracruz, México. Bureau of American Ethnology, Bulletin*, 140, Washington, D.C., Smithsonian Institution.
——, 1947, *Some implications of the Ceramic Complex of La Venta*, vol. 107, núm. 8, Washington, D.C., Smithsonian Miscellaneous Collections.
——, 1952, *La Venta, Tabasco: A Study of Olmec Ceramics and Art, Bureau of American Ethnology, Bulletin*, 153, Washington, D.C., Smithsonian Institution.
——, 1955, *The Cerro de las Mesas Offering of Jade and Other Materials, Bureau of American Ethnology Bulletin*, 157, Anthropological Papers, núm. 44, Washington, D.C.
—— y Eduardo Contreras, 1953, "Site Patterns in the Eastern Part of Olmec Territory", en *Journal of the Washington Academy of Sciences*, vol. 43, Baltimore, pp. 389-396.
—— y Robert F. Heizer, 1956, "Gifts for the Jaguar God", en *National Geographic Magazine*, vol. CX, Washington, D.C., pp. 366-375.
——, Robert F. Heizer y Robert Squier, 1959, *Excavations at La Venta, Tabasco, 1955, Bureau of American Ethnology Bulletin*, 170, Washington, D.C.
González Lauck, Rebecca, 1988, "Proyecto Arqueológico La Venta", en *Arqueología*, 4, pp. 121-165.
——, 1989, "Recientes investigaciones en La Venta, Tabasco", en M. Carmona Macías (ed.), *El Preclásico o Formativo: Avances y perspectivas: Seminario de Arqueología Dr. Román Piña Chan*, México, pp. 81-89.
——, 2001 "Proyecto arqueológico La Venta: la protección, investigación y restauración de un sitio olmeca en Tabasco". Comunicación personal, informe escrito, abril.
Grove, David C., Susan D. Gillespie, Ponciano Ortiz C. y Michael Hayton, 1993, "Five Olmec Monuments from the Laguna de los Cerros Hinterland", en *Mexicon*, 15, pp. 91-95.
Heizer, Robert F., 1968, "New Observations on La Venta", en Elizabeth P. Benson (ed.), *Dumbarton Oaks Conference on the Olmec*, Washington, D.C., Dumbarton Oaks Research Library and Collection, pp. 9-36.
——, John A. Graham y C. W. Clewlow, Jr. (eds.), 1971, *Observations on the Emergence of Civilization in Mesoamerica. Contributions of the University of California Archaeological Research Facility*, 11, Berkeley, Cal.
Historia Tolteca-Chichimeca, 1947, versión preparada y anotada por Heinrich Berlin en colaboración con Silvia Rendón, prólogo de Paul Kirchhoff, México, Antigua Librería Robredo de José Porrúa.
Jiménez Moreno, Wigberto, 1942, "El enigma de los olmecas", en *Cuadernos Americanos*, año 1, núm. 5, México, pp. 113-135.
Joralemon, Peter David, 1971, *A Study of Olmec Iconography. Studies in Pre-Columbian Art and Archaeology*, núm. 7, Washington, D.C., Dumbarton Oaks Research Library and Collection.
——, 1976 "The Olmec Dragon: A Study in Pre-Columbian Iconography", en H. B. Nicholson (ed.), *Origins of Religious Art and Iconography in Preclassic Mesoamerica*, Los Angeles, pp. 27-71.
Kubler, George, 1962, *The Art and Architecture of Ancient America*, Baltimore, Penguin Books.
Kunz, George F., 1889, "Sur une hâche votive gigantesque au jadeite, de l'Oaxaca et sur un pectoral en jadeite du Guatemala", en *Dixième Session Congrès International d'Anthropologie et d'Archéologie Préhistorique*, París, pp. 517-523.
Medellín Zenil, Alfonso, 1960, "Monolitos inéditos olmecas", en *La palabra y el hombre*, vol. XVI, Xalapa, pp. 75-97.
——, 1965, "La escultura de Las Limas", en *Boletín del INAH*, núm. 21, México, Instituto Nacional de Antropología e Historia, pp. 5-8.
——, 1971, *Monolitos olmecas y otros en el Museo de la Universidad de Veracruz. Corpus Antiquitatum Americanesium*, vol. V, México, Instituto Nacional de Antropología e Historia.
Melgar y Serrano, José María, 1869, "Antigüedades mexicanas, notable escultura antigua", en *Boletín de la Sociedad Mexicana de Geografía y Estadística*, Época 2, vol. I, México, Sociedad Mexicana de Geografía y Estadística, pp. 292-297.
——, 1871 "Estudios sobre las antigüedades y el origen de la cabeza colosal de tipo etiópico que existe en Hueyapan del Cantón de los Tuxtlas", en *Boletín de la Sociedad Mexicana de Geografía y Estadística*, Época 2, vol. III, México, Sociedad Mexicana de Geografía y Estadística, pp. 104-109.
Ortiz Cevallos, Ponciano y María del Carmen Rodríguez, 1989, "Proyecto Manatí 1989", en *Arqueología*, 1, México, Dirección de Monumentos Prehispánicos-INAH, pp. 23-52.
Piña Chan, Román, 1972, *Historia, arqueología y arte prehispánico*, México, Fondo de Cultura Económica.
——, 1982, *Los olmecas antiguos*, México.
——, 1990, *Los olmecas. La cultura madre*, Barcelona/Madrid, Lunwerg Editores.
—— y Miguel Covarrubias, 1964, *El pueblo del jaguar. Los olmecas arqueológicos*, México, Consejo para la Planeación e Instalación del Museo Nacional de Antropología.
Pohorilenko, Anatole, 1990, "The Structure and Periodization of the Olmec Representational System". Tesis doctoral, Tulane University.
Princeton University, 1995, *The Olmec World: Ritual and Rulership* (Catálogo de la exhibición), The Art Museum, Princeton.
Reylli, Kent, III, 1994, "Cosmología, soberanismo y espacio ritual en la Mesoamérica del Formativo", en John F. Clark (ed.), *Los olmecas en Mesoamérica*, México, Citibank, pp. 239-259.
Saville, Marshall H., 1900, "A Votive Adze of Jadeite from Mexico", en *Monumental Records*, vol. I, Nueva York, pp. 138-140.
——, 1929 "Votive Axes from Ancient Mexico, parts 1 and 2", en *Indian Notes*, vol. VI, Nueva York, Museum of the American Indians Heye Foundation, pp. 266-299, 335-342.
Seler, Eduard, 1906, "Die Monument von Huilocintla im Canton Tuxpan des Staates Vera Cruz", en *Compte rendu de la Xvème Session du Congrès International des Americanistes*, vol. 2, Québec, pp. 381-387.
Seler-Sachs, Caecilie, 1922, "Altertümer des Kanton Tuxtla im Staate Veracruz", en W. Lehmann (ed.), *Festschrift Eduard Seler*, Stuttgart, Strecker und Schroeder, pp. 543-556.
Stirling, Mathew W., 1939, "Discovering the New World's Oldest Dated Work of Man", en *National Geographic Magazine*, vol. LXXVI, Washington, D.C., pp. 183-218.
——, 1940a, "An Initial Series from Tres Zapotes, Veracruz, Mexico", en *Contributed Technical Papers. Mexican Archaeology Series*, vol. I, núm. 1, Washington, D.C.
——, 1940b, "Great Stone Faces of the Mexican Jungle", en *National Geographic Magazine*, vol. LXXVIII, Washington, D.C., pp. 309-334.
——, 1941, "Expedition Unearths Buried Masterpieces of Carved Jade", en *National Geographic Magazine*, vol. LXXX, Washington, D.C., pp. 277-302.
——, 1943a, *Stone Monuments of Southern Mexico. Bureau of American Ethnology, Bulletin*, 138, Washington, D.C., Smithsonian Institution.

——, 1943b, "La Venta's Green Stone Tigers", en *National Geographic Magazine*, vol. LXXXIV, Washington, D.C., pp. 321-332.

——, 1946, "Culturas de la región olmeca", en *México Prehispánico*, México, Ed. Emma Hurtado, pp. 293-298.

——, 1947, "On the Trail of La Venta Man", en *National Geographic Magazine*, vol. XCI, Washington, D.C., pp. 137-172.

——, 1955 "Stone Monuments of the Río Chiquito", en *Bureau of American Ethnology, Bulletin*, 157, Anthropological Papers, núm. 43, Washington, D.C., Smithsonian Institution, pp. 5-23.

——, 1965, "Monumental Sculpture of Southern Veracruz and Tabasco", en *Handbook of Middle American Indians*, vol. 3, Texas, University of Texas Press, pp. 716-738.

——, 1968, "Early History of the Olmec Problem", en Elizabeth P. Benson (ed.), *Dumbarton Oaks Conference on the Olmec*, Washington, D.C., Dumbarton Oaks Research Library and Collection, pp. 1-8.

Westheim, Paul, 1950, *Arte antiguo de México*, México, Fondo de Cultura Económica.

——, 1957, *Ideas fundamentales del arte prehispánico*, México, Fondo de Cultura Económica.

Weyerstall, Albert, 1932, "Some Observations on Indian Mounds, Idols and Pottery in the Lower Papaloapan Basin, State of Veracruz, Mexico", en *Middle American Papers. Middle American Research Series*, núm. 4, Nueva Orleans, Tulane University, pp. 23-69.

LA ZONA ORIENTAL: DONDE LOS DIOSES PAREN AL SOL
RUBÉN B. MORANTE LÓPEZ

Acosta L. *et al., Museo de Antropología de Xalapa,* México, Gobierno del Estado de Veracruz.

Aguilar López Yolanda, *El estreno del oficio de antropólogo en Veracruz,* México, INAH (Colección Científica).

Aguirre Beltrán, G., "La universidad latinoamericana y otros ensayos", en *Revista de la Biblioteca de la Facultad de Filosofía y Letras de la Universidad Veracruzana,* núm. 10, Xalapa, Veracruz, México.

——, *La población negra en México, estudio etnohistórico,* México, Fondo de Cultura Económica.

——, "Autoevaluación", en *Gaceta*, núm. 32, septiembre, Universidad Veracruzana, Xalapa, Veracruz, México, pp. 10-14.

Arellanos M., Ramón, "El Instituto de Antropología de la UV y la arqueología subacuática", en *Antropología e Historia en Veracruz,* Gobierno del Estado de Veracruz/Universidad Veracruzana, Xalapa, Veracruz, México, pp. 277-290.

Batres, Leopoldo, *La lápida arqueológica de Tepatlaxco-Orizaba,* México, Talleres Gráficos de la Nación.

——, 1908, *Civilización prehistórica de las riveras del Papaloapan y costa de Sotavento, Estado de Veracruz,* México, Editorial Busnego y León.

Brizuela Absalón, Álvaro, "El Museo de Antropología de la UV, Ms. de la ponencia presentada en el Coloquio 4º Años de la antropología en Veracruz, Xalapa, Ver. 24 de junio.

Brüggemann, Jürgen *et al, Tajín,* México, Gobierno del Estado de Veracruz.

—— *et al,* 1992, *Tajín*, México, Citybank.

Castro, Carlo Antonio, "Convenio de la Universidad Veracruzana y el INAH", en *La Palabra y el Hombre,* núm. 4, Universidad Veracruzana, Xalapa, Veracruz, México.

——, *Ciencias sociales en México, desarrollo y perspectivas,* México, El Colegio de México.

——, "Aguirre Beltrán, Vocación por los libros", en *Gaceta,* núm. 32, septiembre, Universidad Veracruzana, Xalapa, Veracruz, México, pp. 31-35.

Cortés Hernández, Jaime, "Vega de la Peña y Cuajilote", en *Arqueología Mexicana,* vol. II, núm. 9, México, INAH, pp. 76-79.

——, "Reserva ecológica de Filobobos", en *Arqueología Mexicana,* vol. II, núm. 10, México, INAH, pp. 54-59.

Cuevas Mesa, Berta, "Problemas arqueológicos en Carrizal, Veracruz", Actas de la XII Mesa Redonda de la Sociedad Mexicana de Antropología, Xalapa, Veracruz, México.

De la Peña, Guillermo, "Nacionales y extranjeros en la historia de la antropología mexicana", en *La historia de la antropología en México: fuentes y transmisión,* Universidad Iberoamericana/Plaza y Valdés.

García Vega, Agustín, "Exploraciones en El Tajín, temporada 1934-1938", en *Actas del XXVII Congreso Internacional de Americanistas,* t. II, México, pp. 78-87.

García Payón, José y Omar Gordillo Ruiz, "José García Payón en Tajín", en *Arqueología Mexicana,* vol. I, núm. 5, México, INAH, pp. 54-56.

Gorbea Soto, Alfonso, "Algunas tareas de la antropología en Veracruz en los últimos 40 años", en *Antropología e Historia en Veracruz,* México, Gobierno del Estado de Veracruz/Universidad Veracruzana, Xalapa, Ver., pp. 455-460.

Hernández Viveros, Raúl, "Vida y movimiento de Alfonso Medellín", en *Antropología e Historia en Veracruz,* México, Gobierno del Estado de Veracruz/ Universidad Veracruzana, Xalapa, Veracruz pp. 385-404.

Ichón, Alain, 1973, *La religión de los totonacas de la sierra,* México, INI.

Krickeberg, Walter, 1933, *Los totonaca,* México, Museo Nacional.

Marquina, Ignacio, 1991, *Arquitectura prehispánica,* México, INAH/SEP.

Matos Moctezuma, Eduardo, "Cincuenta años de arqueología en México", en *Cultura Mexicana 1942-1992,* México, Seminario de Cultura Mexicana, pp. 255-278.

Meade de Angulo, Mercedes, "Joaquín Meade Sainz-Trápaga", en Odena Lina y García, Carlos (coords.), *La antropología en México: panorama histórico. Los protagonistas,* t. 11, México, INAH.

Medellín Zenil, Alfonso, *Cerámicas del Totonacapan,* México, Universidad Veracruzana, Xalapa, Veracruz.

——, *Guía oficial del Museo de Antropología de la Universidad Veracruzana,* México, Editora del Gobierno del Estado, Xalapa, Veracruz.

——, *Obras maestras del Museo de Xalapa,* México, Studio Beatrice Trueblood.

——, *Nopiloa, Exploraciones arqueológicas,* México, Biblioteca, Universidad Veracruzana, Xalapa, Veracruz.

Melgarejo Vivanco, José Luis, *Memoria sintética,* México, Departamento de Antropología/Gobierno del Estado de Veracruz., Xalapa, Veracruz.

Michelet, Dominique, *Río Verde, San Luis Potosí,* México, Instituto de Cultura de San Luis Potosí/Centro de Estudios México y Centro América (CEMCA-Embajada de Francia).

Noguera, Eduardo, *Cultura totonaca, México prehispánico,* México.

——, 1946, *Cultura huasteca, México prehispánico,* México.

Ortiz Cevallos, Ponciano, "Las investigaciones arqueológicas en Veracruz", en *La Palabra y el Hombre,* t. 64, México, Universidad Veracruzana, Xalapa, Veracruz, pp. 57-95.

——, "La arqueología en Veracruz", en García, Carlos y Mejía Mercedes (coords.), *La antropología en México: panorama histórico. Los protagonistas,* tomo 13, México, INAH, pp. 395-465.

Palacios Enrique, Juan, "La pirámide de Tajín", en *Revista Mapa México,* t. I, núm. 5, México, pp. 17-22.

Palerm, Ángel, 1976, "Introducción", en *Obra polémica,* México, CISINAH.

Pascual, Arturo, 1990, *Iconografía arqueológica de El Tajín,* México, Fondo de Cultura Económica.

Reyes Couturier, Teófilo, "Roberto Williams García", en Odena Lina y García, Carlos (coords.), *La antropología en México: panorama histórico. Los protagonistas,* t. 11, México, INAH.

Rodríguez García Ignacio, "Recursos ideológicos del Estado Mexicano, el caso de la arqueología", en Meththild, Rutsch (comp.), *La historia de la antropología en México: fuentes y transmisión,* Universidad Iberoamericana/Plaza y Valdés.

Ruiz Gordillo, Omar, "Wilfrido du Solier Massieu", en Odena Lina y García, Carlos (coords.), *La antropología en México: panorama histórico. Los protagonistas.* t. 10, México, INAH, pp. 27-29.

——, "José Gracía Payón", en Odena Lina y García, Carlos (coords.), *La antropología en México: panorama histórico. Los protagonistas,* t. 10, México, INAH, pp. 133-138.

——, *Paxil: La conservación en una zona arqueológica de la región de Misantla, Veracruz,* México, INAH (Col. Textos Básicos).

Stark, Barbara y Arnold III Philip, *Olmec to Aztec: Settlement Patterns in the Ancient Gulf Lowlands,* Tucson, Estados Unidos, The University of Arizona Press.

Stresser-Péan Guy, *San Antonio Nogalar,* México, CIESAS/El Colegio de San Luis/UAT /CEMCA.

Torres Guzmán, Manuel, "Hallazgos en El Zapotal, Informe preliminar", en *Boletín* INAH, época II, México, pp. 3-8.
Wilkerson, Jeffrey, *Ethnogenesis of the Huastec and Totonacs: Early Cultures of North-Central Veracruz and Santa Luisa,* México. Ph.D. Disertation, Tulane University.
——, "Presencia huasteca y cronología cultural en el norte de Veracruz Central, México", en Lorenzo Ochoa (edit.), *Huastecos y totonacos,* México, CENCA, pp. 257-292.
Williams Roberto, *Los tepehuas,* México, Universidad Veracruzana, Xalapa, Ver.

HISTORIA DE LA ARQUEOLOGÍA DE MESOAMÉRICA, OAXACA
NELLY ROBLES

Ajofrín, fray Francisco de, 1964, *Diario del viaje que hizo a la América en el siglo* XVIII *el P. fray Francisco de Ajofín,* México, Instituto Cultural Hispánico, A.C.
Batres, Leopoldo, 1902, *Exploraciones de Monte Albán. Inspección y conservación de monumentos arqueológicos,* México.
——, 1908, *Reparación y consolidación del edificio de las columnas en Mitla.* México, Buznego y León.
Bernal, Ignacio, 1965, "Archaeological Synthesis of Oaxaca", en *Handbook of Middle American Indians,* vol. 3, Robert Wauchope y Gordon R. Willey, University of Texas Press, Austin.
——, 1979, *Historia de la arqueología en México,* México, Editorial Porrúa.
—— y Lorenzo Gamio, 1974, *Yagul: El Palacio de los Seis Patios,* México, UNAM.
—— y Arturo Oliveros, 1988, *Exploraciones arqueológicas en Dainzú, Oaxaca,* México, INAH (colección Científica).
Blanton, Richard E., 1978, *Monte Albán: Settlement Patterns at the Ancient Zapotec Capital,* Nueva York/Londres, Academic Press.
——, Stephen A. Kowalewski, Gary Feinman y Jill Appel, 1982, *Monte Albán's Hinterland, Part I: Prehispanic Settlement Patterns of the Central and Southern Parts of the Valley of Oaxaca, Mexico,* Memoir 15, Ann Arborm Museum of Anthropology/University of Michigan.
Burgoa, fray Francisco de, 1674, *Palestra geográfica e histórica descripción (1674),* México, Archivo General de la Nación, núm. 24-26, Talleres Gráficos de la Nación, 1934.
Canseco, Alonso de, 1905, "Relaciones geográficas de Oaxaca", en *Papeles de Nueva España,* Madrid, Francisco del Paso y Troncoso.
Caso, Alfonso, 1969, *El tesoro de Monte Albán,* México, INAH/SEP.
——, 1977, *Reyes y reinos de la Mixteca,* México, Fondo de Cultura Económica.
——, Ignacio Bernal y Jorge R. Acosta, 1967, *La cerámica de Monte Albán,* México, INAH/SEP.
Dupaix Guillaume, 1834, "Relation des tríos expeditions pour la recherche des antiquités du pays", en *Antiquités Mexicaines,* París. Reimpresión del Atlas: 1978, México.
Flannery, Kent V., 1986, *Guilá Naquitz,* Nueva York, Academic Press.
—— y Joyce Marcus, 1996, *Zapotec Civilization,* Nueva York, Academic Press.
Gallegos, Roberto, 1978, *El Señor 9 Flor en Zaachila,* México, UNAM.
García Vega, Agustín, 1929, "Estado actual de los principales edificios arqueológicos de México, en *XXIII Congreso Internacional de Americanistas,* México, SEP/Talleres Gráficos de la Nación.
Holmes, William H., 1895-1897, *Archaeological Studies Among the Ancient Cities of Mexico,* Chicago, Field Columbian Museum, Anthropological Series I.
Jiménez, Víctor, 1993, Introducción de E. Mühlenpfordt, *Ensayo de una descripción fiel de la República de Méjico: El estado de Oajaca,* México, Codex Editores.
Joyce, Arthur A., Marcus Winter y Raymond G. Mueller, 1998, *Arqueología de la Costa de Oaxaca,* Centro INAH Oaxaca.
Martínez López, Cira, Robert Markens, Marcus Winter y Michael D. Lind, 2000, *Cerámica de la fase Xoo (época Monte Albán IIB-IV) del Valle de Oaxaca. Proyecto Especial Monte Albán 1992-1994,* Centro INAH Oaxaca.
Ortega Medina, J. y Jesús Monjarás Ruiz, 1984, *Los palacios de los zapotecos en Mitla,* E. A. E. Mühlenpfordt, México, UNAM.
Paddock, John, 1966, *Ancient Oaxaca,* Stanford, California, Stanford University Press.
Prescott, W. H., 1852, *History of the Conquest of México,* Nueva York.
Saville, Marshall, 1909, *Cruciform Structures of Mitla and Vicinity,* Nueva York, Putman Anniversary Volume.
Schávelzon, Daniel, 1990, *La Conservación del Patrimonio Cultural en América Latina. Restauración de Edificios Prehispánicos en Mesoamérica, 1750, 1980,* Buenos Aires, Universidad de Buenos Aires.
Von Müller, Johann Wilhelm, 1998, *Viajes por los Estados Unidos, Canadá y México. De Puebla a Oaxaca,* México, Codees Editores.
Winter, Marcus C., 1976, "The Archaeological Household Cluster in the Valley of Oaxaca", en Kent V. Flannery (ed.), *The Early Mesoamerican Village,* Nueva York, Academic Press, pp. 25-30.
—— (coord.), 1994, *Monte Albán. Estudios recientes. Proyecto especial Monte Albán 1992-1994,* Oaxaca.

ARQUEÓLOGOS MAYISTAS, REVELADORES DEL TIEMPO ANTIGUO
MERCEDES DE LA GARZA

Agurcia Fasquelle, Ricardo, inédito, "Rosalila: el templo del rey sol", Asociación Copán.
—— y Juan Antonio Valdés, *Secretos de dos ciudades mayas. Copán y Tikal,* Costa Rica, Credomatic, 1994.
Alcina Franch, José, 1994, *Arqueólogos o anticuarios. Historia antigua de la arqueología en la América española,* Barcelona, Ediciones del Serbal (Libros del Buen Andar, 39).
Becquelin, Pierre y Claude Baudez, 1979, *Toniná, une Cité Maya du Chiapas (Mexique),* 3 vols., París, Mission Arqueologique et Ethnologique Française au Mexique.
Bernal, Ignacio, 1979, *Historia de la arqueología en México,* México, Porrúa.
Blom, Frans, 1982, *Las ruinas de Palenque, Xupá y Finca Encanto, 1922-1923,* Presentación de Roberto García Moll, México, Instituto Nacional de Antropología e Historia.
—— y Oliver La Farge, 1986, *Tribus y templos,* México, Instituto Nacional Indigenista.
Brunhouse, Robert L., 1989, *En busca de los mayas. Los primeros arqueólogos,* México, Fondo de Cultura Económica.
Castañeda Paganini, Ricardo, 1946, *Las ruinas de Palenque, descubrimiento y primeras exploraciones en el siglo* XVIII, Guatemala, Ministerio de Educación Pública.
Coe, William R., Tikal, 1977, *Guía de las antiguas ruinas mayas,* Philadelphia, The University Museum-University of Pennsylvania.
Charnay, Désiré, 1885, *Les Anciennes Villes du Nouveau Monde, Voyages d'Explorations au Mexique et dans l'Amerique Central,* París, Librairie Hachette.
——, 1994, *Ciudades y ruinas americanas, Mitla, Palenque, Izamal, Chichén Itzá, Uxmal, México, 1858-1861. Recuerdos e impresiones de viaje,* 2 vols., trad. y nota introductoria Víctor Jiménez, México, Banco de México.
Fash, William L., 1996, "Historia de las investigaciones arqueológicas en las ruinas de Copán", Introducción, en William L. Fash y Ricardo Agurcia Fasquelle (eds.), *Visión del pasado maya, Proyecto arqueológico Acrópolis de Copán,* Honduras, Asociación Copán, pp. 33-47.
—— y Ricardo Agurcia Fasquelle (eds.), *Visión del pasado maya, Proyecto arqueológico Acrópolis de Copán,* Honduras, Asociación Copán.
García Moll, Roberto y Daniel Juárez Cosío, 1986, *Yaxchilán: antología de su descubrimiento y estudios,* México, Instituto Nacional de Antropología e Historia.
——, 1988, *Guía oficial: Bonampak, México,* INAH/Salvat.
—— (comp.), 1985, *Palenque 1926-1945,* México, Instituto Nacional de Antropología e Historia.
García de Palacio, Diego, 1983, *Carta-relación... a Felipe II sobre la provincia de Guatemala, y Relación y forma... para los que hubieren de visitar...,* edición y estudio de María del Carmen León Cázares, Martha Ilia Nájera y Tolita Figueroa, México, Centro de Estudios Mayas-Instituto de Investigaciones Filológicas-UNAM (Serie de Fuentes para el Estudio de la Cultura Maya, 2).
Garza, Mercedes de la, 1981, "Palenque ante los siglos XVIII y XIX", en *Estudios de Cultura Maya,* vol. XIII, México, Centro de Estudios Mayas-Instituto de Investigaciones Filológicas-UNAM, pp. 45-65.
——, *Palenque,* 1992, México, Gobierno del Estado de Chiapas/Miguel Ángel Porrúa (Serie Chiapas Eterno).
González Cruz, Arnoldo, 1993, "El Templo de la Cruz", en *Arqueología mexicana,* vol. I, núm. 2, México, INAH/Edit. Raíces, junio-julio, pp. 39-41.
——, 1994, "Trabajos recientes en Palenque", en *Arqueología mexicana,* vol. II,

núm. 10, México, INAH/Edit. Raíces, octubre-noviembre, pp. 39-45.

—— y Guillermo Bernal Romero, 2000, "Grupo XVI de Palenque, conjunto arquitectónico de la nobleza provincial", en *Arqueología mexicana*, vol. VIII, núm. 45, México, INAH/Edit. Raíces, septiembre-octubre, pp. 20-27.

Hammond, Norman, 1979, *Ancient Maya Civilization*, New Brunswick, Nueva Jersey, Rutgers University Press.

Lowe, Gareth, Thomas A. Lee Jr. y Eduardo Martínez Esponiza, 2000, *Izapa: una introducción a las ruinas y los monumentos,* Fundación Arqueológica del Nuevo Mundo, documento núm. 31, México, Gobierno del Estado de Chiapas.

——, J. Alden Mason, Frederick Hicks y Charles E. Rozaire, 1960, *Excavations at Chiapa de Corzo, Chiapas,* México, Papers of the New World Archaeological Foundation, núms. 8-11, Provo, Utah, Brigham Young University.

Lowe, Lynneth S., inédito, "Excavaciones recientes en el templo de la Cruz de Palenque".

——, inédito, "Informe de las excavaciones realizadas en el Templo de la Cruz. Proyecto Palenque 1991".

Luján Muñoz, Luis, 1972, "Historia de la arqueología en Guatemala", en *América Indígena*, vol. XXXII, núm. 2, México, Instituto Indigenista Interamericano, abril-junio, pp. 353-376.

Maudslay, Alfred P., 1889-1902, *Biologia Centrali Americana, Contributions to the Knowledge of the Fauna and Flora of Mexico and Central America*, 2 vols., Londres.

Mejía Pérez Campos, Elizabeth (comp.) y Lorena Mirambell Silva (coord.), 1992, *Comalcalco*, México, Instituto Nacional de Antropología e Historia.

Nájera Coronado, Martha Ilia, 1991, *Bonampak*, México, Gobierno del Estado de Chiapas/Ediciones Espejo de Obsidiana (Serie Chiapas Eterno).

Navarrete, Carlos, 2000, *Palenque, 1784: el inicio de la aventura arqueológica maya*, México, Instituto de Investigaciones Filológicas-Instituto de Investigaciones Antropológicas-UNAM (Serie Cuadernos del Centro de Estudios Mayas, 26).

Ordóñez y Aguiar, Ramón, 1907, *Historia de la creación del cielo y de la tierra, conforme al sistema de la gentilidad mexicana*, México, edición trunca de Nicolás León.

——, s/f., "Descripción de la ciudad palencana", Libro II de *Historia de la creación...*, manuscrito inédito, México, Biblioteca del Museo Nacional de Antropología, clave E.C.T. 3-226.

Ruz Lhuillier, Alberto,1973, *El Templo de las Inscripciones, Palenque*, México, Instituto Nacional de Antropología e Historia/SEP.

——, 1974, *La civilización de los antiguos mayas*, La Habana, Editorial de Ciencias Sociales.

——, 1995, "Exploraciones arqueológicas en Palenque, 1952", en *Anales del Instituto Nacional de Antropología e Historia*, México, Secretaría de Educación Pública.

—— Informes sobre el Proyecto Palenque, 1958, 1962, 1973.

Sedat, David W. y Fernando López, 1999, "Tunneling into the Heart of the Copán Acrópolis", en *Expedition*, The Magazine of the University of Pennsylvania Museum of Archaeology and Anthropology, vol. 41, núm. 2.

Sotelo Santos, Laura Elena, 1992, *Yaxchilán*, México, Gobierno del Estado de Chiapas/Ed. Espejo de Obsidiana.

Stephens, John Lloyd, 1971, *Incidentes de viaje en Centroamérica, Chiapas y Yucatán*, 2 vols., 2ª ed., Trad. Benjamín Mazariegos Santizo, Ils. Federico Catherwood, San José de Costa Rica, Editorial Universitaria Centroamericana.

Stuart, David S., 2000, "Las nuevas inscripciones del Templo XIX de Palenque", en *Arqueología mexicana*, vol. VIII, núm. 45, septiembre-octubre, México, INAH/Edit. Raíces, pp. 28-33.

Valverde Valdés, María del Carmen, 1992, *Chiapa de Corzo, épocas prehispánica y colonial*, México, Gobierno del Estado de Chiapas.

Vos, Jan de, 1980, *Fray Pedro Lorenzo de la Nada, Misionero de Chiapas y Tabasco, México*, edición privada.

Willey, Gordon R. y Jeremy A. Sabloff, 1974, *A History of American Archaeology*, San Francisco, W. H. Freeman and Company.

Yadeum, Juan, 1992, *Toniná. El laberinto del inframundo*, México, Gobierno del Estado de Chiapas/Edit. Espejo de Obsidiana.

ARQUEOLOGÍA EN LA PENÍNSULA DE YUCATÁN

AGUSTÍN PEÑA CASTILLO

Andrews, Anthony P., 1986, "Historia de las exploraciones arqueológicas en El Meco, Quintana Roo", en *Excavaciones arqueológicas en El Meco, Quintana Roo 1977*, INAH (Colección Científica, 158).

—— *et al.*, 1988, "Isla Cerritos: an Itzá Trading Port on the North Coast of Yucatán, Mexico", en *Research National Geographic*, vol. 4, núm. 2.

Andrews, Joan M., "Reconoissance and Archaeological Excavations, 1976, In the Río Bec Area of the maya Lowlands", en *National Geographic Society Research Reports, 1968 Proyects*, Washington, D.C.

Barrera Rubio, Alfredo, "Patrón de asentamiento en el área de Uxmal, Yucatán, México", en *Memoria del Congreso Interno*, Centro Regional del Sureste, INAH.

——, 1985, *Uxmal. Guía oficial*, INAH/Salvat.

Baudez, Claude y Sydney Picasso, 1900, *Las ciudades perdidas de los mayas*, Madrid, Aguilar Universal.

Benavides Castillo, Antonio, 1981, *Cobá: una ciudad prehispánica de Quintana Roo"*, Centro Regional del Sureste, INAH.

——, 1997, *Edzná: una ciudad prehispánica de Campeche*, INAH, Universidad de Pittsburgh.

——, 1998, "Avances del Proyecto Edzná 1997", *Los investigadores de la cultura maya 6*, t. I, Universidad Autónoma de Campeche.

Bernal, Ignacio, 1992, *Historia de la arqueología en México*, México, Porrúa.

Bueno Cano, Ricardo, 1999, *Entre un río de robles*, INAH (Colección Científica, núm. 411).

Campaña V., Luz E., 1995, "Una tumba en el Templo del Buho Dzibanché", en *Arqueología Mexicana*, vol. III, núm. 14, INAH/Ed. Raíces.

——, 1996, "Ricardo Bueno Cano (1962-1995)", en Noticias *Arqueología Mexicana*, vol. III, núm. 18, INAH/Ed. Raíces.

Carmichel, Elizabeth, 1973, *The British and the Maya*, Londres, Trustees of the British Museum.

Carrasco Vargas, 2000, "El cuchcabal de la Cabeza de serpiente", en *Arqueología Mexicana*, vol. VII, núm. 42, México, INAH/Editorial Raíces.

Charnay, Désiré, 1978, *Viaje a Yucatán 1886*, trad. Francisco Cantón Rosado, Fondo Editorial de Yucatán/Gobierno del Estado de Yucatán.

Coggins, Clemence y Orrin Shane, 1989, *El Cenote de los Sacrificios*, México, Fondo de Cultura Económica.

Cook de Leonard, Carmen, 1971, "Gordos y enanos de Jaina (Campeche, México)", *Revista española de antropología americana*, vol. 6, Departamento de Antropología y Etnología de América, Facultad de Filosofía y Letras-Universidad de Madrid.

Cortés de Brasdefer, Fernando, 1998, *Kohunlich, ciudad del sol*, Instituto de Seguridad Social al Servicio de los Trabajadores/Gobierno de Quintana Roo.

Desmond, Lawrence y Phyllis M. Messenger, 1998, *A Dream of Maya*, Alburquerque, University of Nuevo México Press.

Erosa Peniche, José, "Descubrimiento y exploración arqueológica de la subestructura del Castillo en Chichén Itzá".

Folan, J., William, 1996, "Calakmul, Campeche: su desarrollo sociopolítico dentro del área maya", en *Investigaciones de la cultura maya*, núm. 3, t. II, México, Universidad Autónoma de Campeche.

Gallegos Ruiz, Roberto, 1997, "César Sáenz: su vida y obra en los cincuenta años de quehacer arqueológicos", en *Homenaje al profesor César A. Sáenz*, INAH (Colección Científica núm. 351).

Karl, Ruppert y John Denison Jr., 1943, *Archaelogical Reconnaissance in Campeche, Quintana Roo and Petén*, publicación 543, Washington D. C., Carnegie Institution of Washington.

Kowalski, Jeff, 1987, *The House of the Gobernor*, Norman/Londres, University of Oklahoma Press.

Lincoln, Charles E., 1990, "Ethnicity and Social Organization at Chichén Itzá, Yucatán, México". Ph. D. Dissertation, Cambridge, Massachusetts, Harvard University.

——, 1991, "Structural and Philological Evidence for Divine Kingship at Chichén Itzá , Yucatán, México", mecanuscrito enviado para publicación al Primer Simposio Maler acerca de la arqueología del noroeste de Yucatán. Seminar für V`lkerkunde, Universit@t Bonn.

Maldonado C., Rubén, 1981, "Intervención de restauración en el juego de Pe-

lota de Uxmal", en *Memoria del Congreso Interno*, México, Centro Regional del Sureste, INAH.
——, 1997, "Las intervenciones de restauración arqueológica en Chichén Itzá (1926-1980)", en *Homenaje al profesor César A. Sáenz* INAH (Colección Científica núm. 351).
Marquina, Ignacio, 1964, *Arquitectura Prehispánica*, México, INAH.
Matheny, Eay T., Deanne L. Gurr, Donald W. Forshyth y Richard Hauck, 1983, *Investigations at Edzná Campeche, México*, Papers of the New World Archaeological Foundation, núm. 46, Provo, Utah, Brigham Young University.
Matos Moctezuma, Eduardo, 1976, "Jorge Acosta. Apuntes biobibliográficos", en *Boletín INAH*, época II, enero-marzo.
Mayer, Karl Herbert, 1985, "Teobert Maler: an Early Explorer of Maya Architecture", en *Cuadernos de Arqueología Mesoamericana*, núm. 5, septiembre, Facultad de Arquitectura-División de Estudios de Posgrado-UNAM.
Miller, Mary y Karl Taube, 1997, *The Gods and Symbols of Ancient Mexico and the Maya*, Thames y Hudson.
Miller, Virginia E., 1991, "The Frieze of the Palace of the Stuccoes, Acanceh, Yucatán, México", en *Studies in Pre-Columbian Art and Archaeology*, núm. 31, Washington D.C., Dumbarton Oaks, Research Library and Collection.
Millet Cámara, Luis, 1988, "Una expedición olvidada a Cobá, Q. Roo", en *Boletín de la Escuela de Ciencias Antropológicas*, año 15, núm. 90, Universidad de Yucatán.
——, 1989, "Izamal : nuevos conceptos sobre antiguos hallazgos", en *Boletín de la Escuela de Ciencias Antropológicas*, año 16, núm. 99, Universidad de Yucatán.
——, s/f, "Memoria del Museo Yucateco", sin editorial.
Moedano K., Hugo, 1942, "Jaina: un cementerio maya", en *Revista Mexicana de Estudios Antropológicos*, t. III, núms. 1-3.
Morgan, Ewin R., 1972, "A History of the Archaeological Activity at Chichen-Itza, Yucatán, México", Ph. D. Dissertation, Kent State University.
Ochoa C., Patricia y Marcela Salas C., 1984, "Reseña sobre los diversos trabajos arqueológicos efectuados en la Isla de Jaina, Campeche", en *Investigaciones recientes en el área maya*, t. II, Sociedad Mexicana de Antropología.
Ortegón Zapata, David, 1993, *Historia de la Arqueología en Yucatán*, Instituto de Cultura de Yucatán/Gobierno del Estado.
Peña Castillo, Agustín, 1998, "Karl Ruppert (1895-1960), en *Arqueología Mexicana*, vol. V, núm. 30, marzo-abril.
——, 1998, "El Castillo de Chichén Itzá", en *Arqueología Mexicana*, vol. V, núm. 30, marzo-abril.
Piña Chan, Román, 1948, *Breve estudio sobre la funeraria de Jaina*, Gobierno del Estado de Campeche.
——, 1968, *Jaina, la casa en el agua*, México, INAH.
——, 1970, *Informe preliminar de la reciente exploración del Cenote Sagrado de Chichén Itzá*, Serie Investigaciones, núm. 24, México, INAH.
——, 1978, *Edzná. Guía Oficial*, México, INAH.
——, 1985, *Cultura y ciudades mayas de Campeche*, Gobierno del Estado de Campeche.
Ramírez Aznar, Luis, 1990, *El saqueo del Cenote sagrado de Chichén Itzá*, Mérida, Editorial Dante (Colección Sureste).
Ruz Lhuillier, Alberto, 1945, "Campeche en la arqueología maya", en *Acta Anthropologica*, vol. I, núms. 2-3.
——, 1974, *Uxmal Official Guide*, México, INAH.
Schmidt S., Peter J., 1981, "Chichén Itzá: apuntes para el estudio del patrón de asentamiento" en *Memoria del Congreso Interno*, Centro Regional del Sureste, México, INAH.
Segovia Pinto, Víctor, 1981, "Sistema funerario en Kohunlich", en *Memoria del Congreso Interno 1979*, México, Centro Regional del Sureste, INAH.
Seufert, Andy, 1974, "El templo B redescubierto en la zona Río Bec", en *Boletín*, época II, núm. 8, enero-marzo, México, INAH.
Stephens, John, 1984, *Viajes a Yucatán*, 2 vols., trad. de Justo Sierra O'Reilly, Mérida, Editorial Dante.
Velázquez Morlet, Adriana, Edmundo de la Rosa, María Del Pilar Castro y Margarita Gaxiola, 1988, *Zonas arqueológicas Yucatán*, México, INAH.
——, 1995, "Cosmogonía y vida cotidiana en Kohunlich", en *Arqueología Mexicana*, vol. III, núm. 14, México, INAH/Edit. Raíces
Zaragoza Balderas, Elizabeth, 1999, "Las últimas intervenciónes en la isla de Jaina", en *Los investigadores de la cultura maya*, núm. 7, t. I, Dirección de Difusión Cultural-Universidad Autónoma de Campeche.

EL OCCIDENTE MESOAMERICANO
MARÍA DE LOS ÁNGELES OLAY BARRIENTOS

Armillas, Pedro, 1964, "Condiciones ambientales y movimientos de pueblos en la frontera septentrional de Mesoamérica", en *Homenaje a Fernando Márquez Miranda*, Madrid, Universidad de Madrid y Sevilla, pp. 62-81.
Beals, Ralph, 1940, "The Tarascan Proyect, a Coorperative Enterprise", *American Anthropologist*, núm. 42, Washington.
Brand, Donald, 1960, *Coalcoman and Motines del Oro: an exdistrito of Michoacán, México*, University of Texas, La Haya, The Institute of Latin American Studies, Martinus Nijhoff.
Braniff, Beatriz, 1992, *La estratigrafía arqueológica de Villa de Reyes*, San Luis Potosí, México, INAH (Colección Científica 265).
Corona Núñez, José, 1995, *La tumba de El Arenal*, apéndice de Eduardo Noguera, México, Dirección de Monumentos Prehispánicos-INAH (informes 3).
Jiménez Betts, Peter, 1988, "La Arqueología en Zacatecas", *La antropología en México, Panorama Histórico*, t. 12, coordinado por Carlos García Mora, México, INAH (Colección Biblioteca del INAH), pp. 345-366.
Kelly, Isabel,1938, *Exacavations in Chametla, Sinaloa*, Berkley, University of California Press (Iberoamericana 14).
——, 1945, *The Archaeology of Autlan-Tuxcacuesco area of Jalisco I: The Autlan Zone*, Berkeley/Los Angeles,University of California Press, (Iberoamericana 26).
——, 1945b, *Excavations at Culiacan, Sinaloa*, Berkeley/Los Angeles, University of California Press (Iberoamericana 25).
——, 1947, *Excavations at Apatzingan, Michoacan,* Nueva York, The Viking Found (Viking Found Publications in Anthropology 7).
——, 1949, *The Archaeology of Autlan-Tuxcacuesco area of Jalisco II: The Tuxcacuesco-Zapotitlán Zone*, Berkeley/Los Angeles, University of California Press (Iberoamericana 27).
——, 1970, "Preclassic material from Colima", ponencia presentada en el XXXV Congreso Society for American Archaeology, México.
——, 1978, "Seven Colima Tombs: an interpretation of ceramic content", en *Contrubutions of the California Archaeological Reseacrh Facility*, 37, I, Berkeley, University of California.
——, 1980, "Ceramic sequence in Colima. Capacha an early phase", en *Anthropological Papers of the University of Arizona Press*, Tucson.
——, 1989, "An archaeological reconnaissance of the West Coast: Nayarit to Michoacán" (1939). En virtud de que el escrito no fue publicado en las memorias respectivas, el artículo fue editado en el *Homenaje a Isabel Kelly*, México, INAH, Serie Arqueología (Colección Científica 179), pp. 71-73.
Knobloch, Patricia Jean, 1989, "Isabel Truesdell Kelly", en *Homenaje a Isabel Kelly*, México, INAH, Serie Arqueología (Colección Científica 179).
Lavine, Daniel, 1989, *Contribution a l'Archaeologie de l'ouest Mexicain: Etats de Colima, Jalisco, Nayarit*, París, Ecole des Hautes Etudes en Sciencies Sociales.
Long, Stanley, 1966, *Archaeology of the Municipio of Etzatlan, Jalisco,* disertación doctoral, Los Angeles, Departamento de Antropología-Universidad de California.
Lumholtz, Carl, 1981, *El México desconocido, clásicos de la antropología mexicana*, México, Instituto Nacional Indigenista (Colección INI, núm. 11).
Macías Gotilla, Angelina, 1988, "La arqueología en Michoacán", en Carlos García Mora y Mercedes Mejía Sánchez (coords.), *La antropología en México, Panorama histórico*, t. 13, México, INAH (Colección Biblioteca del INAH), pp. 89-132.
Margain, Carlos, 1994, "Zonas arqueológicas de Querétaro, Guanajuato, Aguascalientes y Zacatecas", en *El Norte de México y el Sur de los Estados Unidos*, México, Sociedad Mexicana de Antropología, pp. 145-148.
Meighan, Clement, 1972, *Archaeology of Morett Site*, Publications in Anthropology, vol. 7, Berkeley/Los Angeles, University of California.
Nicholson, H. B., 1961, "Interrelationships of New World Culture. Proyect A: Central and South Pacific Coast, Mexico. Preliminary report, 1960 season", en *Archivo Técnico del INAH*, México, Monumentos Prehispánicos-INAH.
—— y Clement Meighan, 1974, "The UCLA Department of Anthropology Program on West Mexican Archaeology-Ethnohistory 1956-1970", en Betty Bell (ed.), *The Archaeology of West Mexico*, Ajijic, Sociedad de Estudios Avanzados del Occidente de México, pp. 6-18.
Noguera, Eduardo, 1931, "Exploraciones arqueológicas en las regiones de Zamora y Pátzcuaro, Michoacán", en *Anales del Museo Nacional de México*, t. VII, 4ª época, pp. 89-103.

——, 1935, "Antecedentes y relaciones de la cultura Teotihuacana", en *El México Antiguo*, vol. 3, núms. 5-8, p. 78.
——, 1942, "Exploraciones en El Opeño, Michoacán", XXVII Congreso Internacional de Americanistas en México, D.F., agosto de 1939, en *Actas de la Primera Sesión*, t. I, pp. 574-586.
Oliveros, Arturo, 1970, *Excavación de dos tumbas en El Opeño, Michoacán*, México. Tesis de maestría, México, ENAH.
Piña Chan, Román y Joan Taylor, 1976, "Cortas excavaciones en El Cuarenta, Jalisco", en *Boletín I*, México, Monumentos Prehispánicos-INAH.
Porter, Muriel, 1956, "Excavations at Chupicuaro, Guanajuato, México", en *Transactions of the American Philosophical Society*, vol. 46, Parte 5, Nueva serie, Filadelfia, Philosophical Society.
Sánchez Reina, Ramón, 1995, "A través de mi vida. Homenaje a José Corona Núñez", en *Voces del Pasado*, Morelia, Universidad Michoacana de San Nicolás de Hidalgo (Biblioteca de Nicolaítas Notables 54).
Sauer, Carl, 1934, *The distribution of aboriginal tribes and languages in Northwestern Mexico*, Berkeley, University of California Press (Iberoamericana 5).
——, 1935, *Aboriginal population in Northwestern Mexico*, Berkeley, University of California Press (Iberoamericana 10).
——, 1948, *Colima of New Spain in the Sixteenth Century*, Berkeley/Los Angeles, University of California Press (Iberoamericana 20).
——, 1991, "Introducción a la Geografía Histórica", en *Geografía Histórica*, México, Instituto Mora/Universidad Autónoma Metropolitana (Antologías Universitarias), p. 52.
—— y Donald Brand, 1932, *Aztatlan. Prehistoric Mexican frontier on the Pacific coast*, Berkeley, University of California Press (Iberoamericana 1).
Schöndube, Otto, 1980, "Etapa prehispánica", en José María Muriá (coord.), *Historia de Jalisco*, México, Gobierno del Estado de Jalisco/INAH.
Sociedad Mexicana de Antropología, 1948, *El Occidente de México*, Cuarta Mesa Redonda de la SMA, México.
Toscano, Salvador, Paul Kirchoff y Daniel Rubín de la Borbolla, 1946, *Arte precolombino del Occidente de México*, monografía que la Dirección Estética publica con motivo de su exposición, México, SEP.
Weigand, Phil, 1985, "Evidence of Complex Society during the Western Mesoamerican Period", en M. S. Foster y P. Weigand (eds.), *The Archaeology of West and Northwest Mesoamerica*, Boulder/London, Westview Press, pp. 47-93.
Weigand, Phil, 1993, "Large-scale works in prehistoric Western Mesoamerica", en *Research in Economic Anthropology*, JAI Press Inc., pp. 223-262.

PRECURSORES Y PROTAGONISTAS DEL PRECLÁSICO EN LA CUENCA DE MÉXICO
MARI CARMEN SERRA PUCHE

Barba de Piña Chan, B., 1980, *Tlapacoya, los principios de la teocracia en la Cuenca de México*, México, Biblioteca Enciclopédica del Estado de México.
Covarruvias, M., 1950, "Tlatilco: el arte y la cultura preclásica del Valle de México", en *Cuadernos Americanos*, núm. IX-3, mayo-junio, pp. 149-162.
Cummings,B., 1933, "Cuicuilco and the Archaic Culture of Mexico", en *University of Arizona Bulletin, Social Science Bulletin*, núm. 4, vol. IV, núm. 8, Tucson, Arizona, University of Arizona.
Gamio, M., 1920, "Las excavaciones del Pedregal de San Ángel y la cultura arcaica del valle de México". Sobretiro de *Anthropologist*, vol. 22, núm. 2, pp. 127-143.
Grove, D., 1987, *Ancient Chalcatzingo*, Austin, Texas, University of Texas Press.
Mastache, G. *et al.* (coords.), 1996, *Arqueología Mesoamericana. Homenaje a William T. Sanders*, vol. I, México, INAH.
Niederberger, B. C., 1976, *Zohapilco: cinco milenios de ocupación humana en un sitio lacustre de la cuenca de México*, México, INAH.
Piña Chan, R., 1955, *Las culturas preclásicas de la Cuenca de México*, México, FCE.
——, 1958, *Tlatilco I*, México, INAH.
Plancarte y Navarrete, F., 1911, *Tamoanchan. El estado de Morelos y el principio de la civilización en México*, México, Imprenta del Mensajero.
Vaillant, G. C., 1930, "Excavations at Zacatenco", en *Anthropological papers of The American Museum of Natural History*, vol. XXXII, parte I, Nueva York, The American Museum of Natural History.
Vaillant, G.C., 1931, "Excavations at Ticoman", en *Anthropological papers of The American Museum of Natural History*, vol. XXXII, parte I, Nueva York, The American Museum of Natural History.
Vargas, L., 1998, "Una vida en la antropología mexicana", en *Tiempo, población y sociedad, Homenaje al maestro Arturo Romano Pacheco*, México, INAH (Colección Científica), pp. 779-797

TEOTIHUACAN
EDUARDO MATOS MOCTEZUMA

Teotihuacan es el sitio arqueológico sobre el que más se ha escrito, sumando más de 1300 fichas bibliográficas, aproximadamente. Incluimos aquí una mínima parte de ellas.

Acosta, Jorge R., 1964, *El Palacio del Quetzalpapálotl*, Memorias núm. 10, México, INAH.
Almaraz, Ramón, 1865, "Apuntes sobre las pirámides de San Juan Teotihuacan", en *Memoria de los trabajos ejecutados por la Comisión Científica de Pachuca en el año de 1864*, México.
Angulo, Jorge, 1972, "Reconstrucción etnográfica a través de la pintura", en *Teotihuacan*, XI Mesa Redonda, Sociedad Mexicana de Antropología, México.
——, 1982, *Teotihuacan, la ciudad de los dioses*, México, Panorama Editorial.
Armillas, Pedro, 1947, "La serpiente Emplumada, Quetzalcóatl y Tláloc", *Cuadernos Americanos*, 31 (1), México.
——, 1950, "Teotihuacan, Tula y los toltecas", *Runa*, Buenos Aires.
Aveleyra Arroyo de Anda, Luis, 1963 *La estela teotihuacana de La Ventilla*, México, INAH.
Aveni, Anthony y Horst Hartung, 1982, "New observations of the Pecked Cross petrogliph", en *Espacio y Tiempo en la cosmovisión de Mesomaérica,* 43° Congreso Internacional de Americanistas, Vancouver, Canadá.
Ball, J. W., 1974, "A Teotihuacan-style cache from the Maya Lowlands, *Archaeology*, 27.
Barba, Luis y Linda Manzanilla, 1987, "Superficie/excavación: un ensayo de predicción de rasgos arqueológicos en Oztoyahualco", en *Antropológicas*, núm. 1, México, UNAM.
Barbour, Warren, 1976, "The figurines and figurines chronology of Ancient Teotihuacan, Mexico". Tesis doctoral, University of Rochester.
Bastien, Remy, 1995, "La pirámide del Sol en Teotihuacan", en *La pirámide del Sol, Teotihuacan* (Antología), Eduardo Matos (edit., selección e Introducción), México.
Batres, Leopoldo, 1906, *Teotihuacan: Memoria que presenta Leopoldo Batres al XV Congreso Internacional de Americanistas*, Quebec, México, Fidencia S. Soria.
——, 1989, *Teotihuacan: la ciudad sagrada de los toltecas*, México, Escuela Nacional de Artes y Oficios.
Bennyhoff, James, 1966, "Chronology and Periodization: continuity and change in the Teotihuacan Ceramic Tradition", en *Teotihuacan*, XI Mesa Redonda, Sociedad Mexicana de Antropología, México.
Berlo, Janet, 1982, "Artistic especialization at Teotihuacan: the Ceramic incense burner", en *Precolumbian Art History*, Palo Alto, Peek Publications.
——, 1983, "The Warrior and the Butterfly: Central Mexican Ideologies of Sacred Warfare and Teotihuacan Iconography", en *Texts and Image in Pre-Columbian Art: Essays on the Interrelationship of the Verbal and Visual Arts*, B.A.R., International Series 180.
——, 1984, *Teotihuacan Art Abroad: A Study of Metropolitan Style and Provincial Transformations in Incensario Workshop*, B.A.R., International Series 199.
——, 1992, *Art, Ideology and the City of Teotihuacan*, Dumbarton Oaks, Washington.
Bernal, Ignacio, 1963, *Teotihuacan: descubrimientos, reconstrucciones*, México, INAH.
——, 1979, *Historia de la arqueología en México*, México, Editorial Porrúa.
Berrin, Kathleen, 1988, *Feathered Serpents and Flowering Trees: Reconstructing the Murals of Teotihuacan*, San Francisco, The Fine Arts Museum.
Boturini, Lorenzo, 1746, *Idea de una nueva Historia General de la América Septentrional*, Madrid, Imprenta de Juan de Zúñiga.
Cabrera, Rubén, Ignacio Rodríguez y Noel Morelos, 1982, *Memoria del Proyecto Arqueológico Teotihuacan*, México, INAH (Colección Científica núm. 132).
——, 1982, *Teotihuacan 1980-1982, Primeros resultados*, INAH, México.

——, 1991, *Teotihuacan 80-82. Nuevas interpretaciones*, INAH (Colección Científica núm. 227).
Cabrera, Rubén, George Cowgill, Saburo Sugiyama y Carlos Serrano, 1989, "El Proyecto Templo de Quetzalcóatl", en *Arqueología* 5, México, INAH.
Cabrera, Rubén, Saburo Sugiyama y George Cowgill, 1999, "The Templo de Quetzalcoatl Project at Teotihuacan: A Preliminary Report", *Ancient Mesoamerica* 2, núm. 1.
Calderón de la Barca, Fanny, 1960, *La vida en México*, Editorial Porrúa, México.
Caso, Alfonso, 1942, "El Paraíso terrenal en Teotihuacan", en *Cuadernos Americanos* 6, núm. 6, México.
Charlton, Thomas, 1977, "Teotihuacan: Trade Routes of a multi-tiered economy", *XV Mesa Redonda*, Sociedad Mexicana de Antropología, México.
Charnay, Désiré, 1987, *Les anciennes villes du Noveau Monde* (Traducido como *The Ancient Cities of the New World)*, Nueva York, Harper and Brothers.
Clavijero, Francisco Javier, *Historia Antigua de México*, México, Editorial Porrúa.
Cowgill, George, 1974, "Quantitative Studies of Urbanization at Teotihuacan", *Mesoamerican Archaeology: New Approaches*, University of Texas Press, Austin.
——, 1992, "Teotihuacan: action and meanning in Mesoamerica", en *Society for American Archaeology*, Pittsburgh.
Drewitt, Bruce, 1966, "Planeación en la antigua ciudad de Teotihuacan", *XI Mesa Redonda*, Sociedad Mexicana de Antropología, México.

Gamio, Manuel, 1922, *La población del Valle de Teotihuacan*, 3 vols., México, Secretaría de Agricultura y Fomento.
García Cubas, Antonio, 1906, "Mis últimas exploraciones arqueológicas", en *Memoria de la Sociedad Científica Antonio Alzate*, vol. 24, México.
Gemelli Carreri, Francisco, 1700, *Giro del Mondo*, 6 vols., Nápoles.
Hagar, Stanbury, 1910, "The celestial plan of Teotihuacan", *Actas del Congreso Internacional de Americanistas*, México.
Heyden, Doris, 1975, "An interpretation of the cave underneath the Pyramid of the Sun in Teotihuacan, Mexico", en *American Antiquity*, 40, núm. 2.
Holmes, William, 1885, The Monoliths of San Juan Teotihuacan, en *The American Journal of Archaeology*, vol., 1, núm. 4, Baltimore.
Humboldt, Alejandro de, 1878, *Vistas de las Cordilleras…*, Madrid, Imprenta de Gaspar Editores.
Kovar, Anton, 1966, "Problems in Radiocarbon Dating at Teotihuacan", en *American Antiquity* 31, núm. 3.
Langley, James, 1991, "The form and usage of notation at Teotihuacan", en *Ancient Mesoamerica* 2.
Linné, Sigvald, 1934, *Archaeological Researches at Teotihuacan, Mexico*, núm. 1, Stockholm, The Ethnographical Museum of Sweden.
——, 1942, *Mexican Highland Cultures: Archaeological Reseraches at Teotihuacan, Calpulalpan and Chalchicomula in 1934-35*, The Ethnographical Museum of Sweden, núm. 7, Stckholm.
López Austin, Alfredo, Leonardo López Luján y Saburo Sugiyama, 1991, "The Temple of Quetzalcoatl at Teotihuacan: Its possible ideological significance", en *Ancient Mesoamerica* 2.
López Luján, Leonardo, 1989, *La recuperación Mexica del pasado teotihuacano*, México, INAH, Proyecto Templo Mayor.
Lorenzo, José Luis, 1968, *Materiales para la arqueología de Teotihuacan*, México INAH (Serie Investigaciones 17).
Manzanilla, Linda, 1990, "Sector Noroeste de Teotihuacan: estudio de un conjunto residencial y rastreo de túneles y cuevas", en *La época Clásica: nuevos hallazgos, nuevas ideas*, México, INAH.
——, 1993, *Anatomía de un conjunto residencial teotihuacano en Oztoyahualco, México*, UNAM.
——Manzanilla, Linda y Emilie Carreón, 1991, "A Teotihuacan Censer in Residential Context. An Interpretation", en *Ancient Mesoamerica* vol, 2, núm. 2.
Margáin, Carlos, 1966, "Sobre sistemas y materiales de construcción en Teotihuacan", en *XI Mesa Redonda*, Sociedad Mexicana de Antropología, México.
Marquina, Ignacio, 1964, *Arquitectura prehispánica*, México, INAH.
Matos Moctezuma, Eduardo, 1980, "Teotihuacan: Excavaciones en la Calle de los Muertos", *Anales de Antropología* 17, México UNAM.
——, 1990, *Teotihuacan, la ciudad de los Dioses*, versión inglesa de Rizzoli, Nueva York.
——, 1995, *La pirámide del Sol, Teotihuacan* (Antología), Eduardo Matos (editor), INAH-Instituto Cultural Domecq.
——, 2000, *El milenio teotihuacano*, México, CONACULTA/México Desconocido.
McClung de Tapia Emily, 1977, "Recientes estudios paleoetnobotánicos en Teotihuacan", en *Anales de Antropología* 14, UNAM, México.
——, 1993, "De la sunsistencia al disfrute", en *Arqueología Mexicana*, vol. I, núm. I, abril-mayo, México.
——y Evelyn Rattray (eds.), 1987, *Teotihuacan: Nuevos datos, nuevas síntesis, nuevos problemas*, México, UNAM.
Miller, Arthur, 1973, *The Mural Painting at Teotihuacan, Dumbarton Oaks*, Washington.
Millon, Clara, 1972, "The History of Mural Art at Teotihuacan", en *Teotihuacan, XI Mesa Redonda*, Sociedad Mexicana de Antropología, México.
Millon, Rene, 1954, "Irrigation at Teotihuacan", en *American Antiquity* 20.
——, 1966, "Extensión y población de la ciudad de Teotihuacan en sus diferentes períodos. Un cálculo provisional", en *Teotihuacan, XI Mesa Redonda*, Sociedad Mexicana de Antropología, México.
——, 1973, *Urbanization at Teotihuacan, México*, Austin, University of Texas Press.
——, 1981, "Teotihuacan City, State and Civilization", en *Archaeology, Supplement to the Handbook of Middle American Indians*, vol. 1, Austin, University of Texas Press.
——, 1992, "Teotihuacan Studies: From 1950 to 1990 and Beyond", en *Art, Ideology and the City of Teotihuacan*, Dumbarton Oaks, Washington.
——, 1993, "The Place Where Times Began: An Archaeologist´s Interpretation of What Happened in Teotihuacan History", en *Teotihuacan, Art form the City of the Gods*, The Fine Art Museum of San Francisco.
——y James Bennyhoff, 1961, "A long Architectural Sequence at Teotihuacan", en *American Antiquity* 26.
Millon, Rene, Bruce Drewitt and James A. Bennyhoff, 1965, "The Pyramid of the Sun at Teotihuacan: 1959 Investigations, *Transactions of the American Philosophical Society*, n.s. 55, Philadelphia.
Müller, Florencia, 1966, "Secuencia cerámica de Teotihuacan", en *Teotihuacan, XI Mesa Redonda*, Sociedad Mexicana de Antropología, México.
Pasztory, Esther, 1973, "The Gods of Teotihuacan: A Synthetic Approach in Teotihuacan Iconography, en *Congreso Internacional de Americanistas*.
——, 1974, "The Iconography of the Teotihuacan Tlaloc", en *Studies in Precolumbian Art and Archaeology*, núm. 15, Dumbarton Oaks, Washington.
——, 1976, *The Murals of Tepantitla, Teotihuacan*, Nueva York, Garland.
Rattray, Evelyn, 1981, "Anaranjado Delgado: cerámica de comercio de Teotihuacan", en *Interacción Cultural en México Central*, México, UNAM (Serie Antropológica 41).
——, 1987, "Los barrios foráneos de Teotihuacan", en *Nuevos datos, nuevas síntesis, nuevos problemas*, México, UNAM (Serie Antropológica 72).
——, 1989, "El barrio de los comerciantes y el conjunto Tlamimilolpa: un estudio comparativo", en *Arqueología* 5.
——, 1990, "New findings on the origin of Thing Orange Ceramics", en *Ancient Mesoamerica*.
Salazar Ortegón, Ponciano, 1966, "Interpretación del altar central de Tetitla", en *Boletín 24*, México, INAH.
Sanders, William, 1965, The Cultural Ecology of the Teotihuacan Valley, Pennsylvania State University.
—— y Joseph W. Michels, 1977, "Teotihuacan and Kaminaljuyu: A Study in Prehistoric Culture Contact", Pennsylvania State University Press.
Sanders, William, Jeffrey R. Parsons y Robert Santley, 1979, *The Basin of Mexico: Ecological Processes in the Evolutrion of a Civilization*, Nueva York, Academic Press.
Santley, Robert, 1989, "Obsidian Working, Long Distance exchange and the Teotihuacan presence on the South Gulf Coast", en *Mesoamerica after the Decline of Teotihuacan A.D. 700-900*, Dumbarton Oaks, Washington.
Séjourne, Laurette, 1959, *Un Palacio en la Ciudad de los Dioses*, México, INAH.
——, 1965, "El Quetzalcóatl en Teotihuacan", en *Cuadernos Americanos*, núm. 138, México.
——, 1966, *Arqueología de Teotihuacan: la cerámica*, México, FCE.
——, 1969, *Teotihuacan, Métropole de L'Amerique*, París, Maspero.

Smith, Robert Eliot, 1987, *A ceramic sequence from the Pyramid of the Sun, Teotihuacan, Mexico,* Papers of the Peabody Museum of Archaeology and Ethnology, Harvard University, vol. 75.
Spence, Michael, 1967, "The Obsidian Industry of Teotihuacan", en *American Antiquity,* 32, núm. 4.
——, 1981, "Obsidian Production and the State in Teotihuacan", en *American Antiquity,* 46, núm. 4.
Sugiyama, Saburo, 1989, "Burials dedicated to the Old Temple of Quetzalcoatl at Teotihuacan, Mexico", en *American Antiquity,* 54, núm. 1.
——, 1989, "Iconographic Interpretation of the Temple of Quetzalcoatl at Teotihuacan", Mexicon, 11, núm. 4, Berlín.
Taube, Karl, "The Teotihuacan Spider Woman", en *Journal of Latin America Lore* 9, núm. 2, 1983.
——, 1992, "The Temple of Quetzalcoatl and the Cults of Sacred Wra at Teotihuacan", RES 21.
Von Winning, Hasso, 1979 "Teotihuacan Symbols: The Fire God Complex", 42 Congreso Internacional de Americanistas, París, 1979.
La iconografía de Teotihuacan: los dioses y los signos, 1987, 2 vols., UNAM.

LA ARQUEOLOGÍA DEL EPICLÁSICO EN EL CENTRO DE MÉXICO
LEONARDO LÓPEZ LUJÁN

Abadiano, Francisco, 1910, "Xochicalco-Chicomoztoc-Culhuacan", en *Dos monografías arqueológicas,* México, La Unión Tipográfica, pp. 12-25.
Abascal, Roberto, 1973, "Un monolito de Cacaxtla, estado de Tlaxcala", en *Comunicaciones del Proyecto Puebla-Tlaxcala,* núm. 9, pp. 35-37.
——, Patricio Dávila, Paul Schmidt y Diana Zaragoza de Dávila, 1976, "La arqueología del sur-oeste de Tlaxcala", 1ª Parte, en *Suplemento de Comunicaciones del Proyecto Puebla-Tlaxcala,* t. II, México, Fundación Alemana para la Investigación Científica.
Alva Ixtlixóchitl, Fernando de, 1891, *Obras históricas,* 2 vols., México, Secretaría de Fomento.
Alzate y Ramírez, Joseph Antonio, 1791, "Descripción de las antigüedades de Xochicalco, dedicada a los señores de la actual expedición marítima alrededor del orbe", en *Suplemento de la Gazeta de Literatura de México,* t. 2, noviembre, pp. 1-17.
Angulo, Jorge y Kenneth Hirth, 1981, "Presencia teotihuacana en Morelos", en E. Childs Rattray, J. Litvak King y C. Díaz Oyarzábal (eds.), *Interacción cultural en México Central,* México, UNAM, pp. 81-97.
Armillas, Pedro, 1946, "Los olmeca-xicalancas y los sitios arqueológicos del suroeste de Tlaxcala", en *Revista Mexicana de Estudios Antropológicos,* vol. VIII, pp. 137-145.
——, 1948, "Fortalezas mexicanas", en *Cuadernos Americanos,* vol. VII, núm. 5, 41, septiembre-octubre, pp. 143-163.
——, 1951, "Mesoamerican Fortifications", en *Antiquity,* vol. XXV, núm. 98, junio, pp. 77-86.
——, (1941) 1995a, "Informe del levantamiento topográfico de la zona arqueológica de Cacaxtla", en A. García Cook y B.L. Merino (comps.), *Antología de Cacaxtla,* vol. I, México, INAH, pp. 49-67.
——, (1941) 1995b, "Cacaxtla, Xochitecatl y otros lugares de la zona arqueológica del suroeste de Tlaxcala", en A. García Cook y B.L. Merino (comps.), *Antología de Cacaxtla,* vol. I, México, INAH, pp. 68-72.
Aveni, Anthony F., 1983, *Skywatchers of Ancient Mexico,* Austin, University of Texas Press.
Bancroft, Hubert Howe, 1886, "Ruins of Xochicalco", en *The Works of Hubert Howe Bancroft,* vol. IV, *The Native Races of the Pacific States,* IV, *Antiquities,* San Francisco, A. L., Bancroft & Company Publishers, pp. 483-494.
Batres, Leopoldo, 1886, "Les ruines de Xochicalco au Mexique", en *La nature,* vol. 4, parte 2, pp. 308-310.
——, 1912, "Les ruines de Xochicalco", en *XVII Congreso Internacional de Americanistas, México, 1910,* vol. I, México, Imprenta del Museo Nacional de Arqueología, Historia y Etnología, pp. 406-410.
Berlo, Janet Catherine, 1989, "Early Writing in Central Mexico: In Tlilli, In Tlapalli before A.D. 1000", en R. A. Diehl y J. C. Berlo, *Mesoamerica after de Decline of Teotihuacan A.D. 700-900,* Washington, D.C., Dumbarton Oaks, pp. 19-47.
Breton, Adela, 1906, "Some Notes on Xochicalco", en *Transactions of the Department of Archaeology,* vol. II, parte 1, University of Pennsylvania, pp. 51-67.
Cabrera, José María, 1850, "Estadística de la Municipalidad de Nativitas, conforme a las instrucciones dadas para la general del territorio de Tlaxcala", en *Boletín de la Sociedad Mexicana de Geografía y Estadística,* vol. II, pp. 355-383.
Caso, Alfonso, 1929, "Informe de las labores realizadas en la Dirección de Arqueología durante el mes de julio de 1929", en *Boletín,* vol. 8, núm. 7, pp. 55-61.
——, 1962, "Calendario y escritura en Xochicalco", en *Revista Mexicana de Estudios Antropológicos,* vol. XVIII, pp. 49-79.
Ceballos Novelo, Roque J., 1928, "Tepoztlán, Teopanzolco y Xochicalco", en *Estado actual de los principales edificios arqueológicos de México. Contribución de México al XIII Congreso de Americanistas,* México, Secretaría de Educación Pública/Talleres Gráficos de la Nación, pp. 99-116.
—— y Eduardo Noguera, 1929, *Guía para visitar las principales ruinas arqueológicas del Estado de Morelos, Tepoztlán, Teopanzolco y Xochicalco,* México, Dirección de Arqueología/Talleres Gráficos de la Nación.
Chavero, Alfredo (1884) s.f., *Historia antigua y de la Conquista, México a través de los siglos,* vol. I, México, V. Riva Palacio (ed.).
Clavijero, Francisco Javier, 1883, *Historia antigua de México y de su conquista,* 2 vol., trad. J. Joaquín de Mora, México.
Cook de Leonard, Carmen, 1982, "Ciencia y misticismo", en C. Cook de Leonard, *Esplendor del México Antiguo,* vol. I, México, Editorial del Valle de México, pp. 127-140.
Cyphers Guillén, Ann, 1980, "Una secuencia preliminar para el Valle de de Xochicalco", en *Anales de Antropología,* vol. XVII, núm. I, pp. 33-52.
Dumond, D. E. y Forencia Müller, 1972, "Classic to Postclassic in Highland Central Mexico", en *Science,* vol. 175, núm. 4027, marzo, pp. 1208-1215.
Dupaix, Guillaume, 1831-1848, "Monuments of New Spain...", en Lord Kingsborough (ed.), *Antiquities of Mexico,* vols. IV y VI Londres, Robert Havell and Conaghi.
——, 1834, *Antiquités mexicaines, Relation de trois expeditions du capitaine Dupaix, ordonées en 1805, 1806 et 1807 pour la recherche des antiquités du pays,* París, Jules Didot.
Escalona Robles, Alberto, 1952-1953, "Xochicalco en la cronología de la América Media", en *Revista Mexicana de Estudios Antropológicos,* vol. XIII, núm. 2-3, pp. 351-69.
Foncerrada de Molina, Martha, 1993, *Cacaxtla. La iconografía de los olmeca-xicalanca,* México, Instituto de Investigaciones Estéticas-UNAM.
Gadow, Hans, 1908, *Through Southern Mexico. Being the account of the travels of a naturalist,* Londres, Witherby and Co.
Gama, Manuel, 1897, "Un monumento prehistórico", en *Congreso Internacional de Americanistas; Actas de la undécima reunión, México, 1895,* México, Agencia Tipográfica de F. Díaz de León, pp. 528-532.
García Cook, Ángel, 1972, "Investigaciones arqueológicas en el estado de Tlaxcala", en *Comunicaciones del Proyecto Puebla-Tlaxcala,* núm. 6.
——, 1973, "El desarrollo cultural prehispánico en el norte del área, intento de una secuencia cultural", en *Comunicaciones del Proyecto Puebla-Tlaxcala,* núm. 7, pp. 67-71.
——, 1974, "Una secuencia cultural para Tlaxcala", en *Comunicaciones del Proyecto Puebla-Tlaxcala,* núm. 10, pp. 5-22.
——, 1976, *El Proyecto Puebla Tlaxcala: finalidad y logros,* Puebla, Proyecto México/FAIC.
—— y Beatriz Leonor Merino Carrión (comps.), 1995, *Antología de Cacaxtla,* 2 vols., México, INAH.
Garza Tarazona, Silvia, 1993, "Una de las entradas a la ciudad de Xochicalco, Morelos", en *Cuadernos de arquitectura mesoamericana,* núm. 24, febrero, pp. 9-18.
——, Silvia y Norberto González Crespo, 1995, "Xochicalco", en *La acrópolis de Xochicalco,* México, Instituto de Cultura de Morelos, pp. 89-143.
González Crespo, Norberto, 1993, "Xochicalco, Morelos", en *Arqueología. Memoria e identidad,* México, INAH-CONACULTA, pp. 136-157.
—— y Silvia Garza Tarazona, 1994, "Xochicalco", en *Arqueología mexicana,* vol. II, núm. 10, octubre-noviembre, pp. 70-74.
——, Silvia Garza Tarazona, Hortensia de Vega Nova , Pablo Mayer Guala y Giselle Canto Aguilar, 1995, "Archaeological Investigations at Xochicalco, Morelos, 1984 and 1986", en *Ancient Mesoamerica,* vol. 6, núm. 2, pp. 223-236.
Gros, Baron. 1865, "Renseignements destinés aux voyageurs qui auront à étudier

les monuments anciens situés dans les environs de Mexico. Teotihuacán et Xochicalco", en *Archives de la Commission Scientifique de Mexique*, vol. I, París, Ministère de l'Instruction Publique/Imprimerie Impériale, pp. 137-146.

Henning, Pablo, Francisco Plancarte, Cecilio A. Robelo y Pedro González, 1912, "Tamoanchan. Estudio arqueológico e histórico", en *Anales del Museo Nacional de Arqueología, Historia y Etnología*, 3ª época, vol. IV, núm. 1-2, pp. 41-62.

Hirth, Kenneth G., 1980a, "Archaeological Explorations at Xochicalco, Morelos, Mexico", en *Mexicon*, vol. II, núm. 4, septiembre, pp. 57-60.

——, 1980b, "Hallazgos recientes en Xochicalco", en *Rutas de intercambio en Mesoamérica y Norte de México, XVI Mesa Redonda de la Sociedad Mexicana de Antropología*, vol. II, México, Sociedad Mexicana de Antropología, pp. 261-266.

——, 1982, "Transportation Architecture at Xochicalco, Morelos, Mexico", en *Current Anthropology*, vol. 23, núm. 3, junio, pp. 322-324.

——, 1984, "Xochicalco: Urban Growth and State Formation in Central Mexico", en *Science*, vol. 225, núm. 4662, agosto, pp. 579-586.

——, 1989. "Militarism and Social Organization at Xochicalco, Morelos", en R. A. Diehl y J.C. Berlo, *Mesoamerica after de Decline of Teotihuacan A. D. 700-900*, Washington D.C., Dumbarton Oaks Research Library and Collection, pp. 69-81.

——, 1991, "Roads, Thoroughfares, and Avenues of Power at Xochicalco, Mexico", en C. Trombold (ed.), *Prehispanic Transportation Networks in the New World*, Cambridge, Cambridge University Press, pp. 211-221.

——, 1995a, "The Investigation of Obsidian Craft Production at Xochicalco, Morelos", en *Ancient Mesoamerica*, vol. 6, núm. 2, pp. 251-258.

——, 1995b, "Urbanism, Militarism, and Architectural Design. An Alysis of Epiclassic Socipolitical Structure at Xochicalco", en *Ancient Mesoamerica*, vol. 6, núm. 2, pp. 237-250.

——, 2000a, *Ancient Urbanism at Xochicalco. The Evolution and Organization of a Pre-Hispanic Society*, 2 vols., Salt Lake City, The University of Utah Press (Archaeological Research at Xochicalco, 1).

——, 2000b, "Fact and Fancy: The History of Exploration at Xochicalco", en *Ancient Urbanism at Xochicalco. The Evolution and Organization of a Pre-Hispanic Society*, 2 vols., Salt Lake City, The University of Utah Press (Archaeological Research at Xochicalco, 1), pp. 28-47.

—— (ed.), 2000c, *The Xochicalco Mapping Project*, 2 vols., Salt Lake City, The University of Utah Press (Archaeological Research at Xochicalco, 2).

—— y Ann Cyphers Guillén, 1988, *Tiempo y asentamiento en Xochicalco*, México, UNAM.

—— y Jorge Angulo Villaseñor, 1981, "Early State Expansion in Central Mexico: Teotihuacan in Morelos", en *Journal of Field Archeology*, vol. 8, núm. 2, verano, pp. 135-150.

Humboldt, Alexander von, 1816, "Planche IX. Monument de Xochicalco", en *Vues des cordillères, et monuments des peuples indigènes de l'Amerique*, vol. I, París, E. Schoell, pp. 57-59.

Jiménez Moreno, Wigberto, 1959, "Síntesis de la historia pretolteca de Mesoamérica", en C. Cook de Leonard (ed.), *Esplendor del México antiguo*, vol. II, México, Centro de Investigaciones Antropológicas de México, pp. 1019-1108.

Latrobe, Charles Joseph, 1836, *The Rambler in Mexico*, 1834, Nueva York, Harper and Brothers.

León-Portilla, Miguel, 1995, "Xochicalco en la historia", en *La acrópolis de Xochicalco*, México, Instituto de Cultura de Morelos, pp. 35-86.

Le Plongeon, Augustus, 1913, "The Pyramid of Xochicalco", en *The Word Magazine*, vol. 18, pp. 9-31, 100-113 y 154-162.

Litvak King, Jaime, 1965, "Una maqueta de piedra hallada en Xochicalco, Morelos", en *Boletín INAH*, núm. 22, pp. 12-13.

——, 1967, "Una figurilla, procedente de Xochicalco, en el Museo de Cambridge, Inglaterra", en *Boletín INAH*, núm. 30, pp. 44-46.

——, 1970a, *El Valle de Xochicalco: formación y análisis de un modelo estadístico*. Tesis doctoral, México, Facultad de Filosofía y Letras-UNAM.

——, 1970b, "Xochicalco en la caída del Clásico: una hipótesis", en *Anales de Antropología*, vol. VII, pp. 131-144.

——, 1971, "Investigaciones en el Valle de Xochicalco, 1569-1979", en *Anales de Antropología*, vol. VIII, pp. 102-124.

——, 1972, "Las relaciones externas de Xochicalco: una evaluación de su posible significado", en *Anales de Antropología*, vol. IX, pp. 253-276.

——, 1973, "Los patrones de cambio de estadío en el Valle de Xochicalco", en *Anales de Antropología*, vol. X, pp. 93-110.

——, 1974, "Algunas observaciones acerca del Clásico de Xochicalco, México", en *Anales de Antropología*, vol. XI, pp. 9-17.

——, 1987, "Xochicalco del Preclásico al Posclásico", en J.B. Mountjoy y D.L. Brockington (eds.), *El auge y la caída del Clásico en el México central*, México, UNAM, pp. 109-208.

Lizardi Ramos, César, 1961, "Estudio de tres piezas arqueológicas", en *El México Antiguo IX*, pp. 297-324.

Lombardo, Sonia *et al.*, 1986, *Cacaxtla. El lugar donde muere la lluvia en la tierra*, México, SEP/INAH/Gobierno del Estado de Tlaxcala/Instituto Tlaxcalteca de Cultura.

López de Molina, Diana, 1977, "Cacaxtla y su relación con otras áreas mesoamericanas", en *XV Mesa Redonda de la Sociedad Mexicana de Antropología*, México, SMA, pp. 7-12.

——, 1979, "Excavaciones en Cacaxtla. Tercera temporada", en *Comunicaciones del Proyecto Puebla-Tlaxcala*, núm. 16, pp. 141-148.

—— y Daniel Molina, 1976, "Los murales de Cacaxtla", en *Boletín INAH*, segunda época, núm. 16, pp. 3-8.

López Luján, Leonardo, Robert H. Cobean y A. Guadalupe Mastache F., 1995, *Xochicalco y Tula*, Turín, Jaca Books/CONACULTA.

Márquez, Pedro José, (1804) 1883, "Dos antiguos monumentos de arquitectura mexicana. Segundo monumento", en *Anales del Museo Nacional de México*, vol. III, núm. 3, pp. 76-86.

Marquina, Ignacio, 1964, *Arquitectura prehispánica*, México, INAH.

Mayer, Brantz, (1844) 1953, *México, lo que fue y lo que es*, México, Fondo de Cultura Económica.

Mena, Ramón, 1909, "Notas acerca de Xochicalco", en *Memorias y Revista de la Sociedad Científica "Antonio Alzate"*, núm. 29, julio-diciembre, pp. 345-367.

Molina Feal, Daniel, 1977, "Consideraciones sobre la cronología de Cacaxtla", en *XV Mesa Redonda de la Sociedad Mexicana de Antropología*, México, SMA, pp. 1-5.

Molina Montes, Augusto, 1991a, "Una visión de Xochicalco en el siglo XIX: Dupaix y Castañeda, 1805", en *Anales del Instituto de Investigaciones Estéticas*, vol. 62, pp. 53-68.

——, 1991b, "La historiografía de Xochicalco", en *Cuadernos de arquitectura mesoamericana*, núm. 15, diciembre, pp. 33-36.

——, 1993, "El urbanismo en Xochicalco", en *Cuadernos de arquitectura mesoamericana*, núm. 24, febrero, pp. 3-8.

Müller, Florencia, 1944, "Levantamiento preliminar de la zona arqueológica entre Xochicalco y Malinalco", en *Varios*, vol. 171, México, Archivo del Consejo de Arqueología del INAH.

——, 1974, "Cerámica de Xochicalco, Morelos, Temporada 1962", en *Cultura y Sociedad*, vol. I, núm. 1, julio-septiembre, pp. 54-60.

Muñoz Camargo, Diego, 1892, *Historia de Tlaxcala*, edición de Alfredo Chavero, México, Oficina Tipográfica de la Secretaría de Fomento.

Nagao, Debra, 1989, "Public Proclamation in the Art of Cacaxtla and Xochicalco", en R. A. Diehl y J. C. Berlo, *Mesoamerica after de Decline of Teotihuacan A.D. 700-900*, Washington, D.C., Dumbarton Oaks, pp. 83-104.

Nebel, Carlos, (1836) 1963, *Viaje pintoresco y arqueológico sobre la parte más interesante de la República Mexicana en los años transcurridos desde 1829 hasta 1834*, México, Librería de Manuel Porrúa.

Nicholson, H. B., 1969, "Pre-Hispanic Central Mexican Historiography", en *Memorias de la Tercera Reunión de Historiadores Mexicanos y Norteamericanos, Oaxtepec, Morelos*, México, UNAM/COLMEX/University of Texas, Austin, pp. 38-81

Noguera, Eduardo, 1945, "Exploraciones en Xochicalco", en *Cuadernos Americanos*, vol. XIX, núm. 1, enero-febrero, pp. 119-57.

——, 1946, "Cultura de Xochicalco", en J. A. Vivó (ed.), *México prehispánico, Antología de la revista Esta Semana This Week*, México, Editorial Emma Hurtado, pp. 185-193.

——, 1947, "Cerámica de Xochicalco", en *El México antiguo*, vol. VI, núm. 9-12, marzo, pp. 273-300.

——, 1948-1949, "Nuevos rasgos característicos encontrados en Xochicalco", en *Revista Mexicana de Estudios Antropológicos*, vol. X, pp. 115-119.

——, 1951, "Exploraciones en Xochicalco", en S. Tax (ed.), *Civilizations of Ancient America. Selected Papers of the 29th International Congress of Americanists*, Chicago, University of Chicago Press, pp. 37-42.
——, 1960, *Zonas arqueológicas del estado de Morelos*, México, INAH.
——, 1961, "Últimos descubrimiento en Xochicalco", en *Revista Mexicana de Estudios Antropológicos*, vol. XVII, pp. 33-37.
Orozco y Berra, Manuel, (1880) 1960, *Historia Antigua de la Conquista de México*, 4 vols., México, Editorial Porrúa.
Palacios, Enrique Juan, 1947, *Las fechas de Xochicalco, de la Piedra del Sol y del Códice Vaticano A*, México, Biblioteca Pulcherrima americae gemmarum.
Peñafiel, Antonio, 1890, "Xochicalco", *Ornamentación, mitología, tributos y monumentos, Monumentos del arte mexicano antiguo*. vol. I, Berlín, A. Ascher & Co., pp. 31-45.
—— (ed.), 1909, *Ciudades coloniales y capitales de la República Mexicana*, vol. 3, *Estado de Morelos*, México, Secretaría de Fomento.
Perdreauville, Renato de, 1835. "Viage a las antigüedades de Xochicalco verificado por orden del gobierno supremo de México en marzo de 1835", en *Revista Mexicana*, Periódico Científico y Literario, vol. 1, núm. 5, pp. 539-550.
Piña Chan, Román, 1960, "Descubrimiento arqueológico en Xochicalco, Mor.", en *Boletín INAH*, núm. 2, pp. 1-4.
—— (ed.), 1975, *Teotenango: el antiguo lugar de la muralla. Memoria de las excavaciones arqueológicas*, 2 vols., México, Dirección de Turismo del Gobierno del Estado de México.
——, 1989, *Xochicalco: el mítico Tamoanchan*, México, INAH.
Plancarte y Navarrete, Francisco, 1911, *Tamoanchan. El estado de Morelos y el principio de la civilización en México*, México, Imprenta de El Mensajero.
Prem, Hans, 1974, "Überlegungen zu den chronologischen Angaben auf der Pyramide der gefiederten Schlangen. Xochicalco, Morelos, Mexico", en *Ethnologische Zeitschrift*, vol. I, pp. 351-364.
Rivera Cambas, Manuel, *1880-1883. México pintoresco, artístico y monumental*, 3 vols., México.
Robelo, Cecilio A., (1888) 1902, *Ruinas de Xochicalco*, Cuernavaca, José Donaciano Rojas.
Rosti, Pal, 1857-1858, *Fenykepi gyujtemeny melyel Havannaban, Orinocco videnken es Mexicoban*, Budapest.
——, 1861, *Uti emlékezetek Amerikabol*, Budapest, Kiadja Heckenast Gusztav.
Sáenz, César A., 1961, "Tres estelas en Xochicalco", en *Revista Mexicana de Estudios Antropológicos*, vol. XVII, pp. 39-65.
——, 1962a, *Xochicalco, Temporada 1960*, México, INAH (Informes 11).
——, 1962b, "Exploraciones arqueológicas en Xochicalco", en *Boletín INAH*, núm. 7, pp. 1-3.
——, 1963a, "Exploraciones en la Pirámide de las Serpientes Emplumadas, Xochicalco", en *Revista Mexicana de Estudios Antropológicos*, vol. XIX, pp. 7-25.
——, 1963b, "Nuevos descubrimientos en Xochicalco, Mor.", en *Boletín INAH*, núm. 11, pp. 3-7.
——, 1964, *Últimos descubrimientos en Xochicalco*, México, INAH.
——, 1965, "Exploraciones en Xochicalco", en *Boletín INAH*, núm. 20, pp. 4-9.
——, 1966, "Exploraciones en Xochicalco", en *Boletín INAH*, núm. 26, pp. 24-34.
——, 1967a, *El Fuego Nuevo*, México, INAH.
——, 1967b, *Nuevas exploraciones y hallazgos en Xochicalco*, 1965-1966, México, INAH.
——, 1968, "Cuatro piedras con inscripciones en Xochicalco, México", en *Anales de Antropología*, vol. V, pp. 181-198.
——, 1975, "Xochicalco, Morelos", en Piña Chan (ed.), *México: panorama histórico y cultural*, a cargo de Ignacio Bernal, vol. VII, R., *Pueblos y señoríos teocráticos. El periodo de las ciudades urbanas. Primera parte*, México, SEP/INAH, pp. 55-102.
——, 1978, "El enigma de Xochicalco", en M. León-Portilla (ed.), *Historia de México*, vol. 2, México, Salvat Mexicana de Ediciones, pp. 451-76.
Sahagún, Bernardino de, 1989, *Historia general de las cosas de Nueva España*, introducción, paleografía y notas de A. López Austin y J. García Quintana, México, CONACULTA/Alianza Editorial Mexicana.
Sanders, William T., 1952, "Estudios sobre el patrón de asentamiento del poblado de Xochicalco", en *Tlatoani*, vol. I, núm. 2, marzo-abril, p. 32.
Santana Sandoval, Andrés y Rosalba Delgadillo Torres, 1990, "Cacaxtla durante la transición del periodo Clásico al Posclásico", en F. Sodi Miranda (coord.), *Mesoamérica y el norte de México, siglos IX-XII*, México, INAH, pp. 281-300.
——, Sergio de la L. Vergara Verdejo y Rosalba Delgadillo Torres, 1990, "Cacaxtla, su arquitectura y pintura mural: nuevos elementos para su análisis", en A. Cardós de Méndez (coord.), *La época Clásica: nuevos hallazgos, nuevas ideas*, México, INAH, pp. 329-350.
Saville, Marshall H., 1928, "Bibliographic Notes on Xochicalco, Mexico", en *Indian Notes and Monographs*, vol. VI, núm. 6, Nueva York, Museum of the American Indian/Heye Foundation.
Seler, Eduard, (1888) 1960a, "Die Ruinen von Xochicalco", en *Gesammelte Abhandlungen zur Amerikanischen Sprach- und Altertumskunde*, vol. II, Graz, Akademische Druck-u Verlaganstalt, pp. 128-167.
——, (1903), 1960b, "Ein Wintersemester in México und Yucatan", en *Gesammelte Abhandlungen zur Amerikanischen Sprach- und Altertumskunde*, vol. II, Graz, Akademische Druck-u Verlaganstalt, pp. 257-286.
Serra Puche, Mari Carmen (ed.), 1998, *Xochitécatl*, México, Gobierno del Estado de Tlaxcala.
Smith, Virginia, 1988, *The Iconography of Power at Xochicalco*. Tesis de doctorado, Lexington, The University of Kentucky.
Spranz, Bodo, 1970, "Investigaciones arqueológicas en el cerro Xochitécatl, Tlaxcala, temporada 1969-70", en *Comunicaciones del Proyecto Puebla-Tlaxcala*, núm. 1, pp. 37-39.
Stewart, T. Dale, 1956, "Skeletal Remains from Xochicalco, Morelos", en *Estudios antropológicos publicados en homenaje al doctor Manuel Gamio*, México, UNAM/Sociedad Mexicana de Antropología, pp. 131-56.
Sugiura Yamamoto, Yoko, 1991, *El Epiclásico y el Valle de Toluca: un estudio de patrón de asentamiento*, 2 vol. Tesis doctoral, México, Facultad de Filosofía y Letras-UNAM.
——, 2001, "La zona del Altiplano central en el Epiclásico", en L. Manzanilla y L. López Luján (coords.), *Historia Antigua de México*, vol. 2, México, INAH/UNAM/Miguel Ángel Porrúa, pp. 347-390.
Togno, Juan B., 1909, "Xochicalco. Estudio Técnico de las fortificaciones tlahuicas, 1892", en A. Peñafiel (ed.), *Ciudades coloniales y capitales de la República Mexicana*, vol. 3, *Estado de Morelos*, México, Secretaría de Fomento, pp. 33-44.
Tylor, Edward B., 1861, *Anahuac: or Mexico and the Mexicans, Ancient and Modern*, Londres, Longman, Green, Longman, and Roberts.
Vaillant, George C. y Suzanna B. Vaillant, 1934, "Excavations at Gualupita", en *Anthropological papers*, vol. 35, núm. 1, Nueva York, American Museum of Natural History, pp. 1-135.
Vega Nova, Hortensia de, 1993, "Interpretación de un conjunto habitacional en Xochicalco, Morelos", en *Cuadernos de arquitectura mesoamericana*, núm. 24, febrero, pp. 19-28.
Veytia, Mariano, (1836) 1944, *Historia antigua de México*, 2 vols., México, Editorial Leyenda.
Waldeck, Frederick, 1838, *Voyage pittoresque et archéologique dans la province de Yucatan…, pendant les années 1834 et 1836*, París.
Webb, Malcolm C., 1978, "The Significance of the 'Epiclassic' Period in Mesoamerican Prehistory", en D. L. Browman (ed.), *Cultural Continuity in Mesoamerica*, La Haya, Mouton Publishers, pp. 155-78.

TULA DE LOS TOLTECAS
EDUARDO MATOS MOCTEZUMA

Acosta, Jorge, 1940, "Exploraciones en Tula, Hidalgo, 1940", en *Revista Mexicana de Estudios Antropológicos*, México, SMA.
——, 1941, "Los últimos descubrimientos arqueológicos en Tula, Hidalgo, 1941", en *Revista Mexicana de Estudios Antropológicos*, México, SMA.
——, 1944, "La tercera temporada de exploraciones arqueológicas en Tula, Hidalgo", en *Revista Mexicana de estudios Antropológicos*, México, SMA.
——, 1945, "La cuarta y quinta temporadas de exploraciones arqueológicas en Tula, Hidalgo", en *Revista Mexicana de Estudios Antropológicos*, México, SMA.
——, 1956-1957, "Interpretación de algunos de los datos obtenidos en Tula relativos a la época tolteca", en *Revista Mexicana de Estudios Antropológicos*, México, SMA.
——, 1957, "Resumen de los informes de las exploraciones arqueológicas en Tula, Hidalgo, durante la IX y X temporadas, 1953-54", en *Anales del INAH*, núm. 9, México.

——, 1960, "Las exploraciones en Tula, Hidalgo, durante la XI temporada, 1955", *Anales del INAH*, núm. 11, México.
——, 1961, "La doceava temporada de exploraciones en Tula, Hidalgo", en *Anales del INAH*, núm. 13, México.
——, 1964, "La décimo tercera temporada de exploraciones en Tula, Hidalgo", en *Anales del INAH*, núm. 16, México.
——, 1974, "La pirámide de El Corral de Tula, Hidalgo", en *Proyecto Tula* (1ª parte), México, INAH (Colección Científica núm. 15).
Cobean, Robert, 1982, "Investigaciones recientes en Tula Chico, Hidalgo", en *Estudios sobre la antigua ciudad de Tula,* México, INAH, (Colección Científica núm. 121).
——, 1990, *La cerámica de Tula, Hidalgo*, México, INAH (Colección Científica núm. 215).
—— y Elba Estrada Hernández, 1994, "Ofrendas Toltecas en el Palacio Quemado de la Zona Arqueológica de Tula, Hidalgo, Proyecto Tula 92-93", en *Arqueología Mexicana*, núm. 6, México.
Davies, Nigel, 1977, *The Toltec until the Fall of Tula*, University of Oklahoma Press, Norman.
Díaz, Clara Luz, 1980, *Chingú: un sitio Clásico del área de Tula, Hidalgo*, México, INAH (Colección Científica núm. 90).
Diehl, Richard, 1983, *Tula,* Londres, Thames and Hudson.

Espejo, Antonieta, 1976, "La gruta de Binola, cerca de Tula", en *Proyecto Tula* (2ª parte), México, INAH (Colección Científica, núm 33).
Feldman, Lawrence y Guadalupe Mastache, 1990, *Cartografía Antigua del área de Tula,* México.
García Cubas, Antonio, 1873, "Ruinas de la antigua Tollan", en *Boletín de la Sociedad Mexicana de Geografía y Estadística*, 3ª época, núm. 1, México.
Healan, Dan M., 1982, "Patrones residenciales en la antigua ciudad de Tula", en *Estudios sobre la antigua Ciudad de Tula,* México, INAH (Colección Científica núm. 121).
——, 1986, "Technological and Nontechnological Aspects of the Obsidian Workshop Excavated at Tula, Hidalgo", en *Economic Aspects of Prehispanic Highland-Mexico*, Greenwich JAI Press.
——, 1989, *Tula of the Toltecs: Excavations and Survey*, University of Iowa Press.
Jiménez Moreno, Wigberto, 1941, "Tula y los toltecas según las fuentes históricas", en *Revista Mexicana de Estudios Antropológicos*, México, SMA.
Mastache, Alba Guadalupe, 1976, "Sistemas de riego en el área de Tula, Hidalgo", en *Proyecto Tula* (2ª Parte), México, INAH (Colección Científica núm. 33).
Mastache, Alba Guadalupe y Robert Cobean, 1989, "The Coyotlatelco Culture and the Origins of the Toltec State", en *Mesoamerica After the Decline of Teotihuacan, A.D. 700-900,* Dumbarton Oaks, Washington.
——, 1990, *Las industrias líticas coyotlatelco en el área de Tula*, México, INAH (Colección Científica).
——, 1995, "Tula", en *Xochicalco y Tula*, México, Jaca Book-CONACULTA.
Mastache, Alba Guadalupe y Ana María Crespo, 1974, "La ocupación prehispánica en el área de Tula, Hidalgo", en *Proyecto Tula* (1ª parte), México, INAH (Colección Científica núm. 15).
——, 1982, "Análisis sobre la traza general de Tula, Hidalgo", en *Estudios sobre la antigua ciudad de Tula, México,* INAH (Colección Científica, núm. 121).
Matos Moctezuma, Eduardo, 1974, "Excavaciones en la microárea: Tula Chico y la Plaza Charnay", en *Proyecto Tula* (1ª parte), México, INAH (Colección Científica núm. 15).
Nalda, Enrique y Alejandro Pastrana, 1976, "Una proposición para la investigación de los (talleres de lítica) en Tula, Hidalgo", en *Proyecto Tula* (2ª parte), México, INAH (Colección Científica, núm. 33).
Peña, Agustín y Carmen Rodríguez, 1976, "Excavaciones en Dainí, Tula, Hidalgo", en *Proyecto Tula* (2ª parte), México, INAH (Colección Científica núm. 33).
Stocker, Terrance, 1983, *Figurines from Tula, Hidalgo, Mexico*. Disertación doctoral, University of Illinois, Urbana.
Yadeun, Juan, 1975, *El Estado y la Ciudad: el caso de Tula, Hidalgo*, Proyecto Tula, México, INAH (Colección Científica núm. 25).

LA ÉPOCA MEXICA REVELADA POR LOS ESTUDIOS ARQUEOLÓGICOS
FELIPE SOLÍS

Arana, Martín Raúl, 1967, "Hallazgo de un monolito en las obras del STC (Metro)", en *Boletín INAH*, núm. 30, México, pp. 19-23.
Arana, Martín Raúl y C. Gerardo, Zepeda, 1967, "Rescate arqueológico de la Ciudad de México", en *Boletín INAH*, núm. 30, México.
Barrera Rivera, José Álvaro, María de Lourdes Gallardo Parodi y Aurora Montúfar López, 2001, "La ofrenda 102 del Templo Mayor", en *Arqueología Mexicana*, vol. VIII, núm. 48, México, pp. 70-77.
Batres, Leopoldo, 1902, *Excavaciones en la calle de las escalerillas*, México, Tip. y Lit. (La Europea) de J. Aguilar Vera y Compañía.
Bernal, Ignacio, 1979, *Historia de la arqueología en México*, México, Porrúa.
Boas, Franz, 1912, "Archaeological investigations in the Valley of Mexico by the International School of Archaeology, 1911-1912", en *XVIII International Congres of Americanists*, Londres, pp. 176-179.
Boone, Elizabeth H. (edit.), 1983, *The Aztec Templo Mayor*, Washington, Dumbarton Oaks.
——, 1983, "Templo Mayor Reasearch, 1521-1978", en *The Aztec Templo Mayor*, Washington, Dumbarton Oaks, pp. 5-70.
Calderón de la Barca, Marquesa de, 1843, *Life in Mexico*, Londres.
Caso, Alfonso, 1936, *La religión de los Aztecas*, México, Enciclopedia Ilustrada Mexicana. Segunda Edición 1945, Colección Enciclopédica Popular.
——, 1953, *El Pueblo del Sol*, México, Fondo de Cultura Económica, 1970.
——, "Xólotl no jaguar", en *Boletín del* INAH, núm. 39, México.
—— y Mateos Higuera, Salvador, 1940, *Catálogo de la Colección de Monolitos del Museo Nacional de Antropología*, mecanoescrito, México.
Castillo Ledón, Luis, 1924, *El Museo Nacional de Arqueología, Historia y Etnografía. 1825-1925. Reseña histórica para la celebración de su primer centenario*, México.
Castillo, Tejero Noemi, 1968, "Hueso grabado del centro de México", en *Boletín INAH* , núm. 31, pp. 38.
Ceballos Novelo, Roque J., 1921, "El Templo Mayor de México-Tenoxtitlan", en *Ethnos,* vol. 1, México, pp. 192-205.
Ceballos, Novelo Roque J., 1928, Tepoztlán, Teopanzolco y Xochicalco en estado actual de los principales edificios arqueológicos de México, México, pp. 99-106.
Clavijero, Francisco Javier, 1780-1781, *Storia Antica del Messico*, 4 vols., Gregorio Biasini, Casena.
——, 1964, *Historia antigua de México*, Mariano Cuevas (edit.), México, Editorial Porrúa.
Corzo, Miguel Ángel (coord.), 1981, *El Templo Mayor*, México, Beatrice Trueblood-Bancomer.
Chavero, Alfredo, 1888, *Historia antigua y de la Conquista-México a través de los siglos*, t. I, Vicente Riva Palacio (edit.), Barcelona, Espasa y Compañía.
Departamento del Distrito Federal, 1970, *La gran ciudad*, Salvador Zapata y Juan de Alva (directores de la obra), México.
Decaen (edit.), 1855-1856, *México y sus alrededores*, México.
Dupaix, Guillermo, 1978, *Atlas de las antigüedades mexicanas halladas en el curso de los tres viajes de la real expedición de antigüedades de la Nueva España emprendidos en 1805-1806 y 1807*, Roberto Villaseñor Espinoza (edit.), México, San Ángel Ediciones.
Franco Brizuela, María Luisa, 1990, *Conservación del Templo Mayor de Tenochtitlan*, México, INAH.
Galindo y Villa, Jesus, 1896, *Breve noticia histórico-descriptiva del Museo Nacional de México*, México, Imprenta del Museo Nacional.
——, 1897, *Catálogo del departamento de arqueología del Museo Nacional, Primera parte, Galería de monolitos*, México.
Gamio, Manuel, 1914, "Los vestigios prehispanicos de la calle de santa Teresa", en *Boletín de Educación,* vol. 1, México.
——, 1917, "Investigaciones arqueológicas en México, 1914-1915", en *XIX Congreso Internacional de Americanistas*, Washington, pp. 125-133.
——, 1921a, "Vestigios del Templo Mayor de Tenoxtitlan descubiertos recientemente", en *Ethnos,* vol. 1, México, pp. 205-207.
——, 1921b, *Álbum de las colecciones arqueológicas, Publicaciones de la Escuela Internacional de Arqueología y Etnografía Americanas, 1921-1922, México*, México, Imprenta del Museo Nacional de Arqueología, Historia y Etnografía.

——, 1928, "Las excavaciones del Pedregal de San Ángel y la cultura arcaica del Valle de México", en *Annales do XX Congreso Internacional de Americanistas*, II, Río de Janeiro, pp. 127-143.

García Cook, Ángel y Raúl Arana Martín, 1978, *Rescate arqueológico del monolito Coyolxauhqui-Informe preliminar*, México, SEP/INAH.

García Payón, José, 1936, *La zona arqueológica de Tecaxic-Calixtlahuaca y los matlatzincas*, México, Talleres Gráficos de la Nación. Segunda edición 1974, en la Biblioteca Enciclopédica del Estado de México, vol. XXIX, México.

——, 1979, *La zona arqueológica de Tecaxic-Calixtlahuaca y los matlatzincas, Etnología y Arqueología.* Textos de la segundo parte (Revisados y anotados por Wanda Tommasi y Leonardo Manrique Castañeda), Biblioteca Enciclopédica del Estado de México, vol. XXX, México.

——, 1981, *La zona arqueológica de Tecaxic-Calixtlahuaca y los matlatzincas.* Tablas, planos e ilustraciones de la segunda parte, Biblioteca Enciclopédica del Estado de México, vol, XXXI, México.

González y González, Luis, Emma Cossío Villegas y Guadalupe Monroy, 1956, *La República Restaurada, Vida social*, Serie Historia Moderna de México, dirigida por Daniel Cossío Villegas, México, Editorial Hermes.

González Rul, Francisco, 1979, *La lítica en Tlatelolco*, México, INAH (Colección Científica).

——, 1988, *La cerámica de Tlatelolco*, México, INAH (Colección Científica).

——, 1997, *Materiales líticos y cerámicos encontrados en las cercanías del monolito Coyolxauhqui*, México, INAH (Colección Científica).

——, 1998, *Urbanismo y arquitectura en Tlatelolco*, México, INAH (Colección Científica).

Griffin, James y Antonieta Espejo, 1947 y 1950, "La alfarería correspondiente al último periodo de ocupación nahua del Valle de México", en *Tlatelolco a través de los tiempos*, vol. IX, México, pp.10-26 y vol. XI, pp.15-66.

Gualdi, Pedro, 1841, *Monumentos de Méjico,* tomados del natural y litografiados por Imprenta Litográfica de Masse y Decaen, México.

Guilliem Arroyo, Salvador, 1999, *Ofrendas a Ehécatl-Quetzalcóatl en México Tlatelolco (Proyecto Tlatelolco 1987-96)*, México, INAH.

Gussinyer, Jordi, 1968, "Hallazgo de estructuras prehispánicas en el Metro", en *Boletín INAH,* núm. 34, México, pp. 15-18.

——, 1969a, "Una cabeza de jaguar" en *Boletín INAH*, núm. 38, México, pp. 40-42.

——, 1969b, "Una escultura de Ehecatl-Ozomatli", en *Boletín INAH*, núm. 37, México, pp. 29-32.

——, 1970a, "Deidad descubierta en el Metro", en *Boletín INAH*, núm. 40, México, pp. 41-42.

——, 1970b, "Un adoratorio azteca decorado con pinturas", en *Boletín INAH*, núm. 40, México, pp. 30-35.

——, 1970c, "Un adoratorio dedicado a Tlaloc", en *Boletín INAH*, núm. 39, México, pp. 7-12.

——, 1972a, "Rescate de un adoratorio azteca en México, D.F.", en *Boletín INAH*, época 2, núm. 2, México, pp. 21-30.

——, 1973a, "Una base para un brasero ceremonial tenochca" en *Boletín INAH,* época 2, núm. 3, México, pp. 17-22.

——, 1973b, "Rescate de un adoratorio circular mexica", en *Boletín INAH,* época 2, núm. 4, México, pp. 27-32.

Heyden, Doris, 1969, "Comentarios sobre la Coatlicue recuperada durante las excavaciones realizadas para la construcción del Metro", en *Anales del INAH,* época 7, núm. 2, México, pp. 153-170.

——, 1970a, "Deidad del agua encontrada en el Metro" en *Boletín INAH*, núm. 40, México, pp. 35-40.

——, 1970b, "Un adoratorio a Omacatl", en *Boletín INAH*, núm. 42, México, pp. 21-24.

Jiménez Badillo, 1997, *Ofrendata, Aplicación de un sistema de base de datos para controlar una colección arqueológica*, México, INAH.

León y Gama, Antonio, 1792, *Descripción histórica y cronológica de las dos piedras...,* primera edición. Segunda edición, 1832 (Carlos María de Bustamante, edit.), México, Alejandro Valdés.

Lombardo de Ruiz, Sonia, 1994, *El pasado prehispánico en la cultura nacional (Memoria hemerográfica, 1887-1991),* vol. I, *El Monitor Repúblicano (1877-1896),* vol. II. *El Imparcial, 1897-1911*, Antologías, Serie Historia, México, INAH.

Marquina, Ignacio, 1951, *Arquitectura prehispánica*, México, INAH.

——, 1957, *Templo Mayor de México*, Guía Oficial, México, INAH.

——, 1960, *El Templo Mayor de México*, México, INAH.

Matos Moctezuma, Eduardo (coord.), 1982, *El Templo Mayor, excavaciones y estudios*, México, INAH.

——, 1998, *Proyecto Templo Mayor, Memoria Gráfica*, México, Museo del Templo Mayor.

——, 1999 (coord.), *Excavaciones en la Catedral y el Sagrario Metropolitanos-Programa de Arqueología Urbana*, México, INAH (Colección Obra diversa).

Mayer, Brantz, 1844, *Mexico as it was and as it is*, Nueva York, J. Winchester.

Mendoza, Gumesindo y Jesús Sánchez, 1882, "Catálogo de las colecciones histórica y arqueológica del Museo Nacional de México", en *Anales del Museo Nacional de México*, época I, vol. 2, México, pp. 445-486.

Moedano, Hugo, 1944a, "El nexo cultural entre los aztecas y los toltecas", en *El Nacional,* 4 de noviembre, México.

——, 1944b, "Un sensacional descubrimiento: la influencia de los tolteca en Tenochtitlan", en *El Universal,* 13 de agosto, México.

Noguera, Eduardo, 1960, *Zonas arqueológicas del estado de Morelos*, INAH, México.

——, 1961, "Últimos descubrimientos en Xochicalco", en *Revista Mexicana de Estudios Antropológicos*, 17, México, pp. 33-37.

Olmedo Bertina y Carlos González, 1990, *Esculturas Mezcala en el Templo Mayor*, México, INAH (Colección Divulgación).

Olmo Frese, Laura del, 1999, *Análisis de la ofrenda 98 del Templo Mayor de Tenochtitlan*, México, INAH.

Ordóñez, Ezequiel, 1938, "Las Ruinas de Teopanzolco en Cuernavaca, Morelos", en *Revista mexicana de ingeniería y arquitectura,* XV I-II, México, pp. 629-622.

Palacios, Juan Enrique, 1924, *Interpretaciones de la piedra del calendario*, México, Talleres Gráficos del Museo Nacional de Arqueología, Historia y Etnografía.

Peñafiel, Antonio, 1910, *Destrucción del Templo Mayor de México Antiguo y los monumentos encontrados en la ciudad, en las escavaciones de 1897-1902*, México, Imprenta y fototípia de la Secretaría de Fomento.

Polaco, Óscar J., 1991, *La fauna en el Templo Mayor*, México, G.V. Editores/INAH.

Ramírez, José Fernando, 1844-1846, "Antigüedades mexicanas conservadas en el Museo Nacional de México", en Deacen (edit.), *México y sus alrededores*, México, pp. 33-36.

Román Bellereza, Juan Alberto, 1990, *Sacrificio de niños en el Templo Mayor*, México, INAH.

Riva Palacio, Vicente (ed.), 1958, *México a través de los siglos*, tomo 2, *El Virreinato*, México, Editorial Cumbre.

Seler, Eduard, 1901, "Die Ausgrabungen am Orte des Haupttempels", en *Mittheilungen der Anthropologischen Gesellschaft in Wien.* XXXI Band, Viena, pp. 113-137.

Solís, Antonio de, 1684, *Historia de la Conquista de México, población y progresos de la América Septentrional, conocida por el nombre de Nueva España,* Madrid, B. De Villadiego.

Solís, Felipe, 1997, "Un hallazgo olvidado: relato e interpretación de los descubrimientos arqueológicos del predio de la calle de Guatemala....", en *Homenaje al Doctor Ignacio Bernal*, México, INAH (Colección Científica).

—— y David Morales, 1991, *Rescate de un rescate, Colección de objetos Arqueológicos de el Volador*, México.

Sosa, Francisco, 1878, *El Episcopado Mexicano, Galeria Ilustrada de los Ilmos. Sr. Arzobispos de México desde la época colonial hasta nuestros días*, México, Imprenta de Jens y Zapiain.

Varios autores, 1944- 1956, "Tlatelolco a través de los tiempos", vols. I-XII, en *Memorias de la academia mexicana de la historia,* México.

Velázquez, María del Carmen, 1985, "El despertar Ilustrado", en *Historia de México*, t. 9, *Insurgencia*, México, Editorial Salvat, pp. 1441-1470.

CRÉDITOS FOTOGRÁFICOS

José Álvarez G. Cortesía del arqueólogo Mario Navarrete H. p. 96.
Carlos Blanco p. 78 Inf. izq. y centro.
Michael Calderwood pp. 65, 91, 121, 212 inf., 311
Luz Evelia Campaña/INAH p. 194 sup.
Ignacio Guevara pp. 45, 69 inf., 70 inf. izq. 99, 184 inf. izq., 184 inf. der., 185, 186 der., 187 inf., 190, 192 inf. y sup. der., 213 sup., 215 sup., 216 inf. izq. y der., 217, 218, 219, 220 inf., 244 inf., 245 inf., 246 inf., 247, 248, 250, 253 inf., 269, 270, 278 inf., 280 sup. der., 351 inf., 352 sup. der., 352 inf. izq., 359 inf. der.,
Salvador Guilliem pp. 360, 361
Javier Hinojosa pp. 156, 158,
Jorge Pérez de Lara (reprografía) pp. 78 inf. der., 222, 223 sup., 78 sup.
Jesús Sánchez Uribe pp. 46, 48, 51, 52, 252, 272 inf., 275 sup. izq., 299, 307 inf., 309, 365, 366, sup. der. e inf.
Saturnino Vallejo (Reprografía) pp. 268, 357, 359 sup.
Zabé/Tachi pp. 25, 26, 27, 67, 70 inf. der., 76, 93, 95, 97, 105, 106, 124, 125, 129, 133, 150, 152, 153 inf., 155 izq.,180 der., 181 izq., 182 der., 183 izq., 183 der., 188 inf., 189, 215 inf., 251 izq., 275 sup. der. e inf., 279, 280 inf. der., 281, 282, 283, 307 sup., 351 sup., 352 inf. der., 354, 355, 356, 358

ᔓ

D.R. © Raíces/INAH, 2001

Archivo de Norberto González Crespo, p. 312
Archivo Técnico de la Coordinación de Arqueología, pp. 221, 324
Roberto Aranda, p. 193
Sergio Autrey, p. 313 sup.
Carlos Blanco, pp. 77, 108, 109
Fototeca Nacional, p. 183 sup.
Ángel García Cook, p. 50
Gerardo González Rul, pp. 123, 127, 131, 191 izq.
Gustavo Nacht, p. 149
Marco Antonio Pacheco, pp. 24, 28, 55, 74, 75 sup. der., 191, 244 sup., 312, 313 inf., 359 inf. izq., 367
Jorge Pérez de Lara, p. 194 inf. izq. y der.
Román Piña Chan, pp. 192 izq.
Patricio Robles Gil, p. 179
Michel Zabé, pp. 43, 327

ᔓ

Archivo Técnico de la Coordinación Nacional de Arqueología-INAH pp. 212 sup., 223 inf., 350 sup., 354 sup., 325
© CONACULTA-INAH-SINAFO- FOTOTECA NACIONAL pp. 72 sup., 100, 187 sup., 271 sup., e inf. izq.
Cortesía Fondo John Paddock, CONACULTA-INAH (reprografía Zabé/Tachi), pp. 126, 132
Cortesía Museo Amparo p. 349
Cortesía Dra. Mari Carmen Serra Puche p. 253 superior y centro
Cortesía María Elena Saénz pp. 306, 308
Cortesía de la Subdirección de Arqueología Subacuática CONACULTA-INAH p. 107
Cortesía de Rubén Morante p. 104
Cortesía arqueólogo Manuel Torres Guzmán pp. 92, 94
Cortesía arqueólogo Jürgen Brüggenman p. 101
Cortesía arqueólogo Arturo Pascual pp. 102, 103
Cortesía arqueólogo Álvaro Barreda p. 366 sup. izq.
Cortesía Proyecto Templo Mayor pp. 273, 352 sup. izq., 362, 363, 364
Cortesía Celia Gutiérrez de Ruz pp. 155 der., 186 izq.

DESCUBRIDORES DEL PASADO EN MESOAMÉRICA

SE TERMINÓ DE IMPRIMIR EN NOVIEMBRE DE 2001 EN LOS TALLERES DE JULIO SOTO EN LA CIUDAD DE MADRID, ESPAÑA. PARA SU COMPOSICIÓN SE USARON LOS TIPOS DE LAS FAMILIAS AGARAMOND, BAUER BODONI Y TRAJAN. EL CUIDADO DE IMPRESIÓN ESTUVO A CARGO DE TURNER PUBLICACIONES